COMMYNES
méMORiALISTE

DANS LA MÊME COLLECTION

Nicole Deschamps, *Sigrid Undset ou la Morale de la passion*, 1966

René de Chantal, *Marcel Proust, critique littéraire*, 2 vol., 1967

Nicole Deschamps, *Louis Hémon. Lettres à sa famille*, 1968

Jean-Cléo Godin, *Henri Bosco : une poétique du mystère*, 1968

Bernard Beugnot, *Guez de Balzac. Bibliographie générale*, 2 vol., 1967 et 1969

Michel Plourde, *Paul Claudel : une musique du silence*, 1970

Marcel Gutwirth, *Jean Racine : un itinéraire poétique*, 1970

François Bilodeau, *Balzac et le jeu des mots*, 1971

Jean-Pierre Duquette, *Flaubert ou l'architecture du vide*, 1972

Mario Maurin, *Henri de Régnier : le labyrinthe et le double*, 1972

Bernard Beugnot et Roger Zuber, *Boileau : visages anciens, visages nouveaux*, 1973

Jeanne Goldin, *Cyrano de Bergerac et l'art de la pointe*, 1973

Laurent Mailhot, *Albert Camus ou l'imagination du désert*, 1973

André Brochu, *Hugo, Amour/Crime/Révolution*, 1974

JEANNE DEMERS

COMMYNES
méMORiALISTE

1975
LES PRESSES DE L'UNIVERSITÉ DE MONTRÉAL
C.P. 6128, MONTRÉAL 101, CANADA

Cet ouvrage a été publié grâce à une subvention accordée par le Conseil
canadien de recherches sur les humanités et provenant de fonds fournis
par le Conseil des arts du Canada.

ISBN 0 8405 0294 X

DÉPÔT LÉGAL, 2e TRIMESTRE 1975

BIBLIOTHÈQUE NATIONALE DU QUÉBEC

Le monde n'est qu'abus.

(Cette devise se trouvait avec un globe et un chou cabus sur le monument funéraire que Commynes avait fait construire, pour lui-même et sa femme, dans une chapelle consacrée à Notre-Dame de Ripa, au couvent des Grands-Augustins de Paris. Cf. Kervyn de Lettenhove, *Lettres et négociations de Philippe de Commines,* Bruxelles, Devaux éd., 1868, t. II, p. 281, note 5.)

En guise de préface

*La Vie de L'autheur Receueillie par
Jean Sleidan* *

« ... il estoit Flamand de nation, de gran-
de maison, ioint de parentage & amitié avec les principaux
du pays. Davantage, il avoit de grands biens, non seulement
en Flandres, mais aussi en Hainaut. Il estoit beau personnage ;
& de haute stature, & sçavoit assez bien parler en Italien,

---

* Cet éloge de Commynes, originalement en latin, a d'abord paru
en 1548 dans la deuxième partie de la traduction latine des *Mémoires* par Sleidan, soit dans *Philippi Cominaei, Equitis, De Ca* = //
rolo Octavo, Galliae rege & bello Neapolitano, // *Commentarii.* //
Ioanne Sleidano, Interprete. // *Accessit brevis quaedam explicatio* //
rerum, & authoris uita. // *Argentovati, In* // *aedibus Vuendelini
Rchelij.* // Anno M.D. XLVIII. // *In*-8°, 8 ff. lim., 111 ff. chiffr.
et 9 ff. sans chiffr. Il a été par la suite plusieurs fois repris, puis
traduit. Le texte ci-dessus a été tiré de l'édition Denys Godefroy
des *Mémoires* de M. D CCXIX (A Brusselle, Chez François Foppens, Au St-Esprit), t. III, p. 503-506. *N.B.* cette édition orthographie
Sleida, pour Sleidan.

Allemand, & en Espagnol, mais sur tout il parloit bon François : car il avoit diligemment leu & retenu toutes sortes d'Histoires escrites en François, & principalement des Romains.
Il conversoit fort avec gens d'estrange nation, desirant par ce
moyen apprendre d'eux ce qu'il ne sçavoit point : & d'autant
qu'il avoit en singuliere recommandation de bien employer
son temps, on ne l'eust jamais trouvé oisif. Sa memoire estoit
merveilleuse, voire telle que souvent il dictoit en un mesme
temps à quatre, qui escrivoient sous luy, choses diverses, &
concernantes à la Republique, voir avec une telle promptitude
& facilité, comme s'il n'eust devisé, que d'une certaine matiere.
Comme il vint sur l'âge il regrettoit n'avoir esté dés sa jeunesse instruit en la langue Latine, & souvent deploroit son
malheur en cela. Le Roy Louys Onziesme l'aimoit fort : ce
qui fut cause que du vivant d'iceluy il eut tousiours grand
credit en France, où enfin il prit à femme Helene de la maison
de Montsoreau, qui est sur les confins du pays d'Aniou. Aprés
la mort du Roy Louys il eut beaucoup d'assauts : & dautant
qu'il estoit estranger, l'envie qu'on luy portoit augmenta si
fort, que ses adversaires le mirent en prison à Loches, au
pays de Berry, ville & chasteau où on mettoit coustumierement
prisonniers ceux qui estoient accusez de leze-Majesté. Là fut
traité fort rudement, comme luy-mesme le recite en ses Histoires. Mais cependant sa femme sollicita si bien, qu'on l'ame-
na prisonnier à Paris, où estant venu, un peu aprés fut
appellé devant la Cour de Parlement. Or avoit-il affaire à
fortes parties, & à des adversaires de grande authorité ; à
cause dequoy il voyoit que difficilement se pourroit trouver
Procureur ny Advocat qui voulût defendre sa cause : luy-
mesme la plaida ; & ayant par l'espace de deux heures
debatu se cause en pleine Audience, remonstra si bien son
innocence, que finalement il fut absous de ce qu'on le char-
geoit. Entre autres choses il insista sur les travaux & peines
qu'il avoit soustenuës pour le Roy & le Royaume, combien
le Roy Loüys s'estoit monstré envers luy de bonne volonté
& liberalité, & qu'il n'avoit rien fait par ambition ou avarice :
que s'il se fust voulu enrichir, il en avoit eu autant grand
moyen qu'homme de sa qualité & estat. Il fust prisonnier prés

de trois ans, & un an aprés sa délivrance il eut de sa femme une fille nommée Jeanne, laquelle en aprés fut mariée à René, de la maison des Ducs de Bretagne, & Comte de Pontieure. Ledit René eut d'elle entre autres enfans un fils nommé Jean, qui a aujourd'huy le gouvernement de Bretagne, & est Chevalier de l'Ordre du Roy, & entre autres biens qu'il a, qui sont grands, il est Duc d'Estampes. Le Seigneur de Comines estant âgé d'environ soixante & quatre ans, mourut en une sienne maison nommée Argenton, l'an mil cinq cens neuf, le dix-septiesme jour d'octobre ** : son corps estant de là apporté à Paris, il fut enterré aux Augustins. Au temps de sa prosperité il avoit coustumierement en la bouche ceste sentence contre les Gentils-hommes faineans, *Celuy qui ne travaille point, qu'il ne mange point.* Aussi quand il estoit en adversité, il souloit dire, *Je suis venu à la grande mer, & la tempeste m'a noyé.* On me pourroit icy demander : mais comment peux-tu sçavoir ces choses de Philippes de Comines, toy qui es Allemand ? je vous diray que Matthieu d'Arras, homme de grande honnesteté & sçavoir, demeurant à Chartres en France, l'a connu familierement, & l'a servy : il a aussi esté Precepteur du fils de sa fille, Duc d'Estampes, duquel nous avons parlé. Iceluy ayant leu ma version de l'Histoire dudit sieur de Comines, qui est de Louys onziesme, & Charles Duc de Bourgogne, que j'ay ces années passées traduites en Latin ; & y ayant pris, disoit-il, plaisir pour le sujet, en memoire de son Maistre, me communiqua ce que dessus par un mien amy ; & d'autant qu'il me racontoit les loüanges d'iceluy fort sobrement, de tant plus ay-je estimé qu'il le falloit croire : & je fus bien joyeux d'entendre cela mesme que j'avois oüy dire en France, & presque tout ainsi le sçavoir plus certainement de celuy qui l'a connu plus familierement. Voilà, Amy Lecteur, ce qu'il me sembloit bon de te communiquer, afin que tu puisses mieux entendre aucunes choses contenuës en ces Livres icy. Adieu. De Strasbourg, le 26. de May 1548 ».

** Date qui s'est révélée fausse. Cf. dans la présente étude, le chapitre intitulé : Les trois moments des *Mémoires*, p. 63, n. 76.

Introduction

« Les plus hautes œuvres attendent d'un contexte qui n'a jamais fini de se révéler la
rectification de leur figure. »

GAÉTAN PICON
L'Écrivain et son ombre

« Une littérature diffère d'une autre moins par le texte
que par la façon dont elle est lue. » Cette réflexion de Jorge-
Luis Borges [1] soulève implicitement *tous* les problèmes de la
relation à l'œuvre, relation d'où découle l'idée même de littérature, l'œuvre n'existant pas autrement comme œuvre, que
par les regards — forcément différents selon les lecteurs et le
temps des lecteurs — qui sont posés sur elle.

Mais si chaque lecteur, créateur au second degré, se
trouve devenir jusqu'à un certain point l'éditeur de l'œuvre
qu'il découvre, il est rare qu'il ait entre les mains le texte dans
sa forme originale. Ce dernier lui parvient le plus souvent par

---

1. *In Enquêtes* (1937-1952), traduit de l'espagnol, Paris, Gallimard,
1957, p. 244.

l'intermédiaire d'une sorte de prélecture : l'édition justement, qui en a été faite. L'édition ou les éditions. Dans bien des cas et principalement lorsque l'auteur n'a pas contrôlé celle(s)-ci d'une manière ou d'une autre (pensons aux *Pensées* de Pascal), la « partition [2] » est alors, en dehors de lui et avant même qu'elle n'atteigne le lecteur, partiellement interprétée ; suffisamment du moins pour que soient nettement orientées les lectures futures.

N'est-ce pas le sort qu'ont connu les *Mémoires* de Philippe de Commynes [3] presque toujours abordés en premier lieu, quand ce n'est pas uniquement, dans leurs dimensions historiques mises en évidence par les diverses éditions ? Au détriment inévitable d'autres lectures possibles que neutralisait l'*a priori* historique, en canalisant les approches de l'œuvre dont il diminuait d'ailleurs automatiquement le(s) sens, qu'il repliait sur elle-même, qu'il « fermait » pour reprendre à rebours une expression de Umberto Eco. Au détriment aussi d'une connaissance plus approfondie de Commynes, réduit à la mesure même de la réduction imposée aux *Mémoires*.

La plupart des manuscrits faisaient pourtant de ceux-ci l' « œuvre ouverte » par excellence. Seuls les titres [4], tels des

2. « L'œuvre « en soi » est comme une partition que chaque lecture exécute... », Arthur Nisin, *in la Littérature et le lecteur*, Paris, Éd. universitaires, 1960, p. 105.
3. Parmi toutes les graphies qui ont eu cours — Commines, Comines, Commynes — nous préférons utiliser cette dernière. Adoptée par Mlle Dupont dans son édition des *Mémoires* et reprise par la plupart des critiques, des éditeurs, elle nous paraît la plus conforme à la signature du mémorialiste dont il nous a été donné de voir un facsimilé à l'intérieur de la couverture droite du manuscrit Polignac. (Cf. aussi les reproductions qu'en donne Lionello Sozzi dans son article « Lettre inédite de Philippe de Commynes à Francesco Gaddi », *in Studi in Honore di Tammaro de Marini*, Verone, 1964, t. IV, 4 p. non numérotées entre les p. 212 et 213.) Rappelons les arguments apportés par Mlle Dupont en faveur de son choix : le propre sceau de Commynes et la façon dont ses petites filles écrivaient le nom de leur mère.
4. Et les sous-titres, dans le cas du Dobrée. Les miniatures également, pour quelques-uns, du moins lorsqu'elles représentent les événe-

poteaux indicateurs, montraient la voie à suivre. Si discrètement toutefois ! Souvent partiels [5] en outre, n'étaient-ils pas vite oubliés par le lecteur qui demeurait libre, comme d'ailleurs dans les plus anciennes éditions, une fois plongé dans le texte.

Plus autoritaires que les copistes et que les tout premiers éditeurs, ceux qui vinrent ensuite crurent bon découper ce texte et en jalonner la lecture, pour la faciliter, expliquent-ils [6]. Ils la facilitaient, cela est évident, mais la plupart du temps sur un seul plan, le plan des événements, de l'anecdote, donc du récit. Désireux de sauvegarder « la dignité de l'histoire », ils ne tenaient pas vraiment compte des nombreuses digressions qui pourtant mettent constamment celui-là en question. À toute fin pratique, ils ignoraient également le « je » initial des *Mémoires* : « Au saillir de mon enfance et en l'aage de povoir monter à cheval, fus amené à Lisle... » Aussi se trouvaient-ils en proposer une lecture univoque et linéaire dont on ne devait plus beaucoup s'éloigner.

Examinons ces jalons, demeurés à quelques nuances près les mêmes, dans les éditions modernes. Qu'ils soient titres des différents livres, sous-titres des chapitres, titres courants ou sommaires marginaux, ils retiennent le plus souvent [7] le lecteur aventureux dans les limites de la narration des faits. Occasionnellement étayés de dates — *Défense de Nancy*

---

ments racontés : la seconde du Polignac, par exemple, qui met en scène la bataille de Fornoue et à peu près n'importe laquelle des quatorze que comporte le Dobrée. Cf. la bibliographie pour les références concernant les manuscrits et les diverses éditions (p. 237-239).

5. Comme celui du Dobrée : *Les coroniquez de Montlehery du roy Louis unsieme.*

6. Denis Sauvage, pour un, dans son *Aduertissement aux Lecteurs :* « ce, qui m'a meu de le distinguer par livres, a esté [...] que la dignité de l'histoire en pouuoit estre mieux gardée, & le tout mieux entendu » (f° aa i j r°).

7. Lorsque les digressions sont suffisamment importantes pour constituer la matière d'un chapitre, il arrive qu'elles soient signalées. Ainsi, éd. Sauvage (f° xi, p. i) : *Digression sur les estats, offices & ambitions, par l'exẽple des Angloys.*

(octobre 1476 [8]*)* — ils s'attachent à peu près seulement aux événements racontés : *Arrivée du Roy à Ast* [9]*, Des guerres qui furent entre les princes d'Angleterre, pendant les differens du roy Loys et de Charles de Bourgongne* [10]*, Comment le Roy se partit de Naples et repassa par Romme* [11]...

Et si le titre de l'ensemble a changé, n'est-il pas tout autant orienté que celui de l'édition princeps — *Cronique et hystoire* [...] *contenant les choses aduenues durant le regne du Roy Loys xi* [12]... — par les grandes collections auxquelles il est intégré : « Collection complète des Mémoires relatifs à l'Histoire de France [13] », « Société de l'Histoire de France [14] », « Les classiques de l'Histoire de France au moyen âge [15] », etc. Ajoutons que les éditeurs des *Mémoires* étaient souvent des historiens — c'est le cas de Joseph Calmette — et plus personne ne sera surpris qu'une lecture historique de l'œuvre commynienne ait été favorisée à l'exclusion de toute autre.

*   *   *

La prélecture effectuée par l'édition et limitant les *Mémoires* à leur portée historique devait avoir des répercussions importantes sur la critique. Qui signe celle-ci d'ailleurs ? Mis à part quelques philologues et de rares littéraires, la plupart du temps, des amateurs d'histoire ou de disciplines connexes. C'était logique : le cercle des lecteurs ne se trouvait-il pas par la force des choses réduit à ces derniers ?

Aussi cette critique, dont on pourrait assez facilement et sans la trahir, dresser une espèce de portrait-robot, se révèle-t-elle en général fort ambiguë dans ses projets. Se veut-

8.   Titre courant de la page 133, éd. Calmette, t. II, liv. V, chap. v.
9.   Sommaire marginal, p. 683, éd. Godefroy (réimpression de François Foppens, Brusselle, M. DCCXIX), t. II, liv. VIII, chap. vii.
10. Titre de chapitre, éd. Dupont, t. I, p. 229.
11. Titre de chapitre, éd. Chantelauze, p. 586.
12. Pour la référence complète, cf. la bibliographie, p. 238.
13. Éd. Petitot.
14. Éd. Dupont.
15. Éd. Calmette.

elle historique ? littéraire ? Elle n'annonce pas toujours la couleur [16]. Et quand l' « homme » ne retient pas toute son attention, c'est, à quelques exceptions près, autour d'une même et unique question qu'elle tourne : Commynes est-il, ou non, un *falsus historicus* [17] ?

Que sa réponse soit affirmative ou négative, affective ou encore que, documents à l'appui, elle se fasse scientifique, elle dépend d'abord et avant tout des événements. Trop souvent, elle traverse les *Mémoires* sans les voir, comme s'ils n'étaient qu'un relais d'information. Une telle approche qui nie l'œuvre ne saurait être littéraire.

La critique s'arrête-t-elle aux *Mémoires ?* C'est la plupart du temps pour mieux comprendre le pourquoi de certaines inéquations entre les faits et leur narration [18]. Ses hypothèses ne peuvent alors que rester dans la trajectoire historique. Commynes a menti affirme-t-elle lorsqu'elle refuse d'être dupe ; il a voulu nuire aux uns, se protéger des autres, cacher un jeu inavouable, se présenter enfin sous un jour avantageux. Naïve — et il arrive qu'elle le soit — elle choisit plutôt le thème de la modestie ou celui de l'erreur. Dans l'un et l'autre cas le résultat est identique : il n'y a jamais remise en question de l'*a priori* historique. Cette sorte de programmation initiale rendait à peu près impossible l'idée même d'une lecture différente des *Mémoires,* stérilisant les intuitions à ce sujet avant qu'elles n'aient eu le temps de vivifier les réflexions. Et pour-

16. Si elle le fait dans des revues comme le *Journal of Modern History,* la *Revue historique* ou le *Bulletin de la commission historique du département du Nord,* elle est plus équivoque dans des publications du type *Mémoires couronnés par l'Académie de Belgique.*

17. L'expression est de l'annaliste flamand Jacques Meyer, *Commentarii sive annales rerum Flandricarum,* lib. XVII, Anvers, 1561, *in* f°, f° 364. Cité par Bernard de Mandrot, Introduction à son édition des *Mémoires,* p. XVII.

18. Il peut arriver que l'éclairage, bien qu'historique, mette en évidence certaines caractéristiques des *Mémoires* comme texte. C'est le cas, entre autres, de l'article de Jean Dufournet, « Art et déformation historique dans les *Mémoires* de Philippe de Commynes », *in Romania,* t. 90, 1969, p. 145-173.

555555555555544555555555555555555555

tant, plutôt qu'à la vérité des événements, nécessaire, cela est indiscutable, aux sciences de l'histoire, n'y a-t-il pas lieu, en littérature, de s'attacher à une autre vérité, essentielle et qui prime tout, celle de l'œuvre ?

Mais cette notion — la vérité de l'œuvre — n'est-elle pas toute moderne ? Et n'était-il pas normal, il y a peu de temps encore, l'*a priori* historique que nous avons beau jeu de dénoncer ? S'il est juste, comme le veut Gaétan Picon qu' « entre l'œuvre » et le lecteur, il y ait « toujours une présence : les autres œuvres et [son] idée de l'art [19] », ne fallait-il pas à cette « présence » le temps de s'épaissir, de devenir, de s'installer, avant qu'elle puisse faire basculer le poids de la tradition ?

Quand et comment celle-ci s'est-elle établie ? Très tôt certainement, puisqu'en 1548, Jean Sleidan, faisant allusion à sa traduction de la première partie des *Mémoires,* parle de sa « version de l'*Histoire* » du « sieur de Comines [20] ». Et c'est en tant qu'historien — dans le sens bien entendu que l'on donnait alors au mot — que, quelques années plus tard, la courte légende placée sous le beau portrait du manuscrit d'Arras (reproduit en couverture), présente ce dernier.

Le nombre et l'importance à l'époque des historiographes officiels [21] et, par voie de conséquence, l'abondance et la diversité [22] du genre chronique, rendaient inévitable une telle

19. *L'Écrivain et son ombre,* Paris, Gallimard, 1953, p. 71.
20. Cf. la page 11 de la présente étude. C'est nous qui soulignons.
21. La liste en serait longue. Charles Aubertin leur consacre plusieurs pages de son *Histoire de la langue et de la littérature française au moyen âge* d'après les travaux les plus récents (Paris, éd. de 1883, t. II), soit les pages 258-281 et qui ne sont pas sans intérêt. Quant à Jean Dufournet (*in la Destruction des mythes dans les Mémoires de Philippe de Commynes,* Genève, Droz, 1966, 710 p.), il s'appuie sur plusieurs d'entre eux pour mieux dégager la pensée et l'originalité de Commynes.
22. Ainsi aucune commune mesure entre la chronique d'un Jean Molinet, les « vies » de Christine de Pisan et la chronique romancée ou, si l'on préfère, le roman-chronique-traité de guerre de Jean de Bueil, le *Jouvencel.* Sans parler du genre *Journal d'un bourgeois de Paris.*

appréhension de l'œuvre et de son auteur. Le fait aussi que
les *Mémoires* s'annonçaient officiellement dans le *Prologue*
comme matière devant servir à l'histoire. L'inexistence enfin
d'une littérature « moraliste », au sens que prendra le mot
au cours des siècles et l'existence au contraire d'une littérature
— appelons-la « morale » pour éviter toute confusion — d'inspiration encore franchement médiévale.

Ne pouvant relever de cette dernière, composée de
« traités [23] », versifiés quelquefois, en tout ou en partie, et le
plus souvent œuvres de théoriciens, n'était-il pas logique que
les *Mémoires,* empiriques dans leur conception et le fait d'un
homme d'action — nommés « Cronique » en outre, ne l'oublions pas — aient été appréhendés spontanément et presque
exclusivement comme récit historique. D'autant que la fin
du moyen âge, très hospitalière à la digression [24], didactique
ou autre, ne devait pas le moins du monde être déroutée par
les habitudes digressives de Commynes, celles-ci s'inscrivant
au contraire dans un faire assez constant.

23. Nous pensons par exemple aux œuvres de Ghillebert de Lannoy,
   les Enseignements paternels ou *Instruction d'un jeune prince,* ou
   bien encore à ce *Traité contre les devineurs,* d'auteur inconnu, au
   Songe du vielz pelerin adréciant au blanc faulcon de Philippe de
   Mézières dont Georges Doutrepont note l'existence dans la « librairie » du duc Philippe le Bon (*in la Littérature française à la cour
   de Bourgogne,* Paris, Champion, 1909, XVIII - 544 p.) ; au *Lyon
   coronné,* à toute cette littérature didactique enfin, qui se donne
   ouvertement comme telle. Il suffit pour se rendre compte de son
   importance de parcourir *la France littéraire au XVᵉ siècle, catalogue raisonné des ouvrages imprimés en langue française jusqu'en
   1500,* de Gustave Brunet, Paris, 1865, Genève, Slatkine Reprints,
   1967, VIII-265 p.
24. On la trouve partout. Elle s'insinue en effet dans la poésie, la
   nouvelle, le théâtre. Quant à l'histoire qui doit beaucoup à la manière de Salluste, elle la pratique (en langue vulgaire comme en
   latin) couramment et depuis longtemps, que ce soit pour reposer
   le lecteur, l'édifier ou encore, avec des intentions rhétoriques évi-
   dentes dues aux Anciens (nous pensons à Cicéron, Quintillien, etc.),
   pour embellir le récit. Cf. à ce sujet, Ernst Curtius, *European
   Literature and the Latin Middle Ages,* Pantheon Books, Bollingen
   series XXXVI, p. 71.

D'autant aussi que les lecteurs de cette période étaient,
si l'on en juge par la production du temps, particulièrement
attirés par les « histoires [25] » en général : d'une part, ils émer-
geaient tout juste d'une littérature orale favorable aux narra-
tions de toutes sortes, d'autre part, ils appartenaient à une
société s'ouvrant sur le monde, par conséquent disponible et
fort curieuse de tout ce qui s'y passait [26]. Une société qui ne
se reconnaissait plus dans les romans de chevalerie, pourtant
mis au goût du jour [27], et qui, tout en se cherchant dans l'éternel triangle de la farce, dans le quotidien ou le merveilleux
de la nouvelle et de la chanson, sentait un grand besoin de
regarder autour d'elle.

Quel écrit mieux que l'historique le lui permettait ? Non
pas l'histoire d'un lointain passé (lointain dans le temps et
dans l'espace) réservée d'ailleurs aux rares instruits, ni la
chronique laudative des grandes cours, celle des ducs de
Bourgogne, par exemple, roman de chevalerie nouveau style,
mais la vivante, la récente qui mettait en scène des gens que
l'on avait connus — ou que des gens que l'on connaissait
avaient connus — des événements vécus ou suivis de près,
encore tout frais.

Si les *Mémoires* lui offraient davantage, cette société
n'était pas, sauf quelques rares exceptions, en mesure de le
découvrir : l'existence d'une œuvre ne se situe-t-elle pas « au
niveau exact de nos capacités [28] » ? Le monde raconté et com-

25. « ... un public qui lit surtout pour « connaître l'histoire ». (Georges
    Doutrepont, « L'extension de la prose au XVe siècle », *in Mélanges
    de littérature, d'histoire et de philologie offerts à Paul Laumonier*,
    Paris, Droz, 1935, p. 105.)

26. C'est aussi l'avis de Jens Rasmussen qui explique que la chronique
    « devait son existence à un désir d'explorer et de fixer la vie ac-
    tuelle dans ses différents aspects... » (*In la Prose narrative française
    du XVe siècle*, Copenhague, Ejnar Munksgaard, 1958, p. 18.)

27. Cf. Georges Doutrepont, *les Mises en prose des épopées et des
    romans chevaleresques du XIVe au XVIe siècle*, Bruxelles, 1939,
    732 p.

28. Jean-Paul Sartre, *Qu'est-ce que la littérature ?*, Paris, Gallimard,
    coll. Idées, 1948, p. 58.

menté sur le vif qu'ils contenaient lui suffisait : c'était le sien, ce qui ajoutait déjà beaucoup au plaisir primaire et toujours vivace de l'histoire pour l'histoire. Réaction normale d'ailleurs : toute lecture contemporaine est d'abord anecdotique. À preuve le type de succès — son immédiateté aussi — de toutes les œuvres « à clef ».

Et comment cette société aurait-elle été vraiment capable d'une lecture inquiète de l'œuvre commynienne ? Bien que proche, il n'était pas encore venu le temps où lui pèserait l'image un peu simpliste de l'homme que lui proposait la littérature « morale », les clercs également, à coup d'*exempla* [29] et, jusqu'à un certain point, l'histoire traditionnelle. Aussi ne devait-elle tirer de la leçon des *Mémoires* qu'un profit immédiat et qui lui paraissait aller de soi.

* * *

Chaque fois qu'était transgressé le type de lecture s'en tenant aux faits et aux enseignements stéréotypés de l'époque, les *Mémoires* se trouvaient modifiés comme œuvre. À la mesure précise cependant des perceptions qu'on en avait. Aussi la modification, en général, n'est-elle pas essentielle : malgré les « décrochages » vers d'autres dimensions, en dépit même de commentaires, comme celui-ci d'Émile-Ch. Varenberch,

29. Les *exempla,* anecdotes exemplaires tirées de l'histoire ou de la légende, étaient, selon un usage vieux comme le monde, abondamment utilisés par les prédicateurs du temps qui en composaient des recueils ou sermonnaires, les groupant quelquefois par thèmes, sous des rubriques commodes et dans l'ordre alphabétique (ex. : *Absti-nentia, adquisicio, advocatus injustus, amor carnalis,* etc.), quelquefois aussi d'après les différents auditoires auxquels ils étaient destinés (ex. : *Aux prélats, aux époux, aux veuves, aux pèlerins, aux soldats,* etc.). Cf. à ce sujet, les ouvrages suivants : Thomas Frederick Crane (édit.), *Exempla or Illustrative Stories from the Sermones Vulgares of Jacques de Vitry,* Nendeln/Liechtenstein, Kraus Reprint Limited, 1967, cxvi-303 p. Richard Albert Lecoy de la Marche, *la Chaire française au moyen âge,* Paris, Renouard, 1886. J. Th. Welter, *l'Exemplum dans la littérature religieuse et didactique du moyen âge,* Paris-Toulouse, 1927, 564 p.

Son livre pourrait porter pour titre : *Mémoires de Commynes, ou Fragment de la comédie humaine* [30].

cet autre de L. Petit de Julleville,

... son livre pourrait s'appeler : *Maximes et réflexions tirées du tableau des événements contemporains* [31]...

cet autre encore d'Auguste Molinier :

Il raconte *ad probandum* autant qu'*ad narrandum* [32].

l'œuvre de Commynes demeure perçue comme récit historique. C'est toujours ce dernier qui compte d'abord et avant tout ; sur lui se greffe seulement quelque chose de plus que l'on se contente de noter au passage, tout en reconnaissant paradoxalement que c'est ce quelque chose qui fait la valeur des *Mémoires* [33].

Si elle est essentielle au contraire, la modification est telle que ceux-ci ne sont même plus vraiment en cause. Ils sont devenus une œuvre tout à fait différente, signée — quand elle n'est pas hypothétique, comme celle imaginée par Kenneth Dreyer [34] — non pas Philippe de Commynes, mémorialiste du

30. « Mémoire sur Philippe de Commynes comme écrivain et comme homme d'État », *in Mémoires couronnés par l'Académie de Belgique,* t. XVI, Bruxelles, 1864, p. 12.

31. *Extraits des chroniqueurs français,* Paris, Armand Colin, 6ᵉ éd., 1930, la Notice sur Commynes, p. 305. (C'est nous qui soulignons.)

32. Rubrique « Commynes », *in les Sources de l'histoire de France,* t. V, Paris, 1904, p. 13, *in* 8°.

33. On pourrait multiplier les exemples. Ne retenons que ceux-ci : « Ces réflexions [...] forment la partie sérieuse et vraiment originale des *Mémoires* de Comines [...] ce sont là les points culminants de son œuvre... », Charles Aubertin, « Philippe de Comines », *in Histoire de la langue et de la littérature...,* t. II, p. 293. « Il est peu d'ouvrages d'histoire où les préoccupations de moraliste se montrent autant que dans les *Mémoires* de Commynes. Au fond même, Commynes est surtout un moraliste », Émile Faguet, *XVIᵉ siècle, études littéraires,* Paris, 1893, p. 20.

34. « *Had an editor of the sixteenth Century gone to the trouble of publishing separately just those excerpts from the « Mémoires » [...] Commynes would probably be included today in every listing of political theorists of that Century* », « Commynes and Machiavelli.

XVe siècle, mais Lambert Daneau, savant du XVIe [35], Pierre Matthieu ou Claude Joly, respectivement historien et polémiste du XVIIe. En plaçant à la fin de son *Histoire//de//Louys XI. //Roy de France* [36] *//* ... , ses *Maximes, Jugements et Observations Politiques* [37] tirés des *Mémoires,* celui-là, comme d'ailleurs celui-ci avec son *RECUEIL DE MAXIMES VÉRITABLES ET IMPORTANTES POUR L'INSTITUTION DU ROY* [38], ne répondaient-ils pas au goût de leur temps qui pratiquait volontiers une lecture éclectique ; un type de lecture que reflètent assez bien ces réflexions de Bussy Rabutin à sa correspondante, Madame de Sévigné :

... sur cela écoutez notre ami Comines sur le chapitre des travers de la vie humaine. « Aucune créature n'est exempte de passion ; tous mangent leur pain en peine et douleur : Nostre-Seigneur le promit à toutes gens.»

A Study in Parallelism », *in Symposium,* t. V, 1951, p. 57. Notons que M. Dreyer paraît avoir ignoré les tentatives en ce sens faites au XVIe et au XVIIe siècles. Cf. plus loin, les notes 35, 36 et 37.

35. Ce savant a donné en latin des *Aphorismes politiques,* tirés de Thucydide, Xénophon, Hérodote, Polybe, Tite-Live, Tacite, etc. et Commynes, seul moderne qu'il eût jugé digne d'y figurer. Il s'autorise pour son choix d'un jugement de Juste-Lipse qui veut que les *Mémoires* soient « le Bréviaire des princes ». Cité par Petitot, dans la Notice à son édition des *Mémoires,* p. 2.

36. *...et//Des choses memorables aduenües en l'Europe durant vingt & deux années de Son Regne Enrichie de plusieurs observations qui Tiennent lieu de Commentaires//Divisee en unze livres//*À Paris, chez P. Mettayer, Imprimeur et libraire ordinaire du roy,// et La Veufve M. Guillemot, Libraire.//M. DCX. Avec Privilege du roy. 48 ff. partiellement chiffrées-603 p. et une non chiffrée.

37. *...de//Philippes de Commines//Seigneur D'Argenton//sur la vie, le regne, les actions de Louis XI. & autres diverses occurences,* p. 573-603-1 p. non chiffrée.

38. A Paris, M. DC. LII, 20 p. non numérotées-508 p. et 4 non numérotées. Cet ouvrage qui est une compilation avec commentaires de passages tirés des *Mémoires* veut, comme en fait foi un sous-titre ajouté à l'encre « par le Sr Joly », lutter « contre la fausse et pernicieuse Politique du Cardinal Maxarin, prétendu Sur-Intendant de l'éducation de Sa Majesté ».

Il n'y a personne qui ne sache cela aussi bien que
M. d'Argenton ; mais vous m'avouerez qu'on ne sauroit
le dire plus plaisamment que lui [39].

Que supposait déjà aussi l'usage fait des *Mémoires* par certains princes, Charles Quint entre autres, dont on a dit qu'il
les lisait continuellement [40]. Qu'y cherchait-il, sinon les leçons
pour lesquelles, à la même époque, Mélanchthon en avait inclus
la lecture dans le plan d'éducation rédigé pour Jean-Frédéric,
duc de Stettin et de Poméranie [41] ?

« ... savoir l'Histoire, de plus en plus à cette époque,
n'est-ce pas « connoître les hommes, qui en fournissent la matiere, [...] juger de ces hommes sainement [...], pour en connoître tous les ressorts, les tours & les détours, enfin toutes les
illusions qu'elles savent faire aux esprits, & les surprises qu'elles
font aux cœurs [42] ? » N'est-ce pas examiner l'homme dans ses
actes, pour en comprendre les mobiles ? Conception moraliste
de l'histoire qui ne tardera d'ailleurs pas à être remplacée par
une approche « scientifique ». Avec comme conséquence pour

39. Lettre datée de Chaseu, le 14 octobre 1678, *in Lettres de Madame
    de Sévigné de sa famille et de ses amis,* recueillies et annotées par
    M. Monmerqué, nouv. éd., Paris, 1863, t. V, p. 495.
40. Cf. A. Duméril, « Comines et ses *Mémoires* », *in Annales de la
    Faculté des lettres de Bordeaux,* t. VI, 1885, p. 145. Claude Joly
    signale le fait (*op. cit.,* préface) en s'appuyant sur « Verdier en sa
    Bibliothèque ».
41. Cf. D. Nisard, « Commynes », *in Précis de l'histoire de la littérature
    française depuis ses premiers monuments jusqu'à nos jours,* 6ᵉ éd.,
    Paris, Firmin Didot, 1877, t. I., p. 134-135. Si le manuscrit français
    10156 de la Bibliothèque nationale (Paris) ne nous a rien appris
    sur les habitudes de lecture de l'un de ses propriétaires, Henri III,
    le manuscrit français 3879 de la même bibliothèque, par contre,
    nous a laissé entrevoir celles d'un lecteur inconnu — le précepteur
    d'un jeune prince ? — indiquant la leçon à retenir. Ex. :   au
    verso du f° XVII, le passage suivant — 11 lignes — est marqué
    d'une accolade : « Ainsi ce n'est pas à Paris ne en France [...]
    tous les jours. » (Cf. éd. Calmette, t. I, liv. I, chap. VII, p. 54.)
    D'autres sont soulignés ou signalés par la main au doigt pointé.
42. Abbé de Saint-Réal, *De l'usage de l'histoire,* Paris, C. Barbin, 1671,
    p. 3.

les *Mémoires* de se retrouver, avant même que leur statut d'œuvre ne soit assuré, à peu près uniquement et anachroniquement mesurés à cet étalon mythique qui ne pouvait manquer de révéler leurs lacunes et leurs faiblesses sur le plan du récit ; qui ne pouvait manquer non plus d'aiguiller plus que jamais le lecteur vers ce dernier, au moment même où on l'assure que c'est la leçon qui compte.

*   *   *

Ces diverses lectures étaient nécessaires puisqu'elles contribuaient à la vie des *Mémoires*. Elles accentuaient cependant le fossé entre les deux principales dimensions qu'elles en avaient dévoilées, l'historique et la moraliste, insistant tantôt sur l'une, tantôt sur l'autre, aux dépens chaque fois, cela était inévitable, de l'unité de l'œuvre. Il y avait bien eu quelques rares ballons d'essai, vite dégonflés d'ailleurs, vers une lecture plus « globale ». La boutade d'humeur d'un Charles Potvin, par exemple, voulant que les *Mémoires* soient le « *roman* de Comines [43] ». Mais le mot était si inattendu, si provocant même, qu'il ne pouvait être retenu. Pourtant, comme il était prégnant ! Ne serait-ce que parce qu'il se trouvait, pour la première fois peut-être, à placer l'œuvre commynienne hors

43. « Une page de l'Histoire morale des lettres », *in Nos premiers siècles littéraires,* Bruxelles, Lacroix, Verboeckhoven et cie, 1870, t. II, p. 1-32. La thèse de Potvin, bien que fort discutable dans ses prémisses étant donné son parti-pris « moral », n'est pas sans intérêt : les *Mémoires* ont été écrits « pour la justification » de Commynes « plus que pour la vérité de l'histoire » (p. 16), d'où la déformation historique fréquente, voulue ou non. Elle n'a guère dépassé le stade de l'intuition cependant. Elle n'aborde pas vraiment non plus l'aspect formel de l'œuvre — nous sommes en 1870, c'était donc normal — en dépit de l'utilisation audacieuse du mot « roman ». Jean Dufournet qui la reprend (*in la Destruction des mythes...*), en l'étayant solidement, s'arrête pour sa part au texte qu'il scrute avec attention. Il ne nous semble pas toutefois avoir été au bout de son expérience de lecture : celle-ci, pleine d'aperçus lumineux et de fines analyses, ne rejoint pas toujours l'œuvre dans son unité. Mais peut-être n'est-ce qu'affaire de présentation ?

du circuit de l'histoire et ainsi la ramener à une sorte de
point zéro, soit avant la critique et même avant l'édition.

Revenons à ce point zéro. Faut-il en effet continuer à
lire les *Mémoires* en récit historique plus ou moins fidèle et
plus ou moins pur, avec les servitudes attachées nécessairement
à une telle conception ? La question mérite d'autant plus d'être
posée qu'on a déjà plusieurs fois reconnu que Commynes,
« en ses longues digressions [...] passe les bornes de l'histoire
et d'un historien [44] ». S'il n'était pas historien, justement ? Si
les *Mémoires* suivaient — ou créaient — un projet autre que
celui de l'histoire ?

Quelles sont les « bornes » de celle-ci ? Admettons d'a-
bord, avec Tzvetan Todorov, que l' « histoire [...] n'existe pas
en soi », que « toujours perçue et racontée par quelqu'un »,
elle « est une abstraction [45] » ; une abstraction entre la vie,
qui est hasard et l'œuvre, organisation de ce hasard [46]. Aussi
n'existe-t-elle concrètement que dans cette organisation et
selon son ordre. Et qu'est-ce qui préside à cette organisation ?
Des nécessités formelles, bien sûr, contraintes inévitables ou
alors le récit n'aurait pas lieu : le réel ne se démarquant pas.
Mais au delà de ces contraintes, sur lesquelles il exerce d'ailleurs un certain contrôle par le « discours » que Todorov
justement distingue de l'histoire [47], n'y a-t-il pas la vision du
monde de celui qui l'entreprend ? S'agit-il d'une vision « sim-

---

44. Du Haillan, dans son épître dédicatoire à l'*Histoire de France.* Cité
   par Petitot, dans la Notice de son édition des *Mémoires,* p. 142.
   Ce qu'admet d'ailleurs plus récemment Samuel Kinser dans l'Introduction à son édition des *Mémoires* : « *Commynes* » *Memoirs
   founded a new genre of historical — or perhaps « parahistorical »
   writing in France : memoirs...* » (*The Memoirs of Philippe de
   Commynes,* Columbia, University of South Carolina Press, 1969,
   vol. 1, p. 38-39).
45. « Les catégories du récit littéraire », *in Communications,* n° 8, Seuil,
   1966, p. 127. Précisons que Todorov donne ici au mot « histoire »
   son sens large de trame événementielle qui se trouve inclure l'histoire au sens restrictif de récit historique.
46. Umberto Eco, *l'Œuvre ouverte,* Seuil, 1965, p. 160.
47. Article cité, p. 126.

ple », il donnera « la matière de l'Histoire, nue et informe [48] ».
Est-elle « bien excellente », au contraire ? Il choisira « ce qui
est digne d'estre sceu », il « pourra tirer de deux rapports celuy
qui est plus vraysemblable ; de la condition des Princes et de
leurs humeurs », il en conclura « les conseils » et leur attri-
buera « les paroles convenables ». L'organisation des faits
peut donc osciller entre deux pôles : elle peut se tenir plus
ou moins près du pôle « historique » — toujours théorique,
rappelons-le, même lorsque le « je » du narrateur n'apparaît
pas — ou encore, si elle dit « l'homme en général [...] vif [...]
entier », dans « la diversité et verité de ses conditions internes
en gros et en détail, la variété des moyens de son assemblage
et des accidens qui le menacent [49] », devenir plus ou moins
« moraliste [50] ».

L'histoire, toutefois, ne se quitte-t-elle pas à cet instant ?
Et ne serait-il pas faux, les buts se trouvant modifiés et l'utilisation des matériaux forcément autre, d'examiner cette espèce de dépassement d'elle-même comme si elle était demeurée
dans ses limites, soit plus purement historique ? C'est pourtant
le mode d'approche qui a été réservé à l'œuvre de Commynes,
quand on ne l'a pas tout simplement mutilée afin de mieux
saisir, du moins le croyait-on, la dimension leçon.

Aussi une relecture des *Mémoires* nous a-t-elle paru
s'imposer. Il nous semblait inutile de l'entreprendre à partir du
seul récit : tous les essais du genre ayant abouti aux résultats
dont il a été question. Ne retenir que les digressions n'avait
évidemment aucun sens. Utiliser celles-ci comme point de
départ de l'analyse pouvait cependant se révéler intéressant :
la digression, sous toutes ses formes, ne constituait-elle pas

48. Cf. la distinction faite par Montaigne entre les historiens : il y a
les « simples » et les « bien excellents ». (*Essais,* Pléiade, 1962,
liv. II, chap. x, p. 396-397.)

49. *Ibid.,* p. 396.

50. Notons que la tangente est toujours possible vers le roman, l'épopée,
etc. Cf. l'ouvrage de Gustave Dulong sur la question : *L'abbé de
Saint Réal. Étude sur les rapports de l'histoire et du roman au
XVIIe siècle,* Paris, Champion, 1921, vol. I, 272 p.

précisément la pierre d'achoppement des lectures passées ?
Elle devait être la clef de l'œuvre. Plus nous fréquentions les
Mémoires, plus nous en avions la conviction. Il fallait tenter
de voir comment et combien souvent elle s'inscrit dans le
texte commynien, en quoi elle modifie par sa présence la
narration des faits, essayer surtout de comprendre les raisons
de cette présence. Autrement, nous serait-il jamais possible
d'emboîter le premier pas vers la reconnaissance du texte
commynien en tant qu'œuvre, celui que fit Denis Sauvage
lorsqu'il lui donna le titre de *Mémoires,* voulu par Commynes
lui-même [51] ? Et n'était-ce pas ce que nous désirions ?

*   *   *

Au terme de notre enquête, nous croyons être en mesure
de retirer les *Mémoires* à l'histoire et d'en proposer une nouvelle lecture, littéraire d'abord et plus conforme à leur structure interne à laquelle, nous le verrons, les divisions actuelles
ne rendent pas justice ; plus conforme aussi aux dimensions
didactiques et réflexives que nous ont révélées les nombreuses
digressions qu'ils comportent ; plus conforme enfin à leur
genèse, celle même de leur auteur qui nous est apparu, grâce
à elles, comme un moraliste en devenir.

C'est en premier lieu cette genèse que nous tenterons
de cerner ; genèse de l'œuvre et genèse de son auteur par leurs
modifications profondes, conjointes et réciproques face aux
faits, au lecteur de commande, à l'écriture. Nous ne passerons
qu'ensuite à la partie technique de notre exposé. Bien que
celle-ci fût première au niveau de la recherche, il nous semblait en effet difficile d'en faire d'abord état. Ne fallait-il pas
convaincre du caractère essentiel des digressions avant de pré-

51. Éd. Sauvage, Aduertissement aux Lecteurs, f° aaij, v° : « ... debon-
naires Lecteurs, [...] ne trouverez aucunement estrange qu'ayans
chãgé l'ancien tiltre de ce present volume, incontinent qu'aurez
entendu, pour noz raisons, que le père mesme en a esté le parrain
(comme l'on dit communément) le nommoit Memoires, ainsi que
vous, en plusieurs & divers passages, [...] trouverez en lisant ».

tendre intéresser à leur nombre, à leur diversité, au mécanisme des structures binaires qu'elles forment entre elles ou avec le récit ?

Dans une deuxième et dernière partie, nous procéderons à l'ouverture du Triptyque, né justement des structures digressions/récit et de leur position dans le déroulement des *Mémoires*. Trois portraits : le Téméraire, Louis XI, Charles VIII ; Commynes aussi, le « donateur ». Mais surtout en surimpression et au delà des princes « folz », du prince « saige », du conseiller idéal, au delà même de l'homme, substrat de l'écrivain, l'homme universel et changeant, l'homme « récité [52] » en action — avant Montaigne qu'il annonce sur bien des points — par Commynes, premier moraliste français.

---

52. L'expression est de Montaigne : « L'homme [...] je le recite... » (*Essais*, liv. III, chap. II, p. 782.)

I
Le récit en question

« Si l'écriture est manière d'être, elle renvoie à son tour à la présence, en elle et par elle, de l'écrivain. Le style de l'œuvre indique donc le choix de l'écrivain d'être auteur ; il dit la façon dont une existence humaine a intégré et exprimé la totalité de ses rapports avec le monde. »

SERGE DOUBROWSKY
Pourquoi la nouvelle critique ?

1
Les trois moments
des *Mémoires*

— Des « faictz » à « du bien et du mal » ;
d'Angelo Cato à « quelcun qui auroit à
faire semblable cas ». — Commynes découvre sa véritable matière. — La tentation
de l'écriture. — Après le livre VIII, le
silence inévitable. — La nécessité d'une
approche dynamique.

Contrairement aux chroniqueurs de son époque, le plus
souvent d'ailleurs « indiciaires » officiels, Commynes ne prétend pas au métier d'écrire [1] : c'est à la demande de monsei-

---

1. Ne retenons que deux exemples : « ... je, Jehan Molinet, lointain
imitateur des historiographes, me suis avancié [...] de redire et
mettre par escript les glorieuses proesses... » (*Prologue,* éd. Doutrepont, vol. I, p. 28.) « Je, Mathieu d'Escouchy [...] ayant mis et
formé mon propos de faire, escripre et composer ung livre, en prose
et langaige maternel des nobles faiz d'armes, conquestes et haul-
taines entreprinses qui ont esté faictes en ce dit très crestien... »
(*Prologue,* éd. du Fresne de Beaucourt, vol. I, p. 1.) Ce même
d'Escouchy est si conscient de son métier d'écrivain qu'ayant appris
que la fête de la Toison d'or devait avoir lieu à Mons où il se

gneur l'archevêque de Vienne, Angelo Cato [2], qu'il commence
ses mémoires. Tout au plus d'ailleurs espère-t-il fournir matière
à « quelque œuvre » que ce dernier a l' « intention de faire
en langue latine ». À lui de combler les lacunes au besoin,
« là où je fauldroye [3] », précise Commynes dans le *Prologue*.
Prétexte que cette soumission au désir d'Angelo Cato ?
Fausse modestie dans le goût du temps [4] ? Avec Sainte-Beuve [5]
et quelques autres [6], on le croirait presque quand, dans cette

trouvait, il décide de « sejourner en icelle ville » et de faire « ung
petit memore » de ce qu'il verrait. (*Ibid.*, p. 346.) Ne dirait-on pas
un journaliste « à la pige » ?

2. À quel moment Commynes a-t-il écrit son épître liminaire à Cato ?
Alors qu'il commençait la rédaction de ses mémoires ? Après le
sixième livre ? Le huitième même ? Nous n'avons que faire
des hypothèses. Celle de Kervyn de Lettenhove (*in Lettres et
négociations de Ph. de Commines,* Bruxelles, Devaux éd., 1868,
t. II, p. 275) nous paraît bien hasardeuse et nous ne sommes
pas prête à la reprendre — telle que, du moins — à notre compte,
malgré certains indices stylistiques qui semblent la confirmer, le
participe passé de « Je l'ay faict », par exemple. Pour K. de
Lettenhove, Commynes aurait rédigé la dédicace à Cato — qu'il
savait mort, pourtant — une fois les *Mémoires* terminés, « sous
l'influence d'une de ces idées communes à tous les vieillards, qui
les portent à rechercher bien loin en arrière les souvenirs les plus
chers et les amitiés les plus solides ». Rappelons que Angelo Cato,
astrologue et médecin « humaniste » avant la lettre, s'est attaché à
la personne de Louis XI après avoir été professeur à l'Université
de Naples, précepteur du fils de Ferrand I et serviteur du Téméraire.

3. T. I, p. 2, éd. Calmette. À moins d'indication contraire, toutes les
références aux *Mémoires* proviendront de cette édition qui a constitué notre texte de travail.

4. Ainsi, pour ne citer encore qu'eux, Jean Molinet qui parle de sa
« rude plume mal agencye » (éd. Doutrepont, vol. I, p. 66) et
Mathieu d'Escouchy, de sa « simplesse et ignorance » (éd. du
Fresne de Beaucourt, vol. I, p. 3).

5. « Cet espoir de Commynes que son livre pourra être mis en langue
latine ressemble presque à une plaisanterie, il peut passer pour une
simple politesse. » (*Causeries du lundi,* Paris, éd. Garnier, 1851,
5ᵉ éd., t. I, p. 243.)

6. Kervyn de Lettenhove : « Il nous est difficile aujourd'hui de ne
pas sourire quand Commynes exprime à l'astrologue l'espoir qu'il
mettra en latin sa prose française, si énergique et si concise... »

même épître liminaire, on voit Commynes faire allusion à
« ceulx qui [...] liront ». Il faut cependant résister à la trop facile
tentation d'imaginer l'ancien conseiller de Louis XI, le chef
de nombreuses ambassades, forcé à une retraite prématurée
— il n'a pas quarante-cinq ans [7] — décidant soudain de jouer
dans les Lettres le rôle qu'une Régence mal avisée lui refuse
sur la scène du monde. La vérité est à la fois plus simple et
plus belle. Rien d'abord n'avait préparé Commynes à écrire :
il avait reçu une instruction plus que sommaire — celle des
jeunes nobles de son temps — et les circonstances l'avaient,
encore adolescent, jeté en pleine action. Mais il a été à l'école
de l'expérience et n'est-ce pas l'école qui profite le plus à
l'homme intelligent [8] ? Aussi suffira-t-il de la coïncidence de
deux événements — le désir de l'archevêque de Vienne et
un arrêt [9] dans son activité de diplomate, d'homme d'État —
pour que Commynes devienne écrivain.

(« Études sur les historiens du XVᵉ siècle, Philippe de Commynes »,
Bull. Acad. roy de Belgique, 2ᵉ série, t. VII, 1859, p. 284.) Julia
Bastin : « Commynes a-t-il vraiment pensé n'apporter que des
matériaux pour servir à la confection d'un livre en latin ? On a
peine à le croire. » (*Philippe de Commynes*, Bruxelles, Coll. nationale, 1945, Introduction, p. 32.) Jean Dufournet, pour sa part,
nuance la position de Sainte-Beuve et la tire dans le sens de la
thèse qu'il défend : Commynes utilise le « patronage » de Cato
pour faire passer ses idées. (Cf. *la Destruction des mythes...*, p. 697.)

7. Si on admet avec Mandrot (éd. des *Mémoires*, Introduction,
    p. LXXXII) et Calmette (éd. des *Mémoires*, Introduction, p. XIII)
    que Commynes a commencé ses mémoires après sa libération, soit
    en mars 1489 ou un peu plus tard, fin 1489, comme le suggère Jean
    Dufournet. (« Quand les Mémoires ont-ils été composés ? », *in
    Mélanges de langue et de littérature du Moyen âge et de la Renais-
    sance offerts à Jean Frappier*, Genève, Droz, 1970, p. 275.)

8. « Les génies de cette trempe », assure Mˡˡᵉ Dupont dans la Notice
    en tête de son édition des *Mémoires* (t. I, p. xx), « se forment
    eux-mêmes et vont d'autant plus vite et plus loin qu'ils n'ont rien
    d'inutilement acquis à oublier, ou de mal enseigné à désapprendre.
    Pour l'esprit sagace et méditatif du futur historien, il y avait plus
    de profit à tirer du grand livre du monde que de tous ceux de
    l'école. »

9. Un certain détachement temporaire peut-être aussi. Une lettre à
    Laurent de Médicis, datée du 5 août 1489 nous le donne à penser :

Coïncidence fortifiée par le fait que le sujet proposé lui tenait à cœur. Car comment aurait-il pu résister à la demande de raconter ce qu'il a « sceu et congneu des faitz du roy Loys unziesme, à qui Dieu face pardon », ce roi qu'il a tant admiré et qu'il appellera tout au long des *Mémoires,* avec des variantes, son « maistre et bienfaicteur, et prince de très-excellente memoire » ? N'a-t-il pas « faict plus continuelle residence avec luy que nul autre » *(Prologue,* t. I, p. 1) ? Et surtout, ne lui est-il pas « tenu » (t. I, liv. III, chap. IX, p. 230 [10]), « bien tenu » (t. II, liv. VI, chap. VI, p. 281), même ?

Si Commynes n'a pas choisi délibérément d'écrire, il s'est, comme Montaigne plus tard, vite pris à ce jeu qui correspondait tant à sa nature profonde. Véritable microcosme des *Mémoires,* le *Prologue* est révélateur à ce sujet. Quelques lignes et c'est déjà « du Commynes ». Alors qu'il faudra à Montaigne secouer la poussière livresque de ses premiers essais pour devenir lui-même, Commynes est d'emblée maître du terrain [11]. À peine a-t-il débuté qu'il interrompt son apostrophe à Angelo Cato. Écoutons-le. Il s'agit évidemment de Louis XI :

> En luy et tous autres princes que j'ay congneuz ou servy, ay congneu du bien et du mal...

Commynes y parle de ses « afferes », avoue faire pression auprès du roi et de la Régente pour obtenir la restitution « des biens que m'ont ostés et fet perdre » et il ajoute : *« car d'autre estat, ni office, n'ay nulle envie ».* (Kervyn de Lettenhove, *Lettres et négociations...,* t. II, p. 69. C'est nous qui soulignons.)

10. Comme le signale avec beaucoup de justesse Jean Liniger *(in le Monde et Dieu selon Philippe de Commynes,* Neuchâtel, 1943, p. 5), le mot implique ici les relations personnelles qui lient Commynes au roi Louis XI et non pas seulement les obligations légales de vassal à seigneur. Relations qui sont par ailleurs bien expliquées par Samuel Kinser dans l'Introduction à son édition des *Mémoires :* « *Louis was Commynes' master in more than an economic or social sense. He was his teacher in politics, his intellectual mentor as well* » *(op. cit.,* p. 72).

11. Peu importe d'ailleurs pour le lecteur qui se trouve devant l'œuvre terminée que le *Prologue* ait été écrit avant ou après les *Mémoires.* Écrit après ceux-ci, il en devient une sorte de confirmation... voilà tout !

Le changement de niveau est net : la demande de Cato
portait sur les « *faictz* [12] » du roy Loys unziesme », la réponse
déclenchée chez Commynes se situe immédiatement et sans
ambiguïté sur le plan « du bien et du mal ». Voyons la suite :

> ... car ilz sont hommes comme nous. À Dieu seul appar-
> tient la perfection. Mais quant en ung prince la vertu
> et bonnes condicions precèdent les vices, il est digne
> de grand louenge, veu qu'ilz sont plus enclins a toutes
> choses voluntaires que autres hommes, tant pour la
> nourriture et petit chastoy qu'ilz ont eu en leurs jeunes-
> ses que pour ce que, venans en l'aage d'homme, la plus-
> part des gens taschent à leur complaire et à leurs com-
> plexions et condicions (*Prologue,* t. I, p. 1).

« Car ilz sont hommes comme nous », vérité d'expérience
suivie d'un tour proverbial, condensé de sagesse : « A Dieu
seul appartient la perfection », puis, du commentaire et de
son explication : « Mais quant en ung prince ... » Une trentaine de lignes et, de nouveau, commentaire, vérité d'expérience :

> ... c'est chose acoustumée que, après le décès de si grand
> et puissant prince, les mutations soyent grandes, et y ont
> les ungs pertes, et les autres gaing. Car les biens ne les
> honneurs ne se despartent point à l'appetit de ceulx qui
> les demandent (*Prologue,* t. I, p. 1-2).

Mais n'anticipons pas... Suivons plutôt Commynes qui,
ne pouvant plus échapper à l'écrivain qu'il devient, finit par
s'accepter comme tel. Bientôt en effet, il fera allusion à ce qu'il
écrit comme étant des mémoires : « ... en ces presens memoires » (t. I, liv. II, chap. VI, p. 128). « Je retourne [...] pour
confermer quelques parolles que j'ay dictes au commencement
de ces memoires » (t. I, liv. II, chap. XIII, p. 163), trouve-t-on
déjà au livre second et le pli est très tôt pris : « ... comme
j'ay cy devant dit en ces memoires » (t. I, liv. III, chap. IV,
p. 191), « Pour myeulx continuer mes memoires » (t. III,

12. C'est nous qui soulignons.

liv. VIII, chap. ɪ, p. 134). Dès le troisième livre, un glissement
se produit : « en ces memoires » devient « en ce livre » (t. I,
chap. xɪ, p. 245). Un livre avec chapitres : le « dont parle
ce chappitre » (t. II, chap. xx, p. 235) que l'on peut lire
au livre cinquième en fait foi. Ce livre, Commynes a failli
le terminer pour de bon, après la mort de Louis XI :
sa promesse à Angelo Cato remplie, rien ne l'empêchait d'annoncer la « conclusion de tous ces Memoires » (t. II, liv. VI,
chap. vɪɪɪ, p. 299 [13]).

Rien non plus ne le forçait à continuer, comme il l'a
fait. Rien, sinon une nécessité impérieuse [14] — rare d'ailleurs
chez les prosateurs de cette époque [15] — nécessité venant du
plus profond de lui-même et qu'il découvrait en même temps
qu'il pressentait pour ses mémoires une autre catégorie de
lecteurs que l'archevêque de Vienne. Mémoires destinés à ce
dernier, nous n'en pouvons douter [16], mais dont, peu à peu,
l'utilité publique semble apparaître à leur auteur.

Ce n'est qu'au livre sixième que l'audience des *Mémoires*
s'élargira sous la plume de Commynes à des « liseurs » (t. II,
chap. ɪɪ, p. 258), puis au livre septième, à des « lisans » (t. III,
chap. xɪv, p. 81). Mais déjà, bien avant [17], au livre deuxième
par exemple, une digression était clairement destinée « aux

13. *N.B.* la majuscule dont nous ne voulons cependant rien conclure :
    elle peut n'être que le fait d'un copiste.
14. Déjà au livre premier (chap. xɪ, p. 70 du t. I), Commynes com-
    mente ainsi une digression qu'il se prépare à quitter : « Or j'ay
    longtemps tenu ce propoz, mais il est *tel que je n'en sors pas bien
    quand je le vuiel.*» (C'est nous qui soulignons.)
15. Au xvᵉ siècle, écrit Jens Rasmussen, « ... on observe rarement que
    l'œuvre littéraire soit le résultat d'un besoin intérieur ». (*In la Prose
    narrative...*, p. 16.)
16. Cf. les nombreuses apostrophes à Cato : t. I : liv. II, chap. vɪɪɪ,
    p. 136 ; liv. III, chap. ɪv, p. 190 et p. 192 ; chap. v, p. 199, chap.
    ɪx, p. 230, etc.
17. Dès le *Prologue,* Commynes écrit : « ... ceulx qui le liront » (p. 2).
    Mais n'y a-t-il pas là un bon argument en faveur de la thèse voulant
    que le mémorialiste ait rédigé celui-ci, en tout ou en partie, une
    fois les *Mémoires* terminés ?

princes » (t. I, chap. ix, p. 142). Au troisième et au cinquième
livres, on sent l'hésitation : on ne sait plus si le « vous [18] »
des apostrophes s'adresse uniquement à Angelo Cato ou bien
aussi à ces éventuels lecteurs auxquels se réfère Commynes,
tantôt par un « chascun » (t. I, liv. II, chap. i, p. 96), un
« on » (t. I, liv. III, chap. i, p. 172 et t. III, liv. VIII, chap.
iii, p. 146), un « plusieurs » (t. II, liv. IV, chap. vii, p. 45)
ou un « quelcun » (t. I, liv. III, chap. xi, p. 244 et t. II,
liv. IV, chap. ix, p. 60) timides, tantôt plus ouvertement :
« ... ou temps advenir [...] ceulx qui verront cecy » (t. I,
liv. III, chap. ix, p. 230), c'est-à-dire ni « bestes, ne simples
gens [...] mais princes ou gens de cour » qui « y trouveront
de bons advertissemens » (t. I, liv. III, chap. viii, p. 222).
Princes ou gens de cour, leurs conseillers tout particulièrement :
« ... pour en advertir ceulx qui sont aux services des grans
princes » (t. I, liv. III, chap. xii, p. 250). Et pourtant, pério-
diquement jusqu'au septième livre [19], c'est bien à Angelo Cato

18. Surtout s'il annonce des exemples appuyant une leçon. Ainsi :
« Vous avez veü puis peu de temps le roy d'Ecosse et son filz, de
l'aage de treize ou quatorze ans, en bataille l'ung contre l'autre [...]
Vous voyez aussi la duché de Gueldres hors de la lignée et... » (t. II,
liv. V, chap. xx, p. 236).

19. Au début du septième livre, Commynes annonce qu'il continue ses
mémoires, mais sans s'adresser à Cato. On trouve cependant une
apostrophe à « mons[r] de Vienne » au chapitre v de ce même livre
(t. III, p. 34). Apostrophe qui a soulevé bien des commentaires,
surtout au moment où l'on situait volontiers la rédaction du livre
septième en 1497, tout en s'étonnant que Commynes ait ignoré la
mort de l'astrologue survenue en mars 1496. La teneur si précise
de cette apostrophe — « duquel vous, mons[r] de Vienne, m'avez
maintes fois asseüré qu'il seroit roy, parlant par astrologie ; » — ne
permet pas, nous semble-t-il, de la porter au compte d'un simple
lapsus. Aussi préférons-nous, avec Mandrot (cf. l'Introduction à
son édition des *Mémoires*, p. lxxxiv), Calmette (cf. l'Introduction
à son édition des *Mémoires*, t. I, p. xv et t. III, p. 34, n. 2) et
Jean Dufournet (« Quand les mémoires de Commynes ont-ils été
composés ? », *in Mélanges de langue et de littérature...*, p. 227) en
faire un argument en faveur de la datation plus hâtive de certains
passages. À moins qu'il ne s'agisse d'une « fiction poétique » ? (Cf.
le présent chapitre, p. 48-49.)

que s'adresse le mémorialiste ; « ... pour continuer ce que vous, monseigneur de Vienne m'avez requis » (t. I, liv. III, chap. IX, p. 230), « comme vous scavez, mons^r de Vienne » (t. II, liv. IV, chap. VII, p. 40), « Vous estes du temps que toutes ces choses sont advenues » (t. I, chap. IV, p. 190), écrit même Commynes au livre troisième en expliquant qu'il ne « garde point l'ordre d'escripre qui sont les hystoires ».

Ne serait-ce pas justement le moment où le partage commence à s'établir dans son esprit entre son lecteur officiel qui n'a que faire des précisions historiques, ayant vécu les événements, et les autres qu'il ne connaît pas encore lui-même mais dont il devine les besoins et par conséquent l'existence ? Lecteurs éventuels susceptibles de tirer profit de son expérience, de sa sagesse : « quelcun qui auroit à faire semblable cas » (t. II, liv. IV, chap. IX, p. 60), « ces seigneurs jeunes », entre autres, « qui follement entreprennent, sans congnoistre ce qu'il leur peult advenir [...] et mesprisent le conseil de ceulx qu'ilz deüssent appeler » (t. II, liv. V, chap. II, p. 108). Ils refusent le conseiller vivant — Commynes l'a appris à ses dépens — peut-être accepteront-ils le conseil écrit ?

*   *   *

Jean-Paul Sartre assure qu'en « choisissant son lecteur [...] l'écrivain décide de son sujet », l'inverse étant que « le choix fait par l'auteur d'un certain aspect du monde [...] décide du lecteur [20] ». Or la chose est claire : les lecteurs que souhaite Commynes ne seront pas ceux de la *Chronique scandaleuse,* par exemple, qui se plaisent à « ouyr et escouter des hystoires merveilleuses et choses advenues en divers lieux », du moins pas comme son auteur affirme l'avoir écrite : « ... en lieu de passe temps et d'eschever oysiveté [21] ». Ils ne viendront certainement pas aux *Mémoires* dans l'unique but de se dis-

---

20. *In Qu'est-ce que la littérature ?,* p. 91-92.
21. Jean de Roye, éd. Bernard de Mandrot, Société de l'histoire de France, Paris, 1894-1896, vol. I, le Prologue. Rappelons que le titre de cette chronique ne correspond en rien au texte.

traire, de se divertir. Et s'ils tiennent à s'informer des faits,
ils y chercheront surtout la leçon qui s'en dégage.

Les faits, Commynes les réserve à Angelo Cato à la
demande de qui il écrit : ils forment la matière officiellement
avouée [22] de l'ouvrage, la part « histoire » donnant sa caution
à la part « leçon » qu'elle engendre, un peu comme le fera aux
premières éditions des *Caractères* de La Bruyère, sa *Traduction des caractères de Théophraste.* Aussi vaut-il bien la peine
de les ordonner ? Ils sont destinés à quelqu'un qui les connaît... Nommer les années, dire « les heures » et « les saisons »,
du moins « si très justement », ne serait-ce pas tout bêtement
« parler latin devant les cordeliers » (t. I, liv. III, chap. IV,
p. 190) ? Il suffira de raconter les événements « grossement »,
honnêtement toujours néanmoins. Le mémorialiste qui promet
d'écrire « le plus près de la vérité » qu'il a « pu et sceu avoir
la souvenance » (*Prologue,* t. I, p. 1), « sans avoir égard aux
louanges » (t. II, liv. V, chap. XII, p. 173), est conscient que
son rôle diffère de celui des chroniqueurs :

> Les croniqueurs n'escrivent communement que les cho-
> ses qui sont à la louenge de ceulx de qui ilz parlent et
> laissent plusieurs choses ou ne les sçavent pas aucunes
> fois à la verité (t. II, liv. V, chap. XIII, p. 172-173).

Mais si, tout au long des *Mémoires,* Commynes garantit
l'authenticité des faits [23], nommant même occasionnellement
ses informateurs [24], lorsqu'il ne peut pas dire « estoye pre-

22. Cf. ce commentaire de Commynes qui vient après une très longue
digression (t. II, liv. VI, chap. I, p. 238) : « ... il est donc temps que
je revienne à ma *principalle matière* et à continuer le propos de ces
Memoires encommencés à vostre requeste, mons^r l'archevesque de
Vyenne ». À noter le « encommencés »... C'est nous qui soulignons.

23. « Combien que je ne demouray sur le lieu, si fuz-je informé comme
les affaires passoient, et ayséement le povoye entendre par la
cognoissance et nourriture que j'avoye eue de l'un costé et de
l'autre, et depuis l'ay sceü par bouche de ceulx qui les conduysoient
tant d'ung costé que d'autre » (t. II, liv. V, chap. XIII, p. 176).

24. « Me dist le prince de Tarante [...] que jamais n'avoit veü si belle
armée... » (t. II, liv. V, chap. III, p. 121). « ... les choses que je diz
me compta Lornay... » (t. III, liv. VIII, chap. XVIII, p. 243).

sent [25] », refusant de parler de ce qu'il ne tient pas de bonne
source [26] — tout au moins de s'y étendre [27] —, il lui suffit
cependant de ne « faillir point à la substance », soit à l'esprit
de ce qu'il rapporte, les « termes » ou la stricte chronologie,
l'exactitude rigoureuse, l'inquiètent fort peu : il a confiance
que les « liseurs [l'] excuseront » (t. II, liv. VI, chap. ii,
p. 258).

Non qu'il ait ignoré la nécessité d'ordonner sa matière
ni qu'il en ait été incapable ; le plan chronologique qu'il donne
dans l'épître liminaire prouve le contraire :

... m'est force de commancer avant le temps que je
veinse en son [Louis XI] service ; *et puis, par ordre,*
je suyvray mon propos jusques à l'heure que je devins
son serviteur et *continueray* jusques à son trespas (*Prologue,* t. I, p. 3 [28]).

La façon dont il suit ce plan [29], la construction rigoureuse de
nombreux paragraphes [30] aussi, mais surtout ses tentatives
de saisir le réel dans toute sa complexité :

25. Ex. : T. I, liv. III, chap. ix, p. 229.
26. « Je n'ay parlé que de Europe, car je ne suys point informé des
deux autres pars, Azie et Affrique » (t. II, liv. V, chap. xviii,
p. 210).
27. « Je parleroys bien plus avant de ce propos, mais je n'en puys parler
que par l'avoir oy dire aux principaulx, et ne tiens point voluntiers
long procès des choses où je n'ay point esté present » (t. III,
liv. VIII, chap. xv, p. 216).
28. C'est nous qui soulignons.
29. La charnière, on ne peut plus nette du plan annoncé, se trouve au
onzième chapitre du livre troisième (t. I, p. 240) : « Environ ce
temps, je vins au service du roy (et fut l'an mil IIIᵉ LXXII...) »
Nous y reviendrons.
30. Ex. : T. I, liv. II, chap. i, p. 98, le paragraphe qui commence
ainsi : « Dès que le jour apparut... » Le premier paragraphe également du livre septième où Commynes résume l'expédition d'Italie
(t. III, chap. i, p. 1-3) ; le résumé qu'il donne au livre huitième de
sa « charge » à Venise (*ibid.,* p. 247-248), etc. On pourrait objecter
ici que Commynes n'est pas responsable de la coupe des paragraphes dans les manuscrits. Si rien ne le prouve en effet, rien, par

Il fault entendre que icy viennent plusieurs propos à ung coup ; et de chascun fault dire quelque chose (t. III, liv. VII, chap. XII, p. 73).

Le souci avec lequel il situe certains événements avant d'autres « pour myeulx [...] informer » (t. III, liv. VIII, chap. I, p. 134) son lecteur, afin de lui « myeulx [...] faire entendre ce qui advint après » (t. III, liv. VII, chap. VI, p. 44) révèle combien il était conscient des contraintes du récit. Ainsi le « fait de Nuz » : il n'y était pas ; de plus cet événement ne correspond pas au « train de [sa] matière ». S'il en parle, c'est qu'il y est « forcé [...] pour les matières qui en deppendent » (t. II, liv. IV, chap. I, p. 7).

Et comment Commynes aurait-il pu méconnaître l'importance de l'exactitude historique ? En tant que politique — et politique avisé — ne savait-il pas mieux que quiconque combien le moment d'un événement peut en modifier la portée, changer le cours de l'histoire ? Le moment ou le lieu où il se produit, la qualité et le nombre de ceux qui le provoquent, etc. N'a-t-il pas vécu l'aventure de Péronne ? Participé à la série des enlèvements rocambolesques sur la personne du jeune duc de Savoie ?

Alors pourquoi si peu de rigueur dans le récit des faits si ce n'est parce qu'il a très vite subordonné l'histoire à la leçon, inconsciemment d'abord, puis au fur et à mesure que la leçon naissait du rappel des événements :

contre, ne l'infirme. Aussi l'hypothèse est-elle permise, étant donné surtout le fait constaté par Mandrot que tous les manuscrits ont sensiblement la même division quant aux paragraphes et que l'on doive, à cause du nombre de variantes, écarter toute possibilité qu'ils se soient copiés l'un l'autre. (Cf. l'Introduction à son édition des *Mémoires*, p. CL.) Pourquoi le modèle unique que la ressemblance suppose — ressemblance que nous avons pu vérifier nous-même dans les manuscrits consultés — ne serait-il pas le premier texte de Commynes ? Ajoutons l'organisation des lettres connues de Commynes, toujours directes et si précises ! (Cf. K. de Lettenhove, *Lettres et négociations...*) Également la façon rigoureuse avec laquelle sont présentés les arguments, dans le résumé que nous avons de son discours du 24 mai 1495, prononcé devant le sénat de Venise. (Cf. *ibid.*, t. II, p. 192-193.)

... gradually [...] Commynes began to realize the educa-
tional potentialities of what he was writing and thus he
developped more and more consciously, a series of object
lessons dealing with the prince and the affairs of State [31].

Quelle meilleure preuve en apporter que ce passage du cinquième livre :

> Mais ce jugement appartient à Dieu *et ne le diz pas*
> *pour esclarcir seulement mon propoz, mais pour donner*
> *à entendre* combien ung bon prince doit fuyr tel vilain
> tour et desloyaulté, quelque conseil encores qu'on luy
> en sache donner (t. II, chap. v, p. 140 [32]).

Combien d'événements Commynes ne raconte-t-il pas
« principallement [...] pour donner à entendre comme les
choses de ce monde se sont conduictes [...] pour s'en aider
ou pour s'en garder » (t. II, liv. VI, chap. i, p. 247) ? Combien n'en raconte-t-il pas uniquement « pour monstrer » ?

> Je diz toutes ces choses *pour monstrer* ce qui s'en est
> ensuy de la mutation de ces mariages... (t. III, liv. VII,
> chap. iv, p. 28).

Si, parfois, au début surtout, il se contente d'interrompre la
narration historique quand une leçon s'impose [33], il avoue
bientôt choisir certains faits pour leur seule valeur d'enseignement. Le « cas très horrible » (t. II, liv. VII, chap. i, p. 2),
par exemple, « commis par ung jeune duc de Gueldres appellé
Adolf » qui tint cinq ans son père emprisonné : « une querelle
qui est digne d'estre racomptée », assure Commynes « pour
voir les œuvres et la puissance de Dieu » *(ibid., p. 1).* Il y
consacre quatre pages et termine son récit par ce commentaire :

---

31. Kenneth Dreyer, « Commynes and Machiavelli... », *in Symposium,*
    t. V, 1951, p. 44.
32. C'est nous qui soulignons ainsi que dans le prochain exemple.
33. Ex. : la réflexion qui chevauche les chapitres vi et vii du livre
    premier (t. I, p. 51-54) sur les « offices et auctoritéz » qui « font
    desirer mutations... » *(ibid., p. 51).*

... *je n'ay compté cecy que pour monstrer* que telles crualtés et telz maulx ne demeurent point impugniz *(ibid.,* p. 4 [34]).

Il avoue même revenir à certains faits, s'ils peuvent servir à la leçon :

> Ailleurs ay parlé de ceste matière mais il servoit encores d'en parler icy, *et par especial pour monstrer* comme Dieu a payé contant en nostre temps telles cruautéz sans attendre (t. II, liv. VI, chap. VIII, p. 306).

Et aurait-il donné autant de détails sur le séjour en France du bien intentionné mais maladroit roi Alphonse V du Portugal « *si n'eust esté pour monstrer* que bien tard ung prince se doit mectre soubz la main d'ung autre... » ? Assurément non : « Je me fusse bien passé de ce propoz » (t. II, liv. V. chap. VIII, p. 148-149), commente le mémorialiste.

C'est fréquemment aussi qu'il disproportionne la durée de la narration, en favorisant pour la leçon, des faits dont il reconnaît lui-même que « la matière n'est guères grande » :

> Je n'eusse pas si longtemps parlé de ce propoz, veü que la matière n'est guères grande, *si ce n'eust été pour monstrer* que aucunes fois, avecques telz espediens et habilitéz, qui procèdent de grant sens, on évite de grans perilz et de grans dommaiges et pertes (t. I, liv. II, chap. III, p. 114).

Ailleurs :

> Je diz ces choses *au long pour monstrer* que, au commencement qu'on veult entreprendre une si grand chose, qu'on la doit bien consulter et debattre, affin de povoir choisir le meilleur party (t. II, liv. V, chap. XIII, p. 172).

Distorsion temporelle et utilisation du réel qui tiennent davantage de la littérature que de l'histoire ! Que penser aussi de l'exemple suivant : au livre cinquième, Commynes, admettant

---

34. C'est nous qui soulignons ainsi que dans les quatre prochains passages cités.

avoir parlé trop tôt de la mort du roi Édouard alors que chronologiquement « [C]e propoz [...] eust myeulx servy plus en arrière » (t. II, chap. xx, p. 235), explique l'avoir « faict pour continuer » son « incident ». Or, quel est-il cet « incident » ? Rien d'autre qu'une longue digression sur les « bouleversements dans les divers Etats [35] », bouleversements sur lesquels il ne nuit sans doute pas de réfléchir. Et la leçon, une fois de plus, a pris le pas sur l'histoire.

Elle le fait de façon évidente chaque fois que les événements sont utilisés par Commynes, non pour eux-mêmes à cause de leur importance dans la trame historique, mais à titre d'exemples. Ainsi au sujet des entrevues princières : il faut les éviter car elles ne présentent que des dangers. « C'est grant follie à deux princes [...] de se entrevoir », surtout s'ils « sont comme esgaulx en puissance ». À moins que ces derniers soient très jeunes, alors « qu'ilz n'ont autres pensées que à leurs plaisirs », ils auront tout intérêt à régler « leurs différans par saiges et bons serviteurs » (t. I, liv. II, chap. VIII, p. 135). Voilà pour la leçon. Elle est claire et devrait porter ; ne se situe-t-elle pas déjà immédiatement après la narration de la rencontre de Louis XI et du Téméraire ? Elle sera pourtant suivie de pas moins de sept exemples d'entrevues malheureuses que Commynes dit avoir « veü et sceü de [son] temps » et qu'il n'apporte que pour lui donner du poids. Et pour être sûr d'être entendu, c'est à la leçon qu'il revient :

> Et, pour conclusion, me semble que les grandz princes ne se doyvent jamais voir... (ibid., p. 141).

Pouvait-il soumettre davantage les faits à celle-ci ?

Commynes est persuadé que la lecture des « hystoires anciennes » est « l'ung des grandz moyens de rendre ung homme saige » (t. I, liv. II, chap. VI, p. 129), « car combien que les ennemys ny les princes ne soyent point tousjours semblables », les événements, eux, les « matières » se répètent ;

---

35. Titre donné par Calmette : *Exemples de bouleversements dans les divers États*, t. II, chap. xx, p. 230.

aussi « faict-il bon estre informé des choses passées » (t. I, liv. III, chap. IX, p. 230), « pour apprendre à se conduyre et garder, et entreprendre saigement par les hystoires et exemples de noz predecesseurs » (t. I, liv. II, chap. VI, p. 129).

Conception du rôle de l'histoire fréquente à l'époque : Christine de Pisan ne vante-t-elle pas les mérites de Jean de France, frère de Charles V, qui aime, écrit-elle, « les hystoires nottables des pollicie romaines et [...] autres loables enseignemens [36] » ? Dans l' « Epistre contenant l'intencion de l'acteur » de son *Panegyric du chevallier sans reproche ou Memoires de La Tremoille,* Jean Bouchet est encore plus explicite :

... le fruict de lire les histoires [...] est acquerir une desireuse emulacion d'honneur et ung vouloir de suyvre et ressembler en meurs et gestes ceulx desquelz on oyt bien dire, et que la cognoissance des choses gérées excite les humains courages, à prudence, magnanimité, droicture, modestie et aultres vertuz [37].

Et l'on a vu plus haut l'usage que faisait la Chaire des *exempla* ou anecdotes exemplaires tirées de l'histoire, les traités didactiques également.

Mais chez Commynes, la façon de comprendre l'histoire n'est ni mode ni théorie d'École : il en vit. Le sens qu'il donne aussi à l'expression « hystoires anciennes » est beaucoup plus large que chez la plupart de ses contemporains ; il ne s'agit pas à peu près seulement de l'Antiquité, mais de tout événement vis-à-vis duquel est possible la distanciation nécessaire à la réflexion et partant à la modification de soi. L' « honneur » n'y entre pour rien et cette modification est essentielle. Car si « saige », sous la plume du mémorialiste, débordant le sens

36. *Livre des fais et bonnes meurs du sage roy Charles VI,* Paris, chez l'éditeur du « Commentaire analytique du Code civil », 1836, t. II, p. 18, 1ère col.

37. Petitot, Coll. complète des Mémoires relatifs à l'Histoire de France, Paris, 1820, t. XIV, p. 335.

habituel du mot [38], veut souvent dire « habile » avec tout ce
que le terme implique de machiavélisme avant la lettre, il n'en
reste pas moins que cette « saigesse » n'est atteinte qu'au
moyen de changements opérés en profondeur, au delà des
« meurs » et des « gestes ». Changements, cela va de soi, avant
tout chez celui qui prétend y mener les autres.

Aussi les *Mémoires* sont-ils d'abord pour leur auteur un
miroir dans lequel il apprend peu à peu à se regarder au fur
et à mesure qu'il se sent capable d'apprécier, par un recul
réflexif, la portée des faits. La leçon pour les lecteurs est au
premier chef, leçon pour lui-même. À preuve, ce « voyons » qui
prend l'archevêque de Vienne à témoin d'un enseignement
possible pour « quelque jeune prince qui eust à conduyre
choses semblables » :

> ... voyons donc lequel de ces deux seigneurs vouloit
> tromper son compaignon... (t. I, liv. III, chap. ix, p. 230).

« Voyons », c'est-à-dire, démêlons les événements, débrouil-
lons les motifs les plus secrets, les plus enchevêtrés, tentons de
comprendre, pour mieux nous comprendre.

Nous ? Mais alors Angelo Cato ne serait-il pas devenu
pour Commynes un second soi-même ? Une sorte de prétexte ?
S'il n'était plus l'interlocuteur qui a demandé les « faictz » et
à qui on les dit, si peu à peu, il s'était effacé, remplacé par
des lecteurs qu'intéresseront avant tout le « bien » et le « mal »,
à qui la leçon surtout importera ? Lecteurs dont l'existence,
rappelons-le, ne sera possible que greffée sur celle de Commy-

38. Cf. les groupes « saige et entendu », « saige et subtil », « saige et
malicieux », « saige et bien entendu », relevés dans les *Mémoires*
par W. B. Neff. (*In the Moral Language of Ph. de Commynes*,
New-York, Columbia, 1937, p. 12.) Les réflexions également de
R. de Chantelauze, au sujet du vocabulaire « artificieux » du mémorialiste (« Philippe de Commynes », *in Portraits historiques*,
Paris, Perrin et cie, 1887, 2ᵉ éd., p. 59), le très intéressant article
de Paul Archambault surtout, intitulé : « Commynes's Saigesse and
the Renaissance Idea of Wisdom », *in Bibliothèque d'Humanisme et
de Renaissance*, Genève, Droz, 1967, t. XXIX, en particulier la
page 620.

nes et qui devront à sa modification initiale leur éventuelle transformation. Lecteurs pour qui, cela est évident, l'histoire devra se faire occasion de réflexion.

Peut-on vraiment croire en effet que Commynes se soit pris au jeu d'écrire pour informer seulement, lui qui, avant Montaigne et plus vigoureusement encore, déclare que les livres seraient inutiles s'ils ne faisaient revivre le passé, tenant ainsi lieu d'expérience — « nostre vie est si briefve » (t. I, liv. II, chap. VI, p. 129) — donc de leçon ?

... et tous les livres qui sont faitz ne serviroient de riens, si ce n'estoit pour ramener à memoire les choses passées, et que plus se veoit de choses en ung seul livre en trois moys que n'en sauroient veoir à l'oeil et entendre par experience vingt hommes de renc, vivans l'ung après l'autre *(ibid.,* p. 130 [39]).

*   *   *

À la fin du livre sixième des *Mémoires,* Commynes affirme « parler naturellement, comme homme qui n'a aucune litterature, fors seullement quelque peu d'experience » (t. II, chap. XII, p. 340 [40]). Qui prendrait à la lettre cette déclaration

39. Cf. Montaigne, *Essais,* p. 959 : « Outre ce profit que je tire de moy, j'en espere cet autre que, s'il advient que mes humeurs plaisent et accordent à quelque honneste homme avant que je meure, il recerchera de nous joindre : je luy donne beaucoup de pays gaigné, car tout ce qu'une longue connoissance et familiarité luy pourroit avoir acquis en plusieurs années, il le voit en trois jours en ce registre, et plus seurement et exactement. »
40. Cette leçon, acceptée par Calmette, est celle du ms Dobrée. Le Polignac et le Montmorency-Luxembourg donnent : « comme homme qui n'a grant sens naturel ne acquis, mais quelque peu d'esperiance ». Ce n'est pas aveuglément que nous préférons suivre la leçon du Dobrée : elle nous semble plus conforme d'une part à la réalité des *Mémoires,* d'autre part à certains commentaires que Commynes fait ailleurs (cf. dans le présent chapitre, p. 55, n. 53). L'« esperiance », de plus, ne suppose-t-elle pas un « grant sens », naturel ou acquis ?

— et tout porte à le faire — n'aurait aucun mal à en démontrer la véracité : nulle recherche apparente en effet chez Commynes, nulle intention artistique immédiatement décelable. Au contraire même, les négligences sautent aux yeux et les phrases comme celle-ci ne sont pas rares :

> *Après l'avoir ouy* et *dit* au *roy* ce qu'il m'avoit *dit, ledit* seigneur l'*ouyt.* Et, *après l'avoir ouy,* le *roy...* (t. II, liv. V, chap. IV, p. 125 [41]).

Le ton est souvent celui de tous les jours : « ... ung de ceulx de Nerly, qui estoient plusieurs frères », explique quelque part le mémorialiste pour ajouter, ainsi que dans une conversation familière « et l'ay bien congneü », puis, comme après un moment de réflexion, « et le père » (t. III, liv. VII, chap. X, p. 62). Ailleurs, rapportant les paroles brutales de Jacques Coictier à son royal patient, Louis XI, il s'interrompt et apporte cette précision naïve : « ... (ung grand serment qu'il juroit) ... » (t. II, liv. VI, chap. XI, p. 319). Ailleurs encore, au moment où il raconte la magnifique réception que lui ont faite les Vénitiens, il commente sans façon : « mais qui conteroit bien ce qu'il fault donner aux trompètes et aux tabourins, il n'y a guères de gaing à ce deffray... » (t. III, liv. VII, chap. XVIII, p. 107). Peut-on « parler » plus « naturellement » ?

Lorsqu'il arrive à Commynes d'utiliser une image, elle est essentielle et ne doit rien à la « litterature ». Création nouvelle ou reprise d'une formule courante [42], elle n'existe que parce

---

41. C'est nous qui soulignons. Il peut arriver, ainsi que le signale W. B. Neff, que le même mot ait dans une phrase des sens différents que le contexte révèle. On ne saurait alors parler de négligences. Cf. l'exemple suivant cité par Neff (*in The Moral Language of Ph. de Commynes,* p. 10) : « Mais jamais je n'ay congneu prince qui ait sceu congnoistre (*i. e. discerner, distinguer*) la différence entre les hommes jusques à ce qu'il se soit trouvé en necessité et en affaire, et, s'ilz le congnoissoient (*savoir*), si l'ignoroient-ilz » (t. I, liv. I, chap. XII, p. 78).

42. Nous pensons par exemple au tour proverbial perçu comme une image originale par le lecteur moderne et par lequel Commynes traduit les difficultés qui marquent la mise sur pied de la Ligue contre Charles VIII : « ... tant de vielles ne se peuvent accorder

qu'elle correspond à ce qu'il cherche à exprimer. Ainsi pour un prince, se mêler des querelles de ses sujets et prendre parti, « c'est allumer un grand feu dans sa maison » (t. II, liv. VI, chap. XII, p. 334). Le mémorialiste pouvait-il mieux montrer les conséquences d'un geste malhabile ? Et quelles étaient, juste avant la bataille de Granson, les réactions des adversaires de Louis XI ? Ils « ne navigoyent que soubz le vent » (t. II, liv. V, chap. I, p. 101) du Téméraire. Voilà en bien peu de mots leur opportunisme dévoilé...

Bonheurs d'expression qui ne dépendent que de l' « experience » dont ils reflètent d'ailleurs la qualité. Témoin encore cette antithèse :

... l'occasion pour faire une si *grand* faulte fut bien *petite* (t. II, liv. IV, chap. XIII, p. 94 [43]).

Elle s'est imposée à l'esprit de Commynes, au delà de toute mode [44]. C'est la disproportion entre l'événement — ici la déloyauté du Téméraire à l'égard du connétable de Saint-Pol — et ses résultats, un léger gain, qui l'a provoquée. Comme dans l'exemple suivant, l'écart entre les illusions des Anglais devant Saint-Quentin et la réalité :

Ilz s'attendoient *qu'on sonnast les cloches* à leur venue et *que on apportast la croix et l'eau benoiste* au devant.

en peu de temps » (t. III, liv. VII, chap. XIX, p. 119) ; ou encore à cette expression à peine modifiée par le mémorialiste et qu'utilisait fréquemment l'homme médiéval pour mesurer le temps : « Et fusmes *l'espace de plus de deux patenostres* avant que ces archiers peüssent saillir de ladicte maison... » (t. I, liv. II, chap. XII, p. 157. C'est nous qui soulignons). Cf. Georges Poulet, *Études sur le temps humain*, Paris, Plon, 1950, l'Introduction, p. I-XLVII.

43. C'est nous qui soulignons.

44. On sait que l'antithèse était un procédé fort répandu chez les écrivains de l'époque, les grands rhétoriqueurs surtout, qui souvent la jouaient sur une même sonorité. Exemple, ce passage de Jean Molinet (éd. Doutrepont, vol. I, p. 273) ; il y est question de Marie de Bourgogne à la naissance de son premier enfant : « ... sa trist*esse* estoit convertie en l*eesse*, sa dol*eur* en doulc*eur*, son h*elas* en s*olas*... » (C'est nous qui soulignons.)

Comme ilz s'approchèrent près de la ville, *l'artillerie commença à tirer et saillir des escarmoucheurs à pied et à cheval...* (t. II, liv. IV, chap. VI, p. 38).

Et d'où sont nées ces quelques lignes, toutes classiques déjà, dont les articulations annoncent celles de la célèbre tirade de Basile sur la calomnie :

> Les premiers jours qu'ilz [45] se sont departiz, tous ces bons comptes se disent en l'oreille et bas ; et après, par accoustumance, s'en parle en disnant et en souppant ; et puis est rapporté des deux costéz... (t. I, liv. II, chap. VIII, p. 141).

Uniquement de l'observation réfléchie du réel, auquel elles adhèrent tant par le vocabulaire, le temps des verbes que par le rythme. Si elles sont justes, c'est que le coup d'œil de leur auteur l'est.

Aucune influence de la rhétorique traditionnelle non plus sur les quelques passages lyriques des *Mémoires*. Il suffit que Commynes soit bouleversé, que les faits soulèvent en lui l'angoisse ou l'indignation pour que sa phrase s'emballe. Écoutons, par exemple, les exclamations que lui arrachent les malheurs du Téméraire :

> *Quel* dommaige luy advint ce jour [...] ! *Quel* dommaige en a receü sa maison et en *quel* estat en est-elle encores et en adventure d'estre d'icy à longtemps ! *Quantes* sortes de gens luy devindrent ennemys [...] ! (t. II, liv. V, chap. I, p. 105 [46]).

Mais les malheurs qui frappent le duc sont-ils bien la cause de cette émotion ? Ne serait-ce pas plutôt le beau gâchis dont ce dernier est responsable ? Voyons la chute désabusée et réaliste du paragraphe :

---

45. Il s'agit des princes qui, ayant commis la maladresse de se rencontrer, deviennent la proie des critiques de leurs serviteurs respectifs.

46. C'est nous qui soulignons.

Et pour quelle querelle commença ceste guerre ? Ce fut pour ung charriot de peaux de mouton, que mons^r de Romont print d'ung Suysse passant par sa terre.

Elle est avant tout le fait d'une intelligence que scandalise et indigne l'absurde. On ne peut cependant s'empêcher de faire le rapprochement avec l'origine de la guerre picrocholine... avec *Candide* aussi. Et Commynes serait innocent de tout art ?

On l'a dit et répété : écrire n'est jamais un acte innocent. Il suppose toujours un écart par rapport à la parole. Le seul fait, pour être entendu, d'avoir à compenser l'absence des moyens linguistiques et extra-linguistiques de la communication orale constitue déjà une contrainte [47]. Et cette contrainte, plus ou moins grande selon la façon dont celui qui écrit désire être lu, force nécessairement ce dernier à un certain recul face à son message [48]. Dès que ce recul dépasse ce que Michaël Riffaterre qui a si bien analysé le phénomène dit être le niveau minimal du *decoding,* il y a art. Le style, ce « langage autarcique qui ne plonge que dans la mythologie personnelle et secrète de l'auteur », cette force d'origine biologique, « d'ordre germinatif » qui « a toujours quelque chose de brut » devient « un acte de solidarité historique [49] ». Le style se fait « écriture ».

47. Cf. Michaël Riffaterre, *in* « Criteria for Style Analysis », *Word,* XV, 1959, p. 156-157 : « *The task of the author as encoder of the message is more exacting than of the speaker. A speaker has to triumph over his addressee's inertia, absent-mindedness, divergent or hostile train of thought ; he has to emphasize repeatedly, and this overdoing is concentrated on the most important points of the discourse. But the writer has to do much more to get his message across, for he lacks linguistic or extra-linguistic means of expression (intonation, gestures, etc.) for which he must substitute underscoring devices (hyperbole, metaphor, unusual word order, etc.). Moreover, the speaker can adjust his speech to meet the addressee's needs and reactions ; whereas the writer must anticipate all kinds of potential inattention or disagreement and give his devices a maximum efficiency valid for an unlimited number of addressees.* »

48. *Ibid.* : « *Because the writer is obliged to be more forceful, has more to handle than the speaker, and has to write it down and later to correct it, he is* more conscious *of his message.* »

49. Roland Barthes, *le Degré zéro de l'écriture,* Paris, Gonthier, coll. Médiations, 1965, p. 14-17.

Or Commynes, on l'a vu, ne se limite pas à la demande
de l'archevêque de Vienne ; il ne lui suffit pas de faire le strict
récit des événements. Il lui faut les colorer, leur imprimer sa
marque, les tirer à ses besoins et, en même temps qu'il découvre au delà d'eux sa véritable « matière », les imposer ainsi
modifiés et utilisés à des lecteurs qu'il se choisit. Aussi l'art
ne peut-il être absent des *Mémoires*. Et leur auteur en a certainement été très vite conscient [50].

Sa déclaration alors ? Elle nous semble révélatrice justement. Nous croyons en effet que non seulement Commynes a
très tôt compris les exigences du métier d'écrire, mais qu'à un
certain moment il a connu ce que nous pourrions appeler la
« tentation de l'écriture [51] ». Et c'est précisément sa prétention
de « parler naturellement, comme homme qui n'a aucune litterature » qui le trahit. S'était-il auparavant — nous sommes,
rappelons-le, à la toute fin du livre sixième — inquiété de la
perfection formelle de ses mémoires ? Une seule fois, au livre
précédent, il s'est dit « non litteré » (t. II, chap. XVIII, p. 211 [52]).

50. D'autant qu'il avait sans doute opéré un premier choix, celui de
    la langue. Tout permet de croire en effet que le français n'était
    pas la langue maternelle de Commynes. Le fait — d'importance
    majeure pourtant quand il s'agit d'un écrivain — a été à peine
    signalé. Tout au plus a-t-on noté chez lui l'absence de « flandri-
    cismes ». Cf. Gerhard Heidel, *la Langue et le style de Philippe de
    Commynes*, Leipzig, Leipziger Romanistiche Studien, 1934, p. 166.

51. Notons que Jean Dufournet signale le fait au passage : « Commy-
    nes [...] bien qu'ayant pris goût à la littérature... » (*in la Destruc-
    tion des mythes...*, p. 434). Et ailleurs, dans un article où il remet
    en question la datation des *Mémoires*, il écrit : « En cette fin d'année
    1497, il a, croyons-nous, revu le livre VII (et, dès lors, nous avons
    affaire à un auteur qui s'intéresse à son œuvre)... » (« Quand les
    Mémoires de Commynes ont-ils été composés ? », *in Mélanges de
    langue et de littérature...*, p. 278.)

52. Cette leçon du ms Dobrée est recoupée dans le Polignac par les
    mots « non lettré ». N'est-ce pas une preuve que la leçon « sans
    aucune litterature » acceptée plus haut (cf. le présent chapitre,
    p. 33, n. 1) est la meilleure ? Si l'on s'obstinait à refuser celle-ci,
    notre hypothèse pourrait toujours s'appuyer sur le « non litteré » et
    sa variante le « non lettré ».

De sa façon, il n'est pas explicitement question. Et lorsque, dans le *Prologue,* il admet que « mons^r de Bochage et autres » combleraient ses lacunes en « meilleur langaige » (t. I, p. 3) que le sien, ce n'est, pour utiliser en le déplaçant le mot de Sainte-Beuve, que « simple politesse ». Sa seule crainte, à l'époque, est de faillir à la vérité historique.

Tentation de l'écriture qui éclaire bien des points. D'abord le fait que Commynes ait continué d'écrire, une fois remplie sa promesse à Angelo Cato : à la nécessité impérieuse déjà signalée, s'ajoutait — et s'y liait étroitement — le désir probablement inavoué de se faire reconnaître comme écrivain. Les *Mémoires,* sous leurs formes manuscrites, avaient, semble-t-il, commencé à circuler ; ils s'étaient vraisemblablement attiré des éloges [53]. Comment Commynes aurait-il pu y rester indifférent ? L'autodidacte en lui surtout qui, dans le secret de son cœur, admirait sans doute avec envie, sinon sans réserves, « clercs et gens de robbe longue » ayant « A tout propos [...] une loy au bec ou une hystoire » (t. I, liv. II, chap. VI, p. 129).

Ensuite le silence relatif du mémorialiste entre les deux parties de son œuvre. Il a achevé le sixième livre en 1491 : l'essentiel de la rédaction des deux derniers se situe sans doute en 1497-1498 [54]. Que s'est-il passé dans l'intervalle ? Cette époque n'a pas été la plus occupée de sa vie, bien au contraire. En 1493, probablement lors d'un court séjour à Dreux, il a relu la partie rédigée et fait quelques corrections ou additions [55].

---

53. Cf. Charles Aubertin, « Philippe de Comines », *in Histoire de la langue et de la littérature...,* t. II, p. 289.
54. Cf. Mandrot qui suit sur ce point Mlle Dupont (Introduction aux *Mémoires,* p. LXXXIII) et Calmette qui les rejoint tous deux à quelques détails près. Bien qu'intéressantes, il ne nous semble pas que les précisions, apportées sur cette question par Jean Dufournet, soient suffisamment probantes pour modifier, comme il le fait, les dates généralement admises. (Cf. « Quand les Mémoires de Commynes ont-ils été composés ? », *in Mélanges de langue et de littérature...,* p. 267-282.)
55. Cf. Calmette, p. XIV.

Certains chapitres du livre septième dateraient de 1495, partiellement du moins [56]. Mais il semble qu'il ait surtout amassé des matériaux au fur et à mesure que se déroulaient les événements [57]. Matériaux qu'il n'a pas immédiatement utilisés. Pourquoi ? Sinon parce qu'il espérait les mettre en forme autrement qu'il ne l'avait fait dans les premiers livres ? Autrement, c'est-à-dire, croyons-nous, en véritable historien, tel du moins qu'il s'imaginait le rôle de celui-ci. Le « récit sans originalité ni valeur [58] », des luttes et du supplice de Savonarole (t. III, p. 308-311) qui constitue le chapitre vingt-six du huitième livre pourrait être, hélas, un exemple de l'idéal vers lequel tendait Commynes.

Tentation de l'écriture qui rend justement compte de ce Commynes « deuxième manière », si différent par moments [59]

56. Cf. Calmette, p. xv.

57. Cf. Mandrot, p. LXXXIII.

58. Ibid., p. xcxix.

59. Ainsi un changement important au point de vue de la syntaxe a été signalé par Paul Toennies (in la Syntaxe de Commines, Berlin, G. Langenscheidt éd., 1876, p. 86) : « Quant aux propositions objectives, Commines les entasse tellement qu'elles nuisent plus d'une fois à la clarté de la pensée. Ce sont surtout les six premiers livres des Mémoires qui nous offrent beaucoup de périodes longues et embarrassées, tandis que le style des deux derniers livres est plus net et plus clair. » Notons aussi le fait que, dans l'édition Dupont, Commynes commence la deuxième partie des Mémoires en se nommant à la manière des chroniqueurs officiels : « ... par moy, Philippe de Commynes, encommencéz des faitz et gestes durant le règne du feu roy Loys unziesme, que Dieu absolve, maintenant vous veulx dire... » (Cf. Calmette, t. III, chap. I, p. 1, la variante c. C'est nous qui soulignons.) Et n'est-il pas significatif que le mémorialiste parle maintenant non plus, comme dans le Prologue, « des faictz du roy Loys unziesme » (p. 1), mais « des faitz et gestes durant le règne du feu roy Loys unziesme » ? Un autre argument en faveur de cette hypothèse : le temps que Commynes a mis pour écrire les deux derniers livres, soit en tout environ quatre ans, contre trois pour les six premiers. Son oisiveté relative des années 1489-1491 est-elle en effet suffisante pour expliquer ce décalage ?

qu'il s'est trouvé des commentateurs [60] pour mettre en doute
l'authenticité des livres septième et huitième. Si leur attribution
n'est plus aujourd'hui contestée — « on ne fabrique pas du
Commynes sur commande », assure Gustave Charlier [61] —
aucune autre interprétation n'a, à notre connaissance, été pro-
posée qui tente d'expliquer de façon satisfaisante les changements de ton indiscutables des derniers livres [62].

Comment, d'une part, reconnaître le mémorialiste sobre
en descriptions, dans celui qui s'étend avec plaisir sur les splen-

60. Entre autres au XVIe siècle, François Beaucaire de Péguillon (*in
Rerum Gallicarum Commentarii ab anno christi 1461 ad annum
1580*, éd. de Lyon, 1625, *in-fol.*, p. 188 et suiv.) et au XVIIe,
Philibert de la Mare (dans un mémoire inédit conservé à la bibliothèque de la faculté de médecine de Montpellier, cat. gén. des
mss. des bibl. publ. des départements, I, 436, p. 42-45). Les arguments du premier sont surtout historiques. Philibert de la Mare
qui le cite s'appuie pour sa part sur les faits suivants : 1. Commynes avait rempli sa promesse à Angelo Cato et le dernier chapitre
de son *Histoire de Louis XI* a pour titre « Conclusion de l'Auteur ».
2. Pourquoi aurait-il fait l'histoire « d'un regne pendant lequel il a
esté longuement et durement persécuté » ? 3. Le véritable auteur
des deux derniers livres a mis au début du premier le nom de
Commynes pour que « Son Ouvrage » fût « mieux receu ». 4. Une
vieille « impression de Paris *in* 4° [...] en lettres gottiques [...]
ne contenoit que l'Histoire de Louis XI Ce qui est une preuve qu'on
ne croyoit pas alors qu'il y eut une Histoire du Regne de Charles
VIII, de la façon du Seigneur de Commines ».

61. *In Commynes*, Bruxelles, La renaissance du livre, 1945, p. 67. G.
Charlier reprend les mots mêmes de Mandrot (*in* Introduction aux
Mémoires, p. XCI : « ... pour se convaincre de l'authenticité des
deux derniers livres des « Mémoires », il suffit de relire les pages
si connues où l'auteur a retracé les souvenirs de sa première
mission à Venise, la bataille de Fornoue, et les épisodes divers des
négociations qui précédèrent et qui suivirent le traité de Verceil.
On ne fabrique pas du Commynes... » C'est nous qui soulignons.

62. Il ne nous semble pas qu'il faille retenir le commentaire souvent
fait, évidemment jamais prouvé et qui nous paraît un peu simpliste,
voulant que le génie de Commynes se soit tari avec la mort du
sujet de son inspiration, le roi Louis XI.

deurs de Venise [63] ? Et d'autre part, retrouver l'auteur des pages inoubliables sur la mort de Louis XI, dans celui qui a composé le tableau généalogique désespérant de fadeur qui termine les *Mémoires* ? Lisons au hasard :

> Et y a eu jusques au sacre du roy Loys douzeiesme, de present regnant, M XLVIII ans que commença la generation desdits roys de France ; et qui le vouldra prandre à Pharamon, y en auroit trente huyt, davantaige, qui seroient mil quatre vingts et six ans que premier y a eu roy appelé roy de France. Despuys Merowée jusques à Pepin, y eut trois cens trois ans que avoit duré ladite lignée des Merowée. Despuys Pepin... (t. III, liv. VIII, chap. XXVII, p. 316).

Ce Commynes aussi, soudain devenu savant, qui se permet des allusions historiques ou littéraires, allusion à Néron (t. III, liv. VII, chap. XIV, p. 85) pour appuyer la formule-maxime énoncée plus haut, à savoir que « jamais homme cruel ne fut hardi ». Allusion à Tite-Live (t. III, liv. VII, chap. XVIII, p. 113 [64]), au « livre de Bocasse » (t. III, liv. VIII, chap. XX, p. 259). Comparaison entre les réactions des Vénitiens écrasés par la nouvelle de la prise du château de Naples par Charles VIII et celles des sénateurs romains apprenant la défaite des leurs, à Cannes, contre Hannibal (t. III, liv. VII, chap. XX, p. 124). Examen éclairé par l'histoire de l' « appointemeent » entre les Français et le roi Ferrand survenu grâce à la trahison des Suisses lansquenets :

63. « Les maisons sont fort grandes et haultes et de bonne pierre, les anciennes, et toutes painctes ; les aultres faictes puis cent ans ; toutes ont le devant de marbre blanc, qui leur vient d'Istrie, à cent mil de là, et encores mainte grant pièce de profille et de serpentine sur le devant. Au dedans, ont pour le moins, en la pluspart, deux chambres qui ont les planchers doréz, riches manteaulx de chemynées de marbre tailléz, les chalitz des lits doréz et les ostevens painctz et doréz, et fort bien meubles dedans » (t. III, liv. VII, chap. XVIII, p. 109-110).

64. À cette allusion explicite, s'en ajoutent d'implicites. Celle, par exemple, qui concerne « le siege de Jherusalem » (t. III, liv. VIII, chap. XVII, p. 237).

... n'en ay leü de semblable, fors celluy qui fut faict par deux consulz romains, comme le dit Titus Livius, avecques les Samnitians [...] en ung lieu appellé lors les Forques Caudines, qui est certain pas de montaignes... (t. III, liv. VIII, chap. XXI, p. 268).

* * *

« n'en ay leü de semblable... », voilà une phrase que l'on aurait cherchée vainement dans la première partie des *Mémoires* [65]. On n'y avait affaire qu'à l'homme d' « experience ». Dépourvu de connaissances livresques, Commynes l'était alors, sans aucun doute, mais non de cette clairvoyance que donne ou développe la fréquentation lucide des êtres et des choses. N'avait-il pas vécu huit ans à la cour de Bourgogne, une des plus opulentes, par conséquent une des plus ouvertes à l'art et à la culture de l'Europe ? Eu des contacts journaliers et intimes avec un des esprits les plus déliés du temps, son maître Louis XI ? Été mêlé directement aux « pratiques » nombreuses d'ambassadeurs rompus à toutes les finesses diplomatiques, les Italiens surtout, François de Petrasancta, par exemple, ou ses collègues Alexandre Colleta, Charles Visconti [66], etc. Été l'ami des Médicis, ces grands politiques ? Voyagé aussi, beaucoup et un peu partout : s'il ne connaît pas encore Venise qui

65. À moins qu'il faille comprendre « leü » dans le « veü » de ce commentaire : « Je seroye assez de l'oppinion de quelque autre que j'ay veü... » (t. II, liv. V, chap. IX, p. 155) ; « veü » n'a-t-il pas le sens de « leü » dans le passage suivant : « ... est grant advantaige aux princes d'avoir veü des hystoires en leur jeunesse... » (t. I, liv. II, chap. VII, p. 128). Il reste que le « leü » dont il est question se situe au cinquième livre !

66. Dans une lettre (datée du 9 septembre 1479) au duc et à la duchesse de Milan, ce dernier, donnant quelques détails sur la cour de Louis XI, note que la conversation du seigneur d'Argenton (c'est presque toujours ainsi que l'on désignait Commynes dans les missives diplomatiques) est « vraiment très agréable » (cf. Kervyn de Lettenhove, *Lettres et négociations...*, t. III, p. 52). Étant donné la qualité du signataire, ce commentaire ne suppose-t-il pas que la conversation de Commynes était celle d'un homme cultivé ?

l'émerveillera [67], il s'est rendu plus d'une fois en Savoie, à
Milan, à Florence ; pour Charles le Téméraire, il a accompli
des missions en Angleterre, en Espagne. La géographie d'ailleurs l'intéressait tout particulièrement et on sait qu'il suivra
de près les découvertes du Nouveau-Monde [68]. Ces contacts,
ces voyages, Commynes les faisait sûrement en curieux de tout ;
ses contemporains l'attestent :

> Il conversoit fort avec gens d'estrange nation, desirant
> par ce moyen apprendre d'eux ce qu'il ne sçavoit point [69].

Or clairvoyance envers le monde extérieur implique forcément, à un moment donné, clairvoyance envers soi-même.
Aussi Commynes, en devenant conscient d'écrire, ne pouvait-il
manquer de mesurer son manque de préparation. La tentation
de l'écriture devait nécessairement se trouver liée à un désir
accru de culture [70] ; d'une certaine forme de culture du moins,
de celle qui se prend dans les livres, car l'autre, la seule vérita-

67. « Et est la plus triumphante cité que jamais j'aye veüe » (t. III,
    liv. VII, chap. xviii, p. 110).
68. Cf. Charles Aubertin, « Philippe de Comines », in Histoire de la
    langue..., t. II, p. 289, qui précise que, dès 1478, Commynes était
    en relation avec la famille d'Améric Vespuce. L'intérêt du mémo-
    rialiste pour la géographie est confirmé par cette phrase qu'il écrit
    à Laurent de Médicis (de Montsoreau, le 21 avril 1491) : « J'ai
    parlé à Cosme d'une carte ou est comprins Guinée, j'en tiens le
    double. » (Cf. K. de Lettenhove, Lettres et négociations..., t. II, p.
    79.) Le ton familier révèle une habitude de collectionneur com-
    mune aux deux correspondants et au Cosme dont il s'agit. (Cosme
    Sassetti ?)
69. Jean Sleidan. (Cf. la Vie de L'autheur Receueillie par..., p. 10
    de la présente étude.) Rappelons que son témoignage s'appuie sur
    celui de Matthieu d'Arras, « homme de grande honnesteté & sça-
    voir », qui a connu Commynes « familierement, & l'a servy ».
    Témoignage sûr, déclare Sleidan, puisque donné « fort sobrement »
    et corroborant ce qu'il avait « souvent oüy dire en France ».
70. Cette hypothèse est vérifiée par cet autre commentaire de Sleidan
    (ibid.) : « Comme il vint sur l'âge il regrettoit n'avoir esté dés sa
    jeunesse instruit en la langue latine, & souvent déploroit son
    malheur en cela. » (C'est nous qui soulignons.) Lacune grave en
    effet, à l'époque où le latin était encore la langue de la culture.

ble peut-être, lui était familière. Avec la complicité des événements, soit le ralentissement de son activité publique, c'est
probablement à cette époque qu'il a, sinon acquis — les écrits,
manuscrits ou imprimés, représentaient alors une importante
valeur matérielle et Commynes qui ne dédaignait pas les richesses s'en était certainement très tôt procurés — mais découvert par la lecture les ouvrages que mentionne l'inventaire
partiel de sa bibliothèque [71] et auxquels Sleidan se réfère quand

71. D'après K. de Lettenhove (*in Lettres et négociations...*, t. II, p.
277), celle-ci contenait plusieurs manuscrits précieux, d'historiens surtout :
un manuscrit de Froissart, un Tite-Live et un Valère-Maxime tra-
duits, ce dernier orné des armes du mémorialiste, deux volumes de
la *Cité de Dieu* de saint Augustin, également ornés de ses armes
et en traduction, avec de grandes miniatures. Julia Bastin précise
que le Tite-Live devait contenir « ce que l'on connaissait alors de
l'historien latin : la 1ère et la 3e décade plus 9 livres de la 4e ».
Quant à la traduction, il s'agissait, dit-elle, de celle faite au xve
siècle par le bénédictin Pierre Bersuire. (*In Philippe de Commynes,*
p. 17.) *N. B.* : Ch. Fierville qui a examiné tous les documents
accessibles de la baronnie d'Argenton (*in Documents inédits sur
Ph. de Commynes,* Paris, H. Champion, 1881, p. 91), n'a pour sa
part rien trouvé concernant la bibliothèque du château. Notre hypothèse sur le moment où Commynes a pu faire les lectures qu'on
lui prête ne suppose évidemment pas qu'il n'avait jamais lu auparavant. Comme le souligne Julia Bastin (*op. cit.*), il devait connaître
l'Ancien Testament. Ajoutons qu'il serait bien étonnant qu'il n'eût
pas pris connaissance — ne serait-ce que par des lectures publiques
à haute voix, encore fréquentes à l'époque — des *Cent nouvelles
nouvelles* par exemple, qui faisaient fureur à la cour de Philippe
de Bourgogne, pour qui elles auraient été collationnées, ou des
récentes mises en prose des œuvres du passé. Mais ces œuvres, de
type romanesque pour la plupart, pouvaient-elles vraiment retenir
l'attention de Commynes ? Et a-t-il su la présence des nombreux
ouvrages didactiques dont Georges Doutrepont signale l'existence
dans la « librairie » des ducs : *Comment ung Duc se doit gouverner,
et les Vertus qu'il doit avoir,* que feit Jean Pelleret, *le Livre d'Enseignement pour Princes, seigneurs et autres gens,* etc. (Cf. *la
Littérature française à la cour de Bourgogne,* p. 297-298.) Commynes, qui note les « livres » parmi les richesses de la maison de
Bourgogne (t. II, liv. IV, chap. xiii, p. 93), connaissait vraisemblablement aussi la bibliothèque royale et l'intérêt que lui portait
Louis XI. Cf. Gabriel Naudé, (*in* « Addition à l'histoire du roi
Louis XI », au vol. 4 — intitulé *Supplément aux mémoires...* — des

il affirme que Commynes a « diligemment leu et retenu toutes
sortes d'Histoires escrites en françois, et principalement des
Romains [72] ».

Ces lectures ne devaient cependant pas le modifier en
profondeur : elles venaient trop tard. Commynes était en effet
de ces êtres d'exception qui accèdent de l' « ignorance abece-
daire » à l' « ignorance doctorale [73] » sans connaître l'épreuve
du stade intermédiaire. Aussi à peine a-t-il été gêné par les
connaissances nouvellement acquises : les allusions historiques
ou littéraires des derniers livres sont tout au plus des « preuves
par neuf ». Elles servent à appuyer une réflexion déjà faite,
à donner au jugement porté une autre dimension dans le temps
et dans l'espace. Ou bien elles se font image, instrument d'une
pensée didactique qui, d'instinct, se veut concrète :

> Et se vit changer la fortune aussi promptement et aussi
> visiblement comme l'on voit le jour en Halande ou en
> Norvuewe, où les jours d'esté sont plus longs que ailleurs,
> et tant que, quant le jour fault au soir, que en une mesme
> instance ou poy après, comme d'ung quart d'heure, on
> voit de rechief naistre le jour advenir (t. III, liv. VII,
> chap. xvii, p. 102 [74]).

Mémoires de messire Philippe de Comines, éd. Godefroy déjà citée,
p. 38) : « Tant y a que cette Bibliothèque s'augmenta de telle façon
par la diligente recherche que fit faire nostre Louis XI, de toutes
sortes de volumes, que Louis XII, l'ayant faict depuis transporter à
Blois [...], un certain ambassadeur nommé Bologninus, auquel on
la monstra, la jugea digne d'estre la première rangée au livre qu'il
a faict des quatre plus remarquables singularitez qu'il avoit trouvées
en France. »

72. *In la Vie de L'autheur Receueillie par...,* p. 10 de la présente étude.
73. La double expression est de Montaigne : « ... il y a une ignorance
    abecedaire, qui va devant la science ; une autre, doctorale, qui vient
    après la science : ignorance que la science faict et engendre, tout
    ainsi comme elle deffaict et destruit la première. » (*Essais,* liv. I,
    chap. LIV, p. 299.)
74. Notons, après Calmette (*ibid.,* n. 3) qui s'appuie sur les recherches
    de Mlle Dupont, qu'il ne peut s'agir ici de la Hollande, mais vrai-
    semblablement du pays de Halland, en Suède.

Sauvé de l'érudition, du pédantisme, Commynes s'est-il rendu compte que son « sens parfaictement bon [75] » le protégeait même de l' « écriture » ? Le protégeait malgré lui, probablement... ce qui expliquerait son silence après le huitième livre. Car pourquoi a-t-il cessé d'écrire ? Il sera plus libre que jamais à cette époque et sa mort, subite en outre, ne surviendra qu'en septembre 1511 [76]. Quant à la matière, de son propre aveu, elle ne manquait pas :

> ... si je me vouloye mettre à escripre les passions que j'ay veü porter aux grans, tant hommes comme femmes, puys trente ans seullement, j'en feroys ung livre (t. III, liv. VIII, chap. xx, p. 259).

Or il n'a pas vu le jour ce livre sur les souffrances des Grands de ce monde. Ne serait-ce pas que Commynes, se

75. « ... le sens naturel parfaictement bon [...] precède toutes sciences que on sçauroit apprendre en ce monde », écrit le mémorialiste (t. I, liv. II, chap. VI, p. 130). Ne croirait-on pas lire Montaigne : « ...encore que ces deux pieces soyent necessaires et qu'il faille qu'elles s'y trouvent toutes deux, si est-ce qu'à la vérité *celle du sçavoir est moins prisable que celle du jugement.* Cette cy se peut passer de l'autre, et non l'autre de cette cy. » (*Essais,* liv. I, chap. XXV, p. 139. C'est nous qui soulignons.)

76. Date découverte par Mlle Dupont et confirmée par K. de Lettenhove qui a apporté de nouvelles preuves de son exactitude. L'hypothèse de la mort accidentelle — faite plusieurs fois, entre autres par MM. Chantelauze et Fierville — serait justifiée par un passage du « Séjour de deul pour le trespas de messire Philippe de Commines » (*in Lettres et négociations...,* t. I, p. 3) : « En disant lesquelles parolles, me transporta, conduyt et mena en une moult grant et estandue place, me passant par une multitude de gens menant deul oultre mesure, tous revestus de noir a l'occasion de leur bon maistre et seigneur, que *subit accident* avoit d'eulx separe et ouste *par mort casualle...* » Un vers aussi de ce même « Séjour de deul... » : « Que m'as ousté par *un cas très-soudain !* » (p. 4, c'est nous qui soulignons). Si la mort subite est indiscutable, nous jugeons hasardeuse l'hypothèse de la mort accidentelle. D'autant que Sleidan, pour sa part, rapporte ainsi l'événement : « Le seigneur de Comines estant âgé d'environ soixante & quatre ans, mourut en une sienne maison nommée Argenton, l'an mil cinq cens neuf, le dis-septiesme jour d'octobre... »

sentant incapable d'égaler les historiens qu'il admirait [77], ait
choisi le silence plutôt que de suivre la veine des *Mémoires*
dont il n'a pas su — ou pas voulu — reconnaître les vraies
qualités, les « propres règles », pour reprendre une expression
de Ionesco, dans une réflexion extrêmement aigüe sur l'unité
de l'œuvre littéraire :

> ... les défauts d'une œuvre sont un manque de justesse.
> Il ne s'agit pas d'imperfections [...] il s'agit d'un « faux ».
> Les défauts d'une œuvre sont dus à ce qui n'est pas con-
> forme à elle-même, au fait qu'une œuvre s'écarte non
> pas des règles de l'art, car on ne sait pas ce que sont les
> règles de l'art, [...] mais de ses propres règles, c'est-à-dire
> d'elle-même [78].

Ne serait-ce pas — les deux hypothèses sont d'ailleurs com-
plémentaires — que Commynes ait préféré se taire plutôt que
de continuer sciemment l'involontaire jeu de « faussaire [79] »
commencé dans les derniers livres ?

*   *   *

Un tragique indiscutable se dégage des dernières pages
des *Mémoires* [80] : tragique qui l'est doublement, puisque tra-

---

77. Lucide comme il l'était, le mémorialiste ne pouvait manquer de
    constater la maladresse de certains passages des derniers livres :
    ceux justement qu'il avait le plus travaillés ? Notons le glissement
    significatif du « j'en feroys ung livre », au souhait fait cette fois au
    profit d'un auteur hypothétique : « Et qui vouldroit escripre les cas
    particuliers, que tous j'ay veüz [...] on en feroit ung *grand* livre et
    de *grande admiration* » (t. III, liv. VIII, chap. xxiv, p. 300. C'est
    nous qui soulignons).
78. *In Notes et Contre-notes*, Paris, Gallimard, coll. Idées, 1966, p. 29.
79. Et pourquoi ne serait-ce pas ce jeu qu'ont pressenti et tenté de
    dévoiler — mais en le dépassant — ceux qui, dans les livres septième
    et huitième, ont cru voir un véritable « faux » ?
80. N'est-ce pas ce que laisse entendre Jean Dufournet quand il écrit
    que Commynes « ... à la fin des *Mémoires* [...] semble n'avoir plus
    grand chose à dire, témoin le fastidieux tableau des rois de France
    qui termine son œuvre ». (*In la Destruction des mythes...*, p. 434.)

gique de l'échec assumé par méprise. Son dépassement logique était le silence en effet. Mais entre celui-ci, situé hors de l'œuvre, donc hors d'atteinte pour le critique, et l'espèce de non-parole d'avant l'œuvre, inexistante à ses yeux, il y a eu les *Mémoires* ou plus exactement, les *Mémoires* « ont eu lieu ». Ils ont eu lieu et s'offrent à la fois dans leur unité d'œuvre et dans leur diversité formelle : d'abord innocents, puis pris en charge par leur auteur, enfin traversés de ce que nous avons nommé « la tentation de l'écriture ». Aussi seule une approche dynamique qui tienne compte de leurs « moments » comme œuvre peut espérer en rejoindre les significations profondes.

Une telle approche suppose une méthodologie à la fois souple et précise. Celle que nous avons tenté de mettre au point s'appuyait d'abord sur la stylistique traditionnelle. Mais très tôt les difficultés devaient surgir. En premier, une difficulté d'ordre matériel constituée par le texte même des *Mémoires*. On sait qu'il n'existe aucun manuscrit original de ces derniers, tous les manuscrits connus étant des copies tardives et indirectes [81]. Dans les trois seuls qu'il ait utilisés pour son édition et qui ne comportaient que les six premiers livres, l'abbé Lenglet-Dufresnoy relevait déjà plus de 3 000 variantes [82] ! Si certaines d'entre elles sont négligeables et n'empêchent pas, comme l'assure avec raison semble-t-il, Joseph Calmette, l'établissement d' « un texte à peu près satisfaisant [83] », d'autres

---

81. Cf. Calmette, Préface à l'édition des *Mémoires,* 3ᵉ partie, t. I, p. XVIII.

82. Préface à l'édition de 1747, 3ᵉ partie, t. I, p. LXXXVII. Voir aussi les comparaisons de variantes que fait l'abbé Durville (*in le Catalogue de la bibliothèque du musée Thomas Dobrée,* Nantes, 1904) entre le manuscrit Dobrée qu'il décrit et les premières éditions des *Mémoires* (p. 475-484), le *vieil Exemplaire* de Sauvage (p. 484-501), l'édition de l'abbé Lenglet-Dufresnoy (p. 501-508), celle de Mˡˡᵉ Dupont (p. 515-526) et les trois manuscrits alors à la Nationale (p. 508-515).

83. Préface à l'édition des *Mémoires,* 3ᵉ partie, t. I, p. XVIII. Un exemple de variante « négligeable » : alors que le Dobrée donne « aller au contraire » (Calmette, t. II, liv. VI, chap. II, p. 255), on trouve dans le Polignac (F° 125, r°) « à l'encontre ».

par contre changent considérablement le niveau de la leçon [84]. Comment alors prétendre à un relevé précis, à un classement rigoureux, scientifique, des digressions ? Car c'est bien un tel relevé, puis un tel classement qu'il nous fallait commencer par effectuer.

À la vérité toute relative du texte dont nous disposions, s'ajoutait la complexité du problème de la norme, essentielle à la mesure de l'écart. Notion ambiguë entre toutes ! « Usage commun » ou « expression neutre dépourvue d'effets affectifs » ? « Moyenne des usages particuliers » ? « Langue d'auteur » ? Ou encore, ainsi que l'expose plus récemment Michaël Riffaterre, « le contexte » conçu comme un patron *(a pattern)* que vient rompre un élément imprévisible *(a stylistic device ou SD* [85]) ?

Déjà difficile à cerner lorsqu'il s'agit d'un texte moderne, l' « usage commun » devient tout à fait invérifiable pour l'ancienne langue [86]. Nous ne pouvions donc pas le retenir comme norme, du moins de façon systématique. La « langue d'auteur »,

---

84. Celle-ci, par exemple, que ne signale pas Calmette : le Dobrée écrit « qui estoit bien saige responce » (éd. Calmette, t. II, liv. VI, chap. I, p. 249), là où il n'y a rien dans le Polignac (F° 123, v°). Ou cette autre, d'édition à édition, cette fois : dans Calmette on peut lire « Icy voiez-vous la miserable condicion *de ces deux princes,* qui... »; la même phrase dans l'édition de Pauphilet et Pognon (Pléiade, p. 1050) devient « Icy pouvez voir la misérable condition *des princes,* qui... ». C'est nous qui soulignons. Au problème des variantes proprement dites, s'ajoutent ceux de la division en paragraphes et surtout du découpage en chapitres et en livres proposé par les différents éditeurs. Nous y reviendrons.

85. « *The stylistic context is a linguistic pattern suddenly broken by an element which was* unpredictable, *and the contrast resulting from this interference is the stylistic stimulus.*» («Criteria for Style Analysis », *Word,* XV, 1959, p. 176. Cf. également « Stylistic Context », *Word,* XVI, 1960, p. 207.)

86. Charles Bruneau, exprimant des doutes sur la valeur scientifique de cette conception de la norme, écrit : « Personnellement, je ne pourrais, sur le détail d'un texte du moyen âge, qu'émettre des hypothèses invérifiables, et par là même de peu d'intérêt scientifique. » («La stylistique », *in Romance Philology,* V, 1951-1952, p. 13.)

pas davantage : les quelques lettres connues [87] de Commynes ne permettraient pas de la définir. Quant à l' « expression neutre », pure création de l'esprit, elle nous a toujours paru dangereuse. Ne se veut-elle pas scientifique alors que son point de départ n'est que subjectif ? N'implique-t-elle pas surtout l'idée, fort discutable, que l'œuvre pourrait être autre qu'elle n'est ? Aussi l'avons-nous vite écartée.

« La moyenne des usages particuliers » nous semblait une norme satisfaisante et utilisable. Nous devions cependant bientôt constater qu'elle n'était ni aisée à établir, ni sûre. Dans le cas des *Mémoires,* quels types d'écrits fallait-il examiner ? Les proses de l'époque ? Toutes les proses ? Plus précisément les chroniques ? Elles sont fort nombreuses... et certains textes didactiques en vers nous paraissaient tout autant révélateurs. Où arrêter l'enquête alors ? Et jusqu'où remonter dans le temps ? Nous n'avions qu'à admettre l'échec. Si la tentative était utopique, elle ne nous laissait toutefois pas les mains vides : les lectures faites fournissaient, avec les *Mémoires,* des comparaisons qui allaient devenir, tout au long de cette étude, de bien précieuses balises.

Mais nous n'en étions encore qu'au stade heuristique de celle-ci et la nécessité d'une norme à la fois précise et accessible s'imposait toujours. Le « contexte stylistique » présentait justement ces deux qualités. Plusieurs autres aussi que nous découvrions à l'usage : le fait d'abord, primordial, que la modification du contexte [88] par l'élément contrastant le rendît

---

87. Une soixantaine seulement, si l'on fait le compte de celles publiées par E. Benoist, Kervyn de Lettenhove et Lionello Sozzi.

88. Comme l'explique M. Riffaterre (*in* « Criteria for Style Analysis », *Word,* XV, 1959, p. 170-171), le « contexte stylistique » n'est pas le contexte dans le sens courant du mot : « *Since stylistic intensification results from the insertion of an unexpected element into a pattern, it supposes an effect of rupture which modifies the context. This brings out a radical difference between « context » in its common sense and stylistic context.* » Et s'appuyant sur S. Ullmann (*in Principles of Semantics,* Oxford, 2ᵉ éd., 1957, p. 60-63, 109), il précise : « *A stylistic context is not associative, it is not the verbal context which reduces polysemy or adds a connotation to a word.* »

pertinent stylistiquement au lieu d'en faire un simple résidu, comme dans l'habituel tamisage stylistique. C'était enfin la mise en question de *toute* l'œuvre !

C'était en outre le passage d'une stylistique énumérative, partielle et forcément statique [89], à une démarche structurale, globale et dynamique. Il ne suffisait plus en effet de concevoir les *Mémoires* comme un récit entrecoupé de leçons parasites ; ni de les présenter comme une série de digressions se détachant sur un fond historique neutre. Ils devenaient soudain analysables dans leur « espace [90] », leur totalité.

Tout le temps de leur durée également : le « contexte stylistique » étant essentiellement mobile [91]. Grâce à cette conception de la norme, l'effet stylistique se trouvait saisi « en situation [92] ». Le spécimen entomologique redevenait papillon.

De la mobilité du « contexte stylistique » découlait sa variabilité qui rendait mesurables les digressions au 2ᵉ degré — soit les digressions de digressions — ou le récit intercalé dans un élément digressif [93]. Si, de plus, nous étendions à l'ensemble des *Mémoires* la notion de « macrocontexte » que

89. Abordant le style comme s'il n'était qu'une suite de procédés stylistiques, « *a string of SDs* », pour reprendre l'expression de M. Riffaterre. (*In* « Stylistic Context », *Word,* XVI, 1960, p. 207.)
90. Cf. Jean Houdebine, « L'analyse structurale et la notion de texte comme « espace », *in la Nouvelle critique,* n° spécial de *Linguistique et Littérature* (Colloque de Cluny, 16-17 septembre 1968), p. 35-41.
91. « *... the context follows the reader, so to speak, covering all the sequences of the discourse* ». (M. Riffaterre, « Criteria for Style Analysis, *Word,* XV, 1959, p. 171.) Comme la loupe que le lecteur myope promène sur le texte, au fur et à mesure de sa lecture. Ou encore, le voyant lumineux qui se déplace à l'écran sur les lignes à lire.
92. « ... le fait de style est un fait de situation », écrit Paul Delbouille. (*In* « Réflexions sur l'état présent de la stylistique littéraire », *Cahiers d'analyse textuelle,* VI, 1964, p. 19.)
93. « *...there can be an overlapping of stylistic units : if we define such units as Context + SD, it may happen that the SD establishes a new pattern and thus becomes the beginning of a context which*

Michaël Riffaterre réserve au « contexte stylistique [94] » proprement dit, nous étions en possession d'une méthode combinant souplesse et rigueur, permettant surtout à l'analyse d'aller sans cesse de pair avec la synthèse [95]. Et celle-ci n'est-elle pas, comme le soutient Lévi-Strauss [96], le meilleur contrôle de celle-là ? Que de problèmes se trouvaient du coup, sinon réglés, du moins reposés par leur simple déplacement ! La science progresse-t-elle autrement ? Reposés, avec tout ce qu'apportaient d'éléments de solution les angles d'approche forcément nouveaux qu'ils offraient à l'examen. Les différences souvent constatées entre les six premiers livres et les deux derniers, par exemple, semblaient moins étonnantes. On pouvait repenser de l'intérieur la question de l'attribution des livres VII et VIII, celle des lacunes sur le plan historique. Quant à la prétendue « naïveté [97] » des *Mémoires,* elle se transformait sous nos yeux en riche ambiguïté.

is the first member of the new stylistic unit. For instance, aside from the type Context → SD → Return to context, we may have the type Context → SD → Starting new context SD... » (M. Riffaterre, « Criteria for Style Analysis », *Word,* XV, 1959, p. 172.)

94. Ou *aux* contexte*s* stylistique*s.* Cf. la note précédente. Dans le « contexte stylistique », M. Riffaterre distingue le « microcontexte » qui crée l'opposition constitutive du procédé stylistique et le « macrocontexte » dont le rôle est de modifier cette opposition en l'affaiblissant ou en l'intensifiant.

95. N'est-ce pas ce que souhaite Paul Delbouille quand il écrit : « ... les seuls critères objectifs qui permettraient d'identifier et d'évaluer le fait de style seraient ceux qui pourraient tenir compte, au fur et à mesure du déroulement de l'œuvre, de ce déroulement même, de ce continuel enrichissement du présent par le passé ». (*In* « Réflexions sur l'état présent... », *Cahiers d'analyse textuelle,* VI, 1964, p. 12.)

96. « La preuve de l'analyse est dans la synthèse. Si la synthèse se révèle impossible, c'est que l'analyse est restée incomplète. » (« La structure et la forme », *in Cahiers de l'Institut de Science économique appliquée,* n° 99, mars 1960, série M, n° 7, p. 25.)

97. Nous donnons au mot le sens que lui prête Valéry dans son article sur Villon et Verlaine (« Variété », *in Œuvres,* Pléiade, 1957, t. I, p. 442). Notons que certains critiques n'ont pas été dupes de cette naïveté : Jean Dufournet tout particulièrement.

Et nous n'avions plus à craindre que l'explicitation de l'œuvre se fît uniquement — ou trop tôt — génétique. L'œuvre nous conduirait à Commynes, inévitablement, à sa vision du monde, mais après sa propre mise en question et à travers elle. Était-il même encore besoin de nous demander avec inquiétude si notre démarche était vraiment « scientifique » ? N'avions-nous pas débordé ce souci qui pose peut-être après tout un faux problème en littérature [98] ? D'autant que les récentes analyses structurales du récit nous apportaient des instruments précis de découpage démarquant exactement la norme-contexte et l'élément contrastant.

Mais, étant donné les « moments » signalés — innocence, existence consciente et tentation de l'écriture — plutôt que d'une norme, ne faudrait-il pas parler *de normes* ? Non pas, cela est évident, que nous revenions aux normes déjà écartées. Les normes dont il s'agit maintenant demeurent sur le plan du contexte. Normes dans la norme, elles se trouvent remettre sans cesse celle-ci en question, du moins chaque fois que se modifie la relation entre les *Mémoires* et leur auteur. Cette modification n'implique-t-elle pas un réajustement automatique tant du « contexte » que de « l'élément contrastant » ? Mais sont-elles, comme l'est la norme choisie, identifiables de façon satisfaisante ? Peut-on les cerner sans violenter *les Mémoires* ? Sinon, est-il possible de les ignorer ?

Nous nous heurtons ici, en la touchant presque du doigt, à la résistance de l'œuvre littéraire devant toute tentative d'appréhension trop rigide, trop systématique. Toutefois, si les cerner est illusoire, les ignorer complètement serait une solution de facilité. D'autant que les normes envisagées peuvent être ramenées à une norme unique, les *Mémoires* demeurant,

---

98. La rigueur allant de soi. C'est d'ailleurs l'avis de Northrop Frye, pour qui la notion de science « exacte » dépend « d'une conception cosmologique datant du siècle dernier » : « Tous ceux qui se sont livrés à une étude sérieuse de la littérature savent bien qu'elle exige une application cohérente et aussi méthodiquement poursuivie que celle que réclament les études scientifiques. » (*In Anatomie de la critique*, Gallimard, 1969, l'Introduction, p. 18 et 22.)

dans l'ensemble, une « œuvre de premier jet [99] ». Dont le style est « très étudié » assure pourtant Jens Rasmussen [100] qui précise : « Commynes [...] sait parfaitement peser les mots bien qu'il ne les cherche pas pour faire impression par l'apparence. » Une « œuvre de premier jet » au style « très étudié » : ne voilà-t-il pas que « les normes » redeviennent « la norme » ?

L'écart entre la parole et l'écrit devait en effet être à peu près inexistant chez Commynes. Et nous renverserions volontiers le commentaire de Quicherat qui vraisemblablement d'ailleurs ne croyait pas si bien dire lorsqu'il signalait que le mémorialiste écrivait « de la même manière qu'il parlait dans les conseils de son affectionné maître, le roi Louis [101] ». Son métier de diplomate n'exigeait-il pas une constante prudence, de la précision alliée à la plus grande adresse ? Comme il avait sans doute favorisé chez lui une certaine méfiance devant le texte écrit. Voyons-le, par exemple, examiner une lettre remise à Louis XI de la part du roi d'Angleterre. Il la trouve en « beau langaige et en beau stille », si bien qu'à son avis, « jamais Angloys n'y avoit mist la main » (t. II, liv. IV, chap. v, p. 31). Et ailleurs, expliquant n'avoir pas « eu la veue » de tous les grands seigneurs de son temps, mais quelquefois seulement « congnoissance par communications de leurs ambassades, par lettres et par leurs instructions », il conclut :

... par quoy on peult assez avoir d'informations de leur nature et condicion *(Prologue,* t. I, p. 2).

Commynes ne se révèle-t-il pas ici stylisticien avant la lettre ? Et cette disponibilité face au texte écrit ne suppose-t-elle pas, dans l'acte d'écrire, une attention toujours en éveil [102] ?

99. Bernard de Mandrot, « L'autorité historique de Ph. de Commynes », *in Revue historique,* t. LXXIV, 1900, p. 37.

100. *In la Prose narrative...,* p. 148.

101. « Article à propos de l'édition des *Mémoires* par Mlle Dupont », *in Bibliothèque de l'École des chartes,* série C, t. I, 1849, p. 70.

102. Cette attention en éveil est attestée par une lettre des ambassadeurs italiens Jean Aug. de Jalentis et Phil. Sacramorus adressée au duc et à la duchesse de Milan et datée de Florence, le 15 août 1478 :

Aussi une seule norme suffira-t-elle, mais une norme consciente de sa polyvalence, échappant au statisme, une norme en mouvement qui tiendra compte de l'un des paradoxes essentiels des *Mémoires,* « œuvre de premier jet », au style « très étudié ».

De l'œuvre de premier jet, les *Mémoires* ont la maladresse, un certain décousu, la spontanéité aussi. Maladresse, nous avons pu le constater, de l'inexpérience face au métier d'écrire, décousu inévitable d'un discours non orienté à l'origine, spontanéité qui ne reviendra plus sur le déjà-dit, mais spontanéité retenue, réfléchie, qui avance lentement, prudemment, ne retranche jamais, ajoute plutôt, précise, nuance, par petites touches successives ; « ... une pensée s'élabore sous nos yeux », comme l'a dit si justement Jean Dufournet [103], prend possession d'un réel complexe et mouvant.

Commynes se demande-t-il qui sera un jour le juge des princes, il se voit forcé de spécifier : « ... je diz des mauvais » et, de peur de n'avoir pas été compris, il ajoute : « et n'entendz point des bons ». Puis vient la restriction-leçon : « mais il en est peu... » (t. II, liv. V, chap. XIX, p. 224). Les répétitions sont nombreuses : « ... ne sçay si je l'ay dit ailleurs », avoue-t-il dans une parenthèse, sans le moins du monde s'inquiéter d'aller vérifier. Il est si simple, si utile surtout de se redire : « ... et

« Monseigneur d'Argenton nous ayant fait demander le projet d'acte, nous lui avons montré la copie dressée sur le modèle que nous avons envoyée à Vos Excellences. La teneur a paru lui plaire ; mais il a fait deux observations : l'une, c'est qu'il voulait que l'acte fût en forme de lettres patentes, et non de contrat, ce qui était plus conforme à l'usage de France [...] ; l'autre regardait la conclusion et le passage où il est dit : « et *confirmant* etc., *quascumque ligas et obligationes,* etc. Il ne voulait point que par cette expression générale on pût comprendre le relief des fiefs de Gênes et de Savone. » (Cf. K. de Lettenhove, *Lettres et négociations...,* t. III, p. 22.) Commynes était allé à bonne école, ne l'oublions pas ! Pensons aux lettres de Louis XI toujours si claires et dont il avait certainement connaissance...

103. *In* « Trahison et destruction des mythes dans les *Mémoires* de Philippe de Commynes », *Information littéraire,* n° 5, 1967, p. 193.

quant je l'auroye dit », continue-t-il, « si vault-il bien de redire deux foiz » (t. I, liv. III, chap. XII, p. 250). Il le sait d'expérience, l'ancien conseiller !

Et nous n'avons aucun mal à nous le représenter, se promenant de long en large [104] — pour que son travail d'écrire devienne action — dans une des pièces de son château de Dreux, où il vient d'être relégué [105], puis, plus tard, à Argenton. Il dicte au fur et à mesure les événements qui retiennent son attention, fouillant avec soin sa mémoire que Sleidan donne comme « merveilleuse [106] ». Une précision lui vient-elle à l'esprit ? C'est l'insertion ; au besoin, l'insertion dans l'insertion. S'il faut nuancer ce qui est déjà noté, une incise, une clausule restrictive s'en chargera.

Un fait appelle une leçon ? Celle-ci naît dans la bouche de Commynes en même temps que dans sa pensée, tant pis pour « l'ordre des hystoires » (t. I, liv. III, chap. IV, p. 190) ! Et lorsque certains thèmes lui tiennent particulièrement à cœur, il ne fait rien pour retenir le mécanisme de l' « incident », automatiquement déclenché ; il le provoque, bien souvent. Ne va-t-il pas jusqu'à déplacer les faits au profit de l'enseignement ? Ne donner certains d'entre eux que pour la leçon dont ils sont porteurs ? L'intéressant après tout dans la vie, c'est la réflexion que l'on peut faire sur elle ; dans les hommes, les ressorts qui les mettent en branle !

Le décousu sur le plan de l'histoire (va-et-vient, projections et retours en arrière), Commynes l'a sans doute accepté

104. Nous savons que le frontispice du ms Dobrée représente Commynes assis, dictant à son secrétaire (cf. Calmette, Introduction aux *Mémoires*, p. XX) ; mais il s'agit sans doute d'un topos iconographique. Sleidan rapporte que le mémorialiste dictait à la fois quatre textes différents à quatre secrétaires (cf. *la Vie de L'autheur...*, p. 10 de la présente étude). L'aurait-il pu sans aller de l'un à l'autre ?

105. Nous nous rangeons du côté de ceux qui ne croient pas vraisemblable que Commynes ait pu commencer à écrire lors de sa détention à la Conciergerie du Palais. Ce que l'on sait des rigueurs de cette prison ne permet pas de le penser.

106. Cf. *la Vie de L'autheur...*, p. 10 de la présente étude.

très tôt, probablement dès qu'il s'est rendu compte que ce qui lui importait vraiment, ce n'était pas tant la narration des événements que le recul réflexif qu'elle provoquait. Et c'est en vain qu'il a tenté, dans les derniers livres, de l'éviter. L'habitude digressive — et son corollaire, une certaine utilisation du récit — représentait le seul choix possible à sa personnalité de moraliste ; elle constituait, pour lui, ce que Roland Barthes a nommé la « nécessité [107] » de l'écrivain. Aussi les *Mémoires* sont-ils, tout au long de leur durée et bien qu'à des degrés divers, la constante remise en question, par la digression, du récit historique. Seule l'étude systématique des différentes formes que prend celle-ci, pourra révéler jusqu'où va cette remise en question et quelle(s) peu(ven)t en être la/les signification(s).

---

107. *Le Degré zéro de l'écriture*, p. 16.

2
La digression :
relevé et analyse

— Le découpage : méthode suivie. — Interventions directes et apostrophes. — Tours
proverbiaux. — Digressions proprement
dites. — Insertions et hyperbates, mots-
jugements, asyndètes, euphémismes, litotes,
ironie...

Un examen, même sommaire, le révèle : la digression
dans les *Mémoires* rend partielle, donc inacceptable, leur lecture comme simple récit historique. Par sa seule existence
d'abord et quel qu'en soit le contenu, elle se trouve compro-
mettre sinon contester le propos narratif. À plus forte raison
si, en outre et comme c'est souvent le cas, elle est porteuse
d'une leçon qui dépasse les événements ou bien encore lorsqu'elle fonde une utilisation didactique ou réflexive de ceux-ci.

Inacceptable également la lecture qui, croyant impliquer
l'œuvre commynienne dans sa totalité, la présente comme un
récit auquel s'ajoutent de précieuses et utiles réflexions. Ne
suppose-t-elle pas que ces réflexions pourraient, à la rigueur,
ne pas se trouver là ? Ne réduit-elle pas surtout les *Mémoires*

à la somme de ces deux éléments, récit et digressions ? Et
depuis quand la somme de deux éléments peut-elle expliquer la
vie d'une œuvre ? Son existence ou plutôt son potentiel d'existence, puisqu'elle n'existe vraiment que sous le regard du
lecteur, ne dépend-il pas du fonctionnement des diverses parties qui la constituent et non de chacune de ces parties « en
soi » ? C'est donc dans ce fonctionnement que la lecture doit
la saisir. Hors de lui, celle-ci ne saurait être que fausse, tout
au moins fragmentaire, ce qui revient au même.

Avant de proposer une lecture qui tienne compte de ce
phénomène vital pour l'œuvre, avant même d'examiner en situation la digression sous ses diverses formes, il fallait tenter
de relever systématiquement ces dernières, les décrire ensuite
et les classer de façon précise, au risque toujours présent d'oublier, par sa mise de côté temporaire, leur rôle primordial de
mécanismes, au risque, qu'il était cependant essentiel de courir,
de les découper pour elles-mêmes, comme l'enfant choisit dans
un vieux catalogue les personnages ou les objets qu'il désire
coller sur les pages de son album.

Mais comment procéder à ce relevé systématique, à ce
classement précis ? Comment dégager du texte des *Mémoires*
ce qui déborde la trame événementielle, ce qui quitte dès lors
les « frontières du récit [1] » ? Car la digression n'est pas toujours facile à reconnaître. Si elle saute aux yeux le plus souvent,
il lui arrive d'être d'une discrétion qui ne rend pas simple sa
recherche. La norme choisie — soit, rappelons-le, le « contexte
stylistique » tel que défini par Michaël Riffaterre — se trouvait
fort heureusement permettre l'application immédiate des modes
de découpage nommés tout particulièrement par Gérard Genette [2] après Émile Benveniste [3], par Tzvétan Todorov égale-

1. Gérard Genette, « Frontières du récit », *in Communications*, n° 8,
    Seuil, 1966, p. 152-163. Nous nous sommes beaucoup inspirée de
    cet article pour la recherche des procédés digressifs.
2. *Ibid.*
3. « Les relations de temps dans le verbe français », *in Problèmes de
    linguistique générale*, Paris, Gallimard, 1959, p. 237-250.

ment [4]. Grâce à ces modes de découpage, nettement délimités, il devenait possible de toucher du doigt les moments de non-récit des *Mémoires* et à l'intérieur de ces derniers, plus précisément ceux qui vont au delà de la simple réflexion historique.

Ces moments en effet s'inscrivent dans le « discours [5] » que Benveniste oppose à l' « histoire [6] ». Ils supposent d'abord la présence avouée du narrateur par le « je » et sa référence implicite au « tu » qui rend différente même la troisième per-

4. « Les catégories du récit littéraire », *Communications,* n° 8, p. 125-152. Un article de Roland Barthes aurait pu nous être fort utile dans notre recherche si nous en avions eu connaissance plus tôt. Au point peut-être de modifier celle-ci en profondeur. Il s'agit de l'article intitulé « Le discours de l'histoire », *in Information sur les sciences sociales,* VI-4, août 1967, p. 65-75. S'appuyant sur Jakobson, Barthes examine, dans le discours historique, les différents types de *shifters* (embrayeurs) qui assurent le passage de l'énoncé (l'énonciation) à l'énonciation (l'énoncé). Il se trouve ainsi nommer plusieurs phénomènes que nous avons relevés également mais avec un projet autre, celui de mettre en évidence la diversité et la signification de *tous* les moments de non-récit des *Mémoires* afin de mieux saisir la portée du récit proprement dit et donc du texte dans sa globalité. Aussi nous a-t-il été impossible de retenir le mot « embrayeur » pourtant bien commode : la réalité qu'il recouvre, tel qu'utilisé par Barthes, n'est pas tout à fait celle que définit le terme d'« aiguille » choisi par nous (cf. p. 118 et suiv.).

5. « Il faut entendre discours dans sa plus large extension supposant un locuteur et un auditeur, et chez le premier l'intention d'influencer l'autre en quelque manière. » É. Benveniste, « Les relations de temps dans le verbe français », *in Problèmes de linguistique générale,* p. 241-242.

6. « Nous définirons le récit historique comme le mode d'énonciation qui exclut toute forme linguistique « autobiographique » (*ibid.,* p. 239). *N. B.* Rappelons que T. Todorov distingue le « discours » ou « énonciation » de l' « histoire » ou « énoncé ». Pour les besoins de découpage, nous nous en tiendrons à la façon de dire de Benveniste, mais il est bien évident que dans toute œuvre, il est un(des) moment(s) sans doute impossible(s) à cerner, où le discours investit totalement l'histoire. Autrement, y aurait-il œuvre ?

sonne [7]. Ils dépendent ensuite surtout de temps verbaux que n'utilise pas le pur récit. Ainsi le présent [8], le futur [9] et le passé composé « tous trois exclus du récit historique [10] ». Ils sont révélés aussi par certains « indicateurs pronominaux », des démonstratifs par exemple, ou « adverbiaux » comme *ici, maintenant, hier,* etc. [11] Ces différences, Gérard Genette le signale, se ramènent clairement à l'opposition objectivité du récit/subjectivité du discours [12] ; et il ajoute que si « l'insertion d'éléments narratifs dans le plan du discours ne suffit pas à émanciper celui-ci », « toute intervention d'éléments discursifs à l'intérieur d'un récit est », au contraire, « ressentie comme une entorse à la rigueur du parti narratif [13] ». Ressentie comme une entorse, donc théoriquement du moins, isolable du texte. Non sans difficulté cependant dans la pratique, nous l'avons déjà noté et Gérard Genette le reconnaît facilement :

7. Dans le discours, « la « 3ᵉ personne » n'a pas la même valeur que dans le récit historique. Dans celui-ci, le narrateur n'intervenant pas, la 3ᵉ personne ne s'oppose à aucune autre, elle est au vrai une absence de personne. Mais dans le discours un locuteur oppose une non-personne *il* à une personne je/tu ». (É. Benveniste, article cité, p. 242.) Notons que ceci est surtout vrai du roman, du récit de fiction en général. Dans le cas des *Mémoires,* la 3ᵉ personne est, malgré la présence du « je » et à cause du souci manifesté par Commynes de faire vrai, assez souvent voisine de la 3ᵉ personne du récit historique pur.

8. Il existe, bien que très rarement, dans le récit historique, « un présent intemporel », soit « le présent de définition ». (É. Benveniste, article cité, p. 239.)

9. Le récit historique comporte « Accessoirement, d'une manière limitée, un temps périphrastique substitut du futur, que nous appellerons le « *prospectif* ». (É. Benveniste, article cité, p. 239.)

10. É. Benveniste, article cité, p. 243 et G. Genette, article cité, p. 160. Précisons avec Benveniste que « commun aux deux plans est l'imparfait ».

11. É. Benveniste, article cité, p. 239 et G. Genette, article cité p. 159.

12. « ... est « subjectif » le discours où se marque, explicitement ou non, la présence de (ou la référence à) *je* [...]. Inversement, l'objectivité du récit se définit par l'absence de toute référence au narrateur ». (Article cité, p. 160.)

13. G. Genette, article cité, p. 161.

La moindre observation générale, le moindre adjectif un peu plus que descriptif, la plus discrète comparaison, le plus modeste « peut-être », la plus inoffensive des articulations logiques introduisent dans « la trame du récit » un type de parole qui lui est étranger, et comme réfractaire. Il faudrait, pour étudier le détail de ces accidents parfois microscopiques, de nombreuses et minutieuses analyses de textes [14].

À défaut des minutieuses analyses souhaitées et que rend irréalisables, du moins de façon exhaustive, le corpus imposant constitué par les *Mémoires* [15] — trois volumes, édition Calmette, soit 910 pages de texte — nous en avons pratiqué de nombreuses lectures, lectures attentives jusqu'au scrupule, et qui ont permis, croyons-nous, un relevé raisonnablement sûr des digressions [16]. Ont attiré notre attention une dizaine de procédés qui interrompent, à des degrés divers, le déroulement du récit ou bien encore annulent ce dernier en l'englobant, et auxquels Commynes, consciemment ou non, revient périodi-

---

14. G. Genette, article cité, p. 162.

15. Nous aurions pu nous limiter à l'analyse d'un ou plusieurs « échantillons ». Mais la précision de détail ainsi obtenue aurait-elle compensé le sacrifice automatiquement consenti à l'ensemble de l'œuvre comme structure ? Il nous a paru que non.

16. D'autant que l'examen des digressions ou périodes de « discours » dans l'œuvre commynienne est pour nous un *moyen* de rejoindre celle-ci et non un but en soi à atteindre. Nous avons pendant un moment « flirté » avec l'idée de confier à l'ordinateur le travail de relever les digressions. N'est-ce pas la mode ? Et n'est-il pas toujours tentant de « faire exhaustif » ? Il nous a fallu toutefois bien vite déchanter : étant donné la finesse, la ténuité, la variété aussi, de certaines formes digressives, la programmation était impossible ou alors possible mais après une analyse « microscopique » des *Mémoires*. Sans parler de difficultés d'ordre matériel comme celle d'avoir à « mettre sur carte » un texte dont l'orthographe est, à nos yeux et pour dire le moins, irrégulière. Aussi avons-nous modestement accepté à l'avance le relatif de notre relevé. L'ordinateur l'aurait-il d'ailleurs rendu tellement moins relatif ? Il est permis d'en douter... la subjectivité de l'analyste étant toujours présente et n'avions-nous pas déjà pris notre parti d'un texte dont la vérité n'est pas du tout assurée ?

quement. Nous étudierons d'abord les plus accessibles d'entre eux, soit, après un examen rapide des *parenthèses* et des *tirets* — que nous ne pouvions retenir, nous verrons pourquoi —, l'*apostrophe* et l'*intervention directe,* puis les *tours proverbiaux.* Nous nous intéresserons ensuite aux *digressions proprement dites* dans lesquelles nous incluons les « descriptions » et les « discours directs », aux *insertions* et aux remarques à retardement qui forment *hyperbate.* En dernier ressort, nous tenterons de cerner les plus subtils de ces procédés, soit les « intrusions » implicites : *mots-jugements, euphémismes, litotes, asyndètes, ironie.*

*   *   *

Dans les huit livres des *Mémoires* — toujours édition Calmette — nous avons relevé plus de deux cents passages entre parenthèses et une vingtaine entre tirets. Mais à quoi bon des chiffres ? D'une édition à l'autre nous ne retrouvons jamais les mêmes, les variantes étant nombreuses [17]. Quant aux manuscrits, ceux d'entre eux qu'il nous a été donné de consulter n'indiquent rien qui puisse ressembler de près ou de loin à des parenthèses ou à des tirets [18] ; à peine occasionnellement de vagues signes, une légère barre oblique par exemple, mais que l'on voit aussi bien ailleurs, un peu partout en fait, pour marquer les pauses et faciliter la lecture. Il devenait donc impossible de tenir compte des marques physiques délimitant certaines digressions.

Tout au plus pouvions-nous retenir leur valeur de « signal » : elles se trouvaient en effet mettre en évidence leurs contenus, ceux-ci relevant souvent de formes digressives autrement nommées : *apostrophes, interventions directes, hyper-*

---

17. Le record de l'écart est probablement détenu par l'édition Pauphilet (Pléiade), avec au delà de 550 parenthèses et aucun tiret. (*N. B.* : nous excluons évidemment le tiret qui indique un changement d'interlocuteur.)

18. Notons qu'il en est de même pour l'édition princeps.

bates [19], etc., et devant être examinées dans leur groupe respectif.

C'est avec un sentiment de plus grande sécurité que nous abordions les *apostrophes* et les *interventions directes*. Si elles étaient moins concrètement visibles, leurs variantes en revanche s'inscrivaient dans une marge d'erreur acceptable ; elles offraient en outre très peu de résistance au découpage. En tout près de deux cents *apostrophes* [20] et de quinze cents *interventions directes* [21], auxquelles il faut évidemment ajouter tout le *Prologue*.

Nous avons compté *l'apostrophe-digression* et *l'intervention-digression,* c'est-à-dire l'arrêt dans le fil narratif — ou dans le fil du discours, pour les digressions au second degré [22] — et non chaque apostrophe, chaque intervention. Dans certains cas en effet, tout particulièrement dans celles qui s'élèvent à la leçon et souvent assez longues, *l'apostrophe-digression* ou *l'intervention-digression* comporte plus d'une apostrophe ou

19. Ex. : « — et povez penser qu'ils n'estoient point alléz loing — » (t. I, liv. I, chap. IV, p. 36) : une *apostrophe.* « (par le temps dont j'ay parlé) » (t. I, liv. III, chap. IV, p. 194) : une *intervention directe.* Le conte de Richemont n'était pas héritier de la couronne, « quelque chose que l'on en die (au moins que j'entende) » (t. II, liv. V, chap. XX, p. 233) : une *hyperbate.*

20. Ce nombre comprend 5 *apostrophes* « marginales » du type : « Velà encore ung autre malheur de ceste adversité » (t. II, liv. V, chap. II, p. 113. C'est nous qui soulignons). Ajoutons qu'il n'est donné qu'à titre indicatif, comme tous les autres à venir d'ailleurs.

21. Plusieurs d'entre elles étant de type « marginal » à cause du « nous » utilisé : parmi celles-ci, quelques interventions-souhaits comme : « Notre Seigneur le vueille avoir receü en son royaume de Paradis ! Amen ! » (T. II, liv. VI, chap. XI, p. 325.) Lorsqu'il arrive qu'une *intervention directe* soit aussi explicitement une *apostrophe,* comme « ... pour les raisons que je vous ay dictes... » (t. I, liv. III, chap. X, p. 247), l'élément digressif ainsi formé est inscrit parmi les *apostrophes.*

22. C'est-à-dire les digressions que la mobilité du « contexte stylistique » et par conséquent sa variabilité, nous permettait d'identifier et que nous avons recueillies au titre d'*apostrophes* ou d'*interventions directes.*

plus d'une intervention. Ainsi par exemple, au chapitre II du
livre troisième, deux apostrophes qui en réalité n'en font
qu'une : « Vous entendez maintenant... » et cinq lignes plus
loin : « Ainsi concluez que... » (t. I, p. 181-182) ; au livre
premier, chapitre II, une multiple intervention : « Et me semble que... », 8 lignes et : « dont j'aye eu congnoissance... »,
2 lignes, « je parle de femmes... », 4 lignes, puis « et doubte
que... » (t. I, p. 13-14 [23]). Il nous est arrivé cependant de
compter comme autonomes deux *apostrophes* — ou *interventions* consécutives, quand elles étaient séparées par un blanc
dans le Dobrée et le Polignac. Ainsi l'apostrophe qui commence par « Or regardez que doibt faire un prince... » et celle qui
vient immédiatement après, au début du paragraphe suivant :
« Or voyez-vous la mort de tant de grandz hommes... » (t. II,
liv. VI, chap. XII, p. 340). Ou bien lorsqu'il y a un changement
net de niveau d'une digression à l'autre. Au chapitre XX du
livre huitième, par exemple, une apostrophe-réflexion sur
l'état d'esprit de Charles VIII à la mort de son jeune fils est
suivie de cette apostrophe-leçon :

> Or entendez quelles sont les misères des grans roys et
> princes qui ont paour de leurs propres enfans ! (T. III,
> p. 257-258.)

Apostrophes et *interventions directes* impliquent la relation je/tu [24]. Elles annoncent donc l'œuvre de Commynes comme des mémoires, la retirant ainsi automatiquement à la simple
chronique et, plus évidemment encore, à l'histoire. Cette relation, extrêmement mobile nous l'avons vu et nous y reviendrons, n'est pas sans modifier la troisième personne, soit tous
les personnages en cause, les événements racontés également ;
elle colore aussi, et cela est inévitable, le « je » du narrateur,
même lorsque celui-ci s'inscrit dans un « nous » collectif, très

---

23. Un autre exemple : le passage où Commynes s'étonne du ravitaille-
ment de Paris pendant la guerre entre les seigneurs et le roi (t. I, liv.
I, chap. VIII, p. 58).

24. L'apostrophe par le « vous », l'intervention, à cause du « je ». Nous
avons déjà signalé l'existence occasionnelle de la combinaison explicite je/tu. (Cf. le présent chapitre, n. 22, p. 81.)

proche de la troisième personne, donc du récit. Examinons un passage typique. « Nous les rencontrasmes... » (t. I, liv. II, chap. I, p. 97) écrit Commynes en racontant les événements de Liège et il ajoute : « plus tost que ne pensions ». Deux « nous » qui comprennent deux « je » légèrement différents : le premier ne dépasse guère le niveau de l'événement donné objectivement. Mais dans le second, la subjectivité du narrateur n'est-elle pas déjà plus engagée [25] ? Et dans les derniers de cet autre exemple ?

> ... et conclusismes une paix, croyant bien par les signes que nous voyons qu'elle ne tiendroit point ; mais nous avions nécessité de la faire pour... (t. III, liv. VIII, chap. XVIII, p. 241-242 [26]).

L'intrusion de Commynes dans le récit — et donc du « vous » — demeure proche de celui-ci chaque fois que les *interventions directes* utilisent comme temps verbaux l'imparfait [27], le passé simple (aoriste [28]) qu'emploient aussi parfois

25. Même près du récit, le « je » implique, bien entendu, la subjectivité du narrateur, mais autrement, d'une manière différente : au niveau du vrai ou du faux.

26. Nous n'avons pu tenir compte de ces nuances lors du relevé fait des « nous ». Tous — mis à part les « didactiques » auxquels nous reviendrons, ainsi que ceux qui sont « prise de conscience du phénomène écriture » et les « moralistes » — ont été classés comme « historiques ».

27. « Et j'estoie à ceste deliberation et conclusion, car j'estoie de ce conseil... » (t. III, liv. VII, chap. I, p. 5). Notons — et cela est révélateur, leur rôle étant le plus souvent didactique — que nous n'avons relevé aucun imparfait dans les apostrophes. (Cf., plus loin, la n. 30.)

28. Temps du récit par excellence, rappelons-le. « ... et perdis, en allant, ung page... » (t. III, liv. VIII, chap. XI, p. 182). Un autre exemple particulièrement intéressant : à Calais, Commynes a assisté aux effets provoqués par les changements de roi en Angleterre et il constate : « Ce fut la première fois que j'eus jamais congnoissance que les choses de ce monde sont peu estables » (t. I, liv. III, chap. VI, p. 209). Le passé simple se trouve attirer l'attention du lecteur sur le moment de la vie du mémorialiste où s'est produit le choc de l'expérience, plutôt que sur l'expérience elle-même.

les *apostrophes* [29], ou le plus-que-parfait [30]. Elle s'en éloigne
au contraire quand *interventions directes* et *apostrophes,* par
le présent [31] — très fréquent —, le futur [32] — plus rare —
et le passé composé [33] — assez courant —, se trouvent forcer
le lecteur à appréhender les événements avec le recul réflexif
que prenait Commynes vis-à-vis d'eux. Le bousculant presque,
dans le cas de certaines *apostrophes* :

> Vous le povez veoir... (t. II, liv. VI, chap. ii, p. 256).
> Or nottez... (t. I, liv. II, chap. xii, p. 154).
> Or regardez... (t. II, liv. VI, chap. xi, p. 319).
> Regardez donc... (t. II, liv. V, chap. ii, p. 108).

Or regardez doncques... (t. I, liv. II, chap. vi, p. 131).
Lecteur souvent amené — comme en témoigne le « vous »
didactique de ce passage de preuves :

> Pour Allemaigne, vous avez, et de tout temps, la maison
> d'Autriche... (t. II, liv. V, chap. xviii, p. 209).

ce « nous », didactique également :

29. Et réservé à celles explicitement destinées à Angelo Cato, soit les
    plus proches des faits. Ainsi, celle-ci : « Sur l'heure y arrivastes-
    vous, mons^r de Vienne, qui pour lors estiez son medecin » (t. II,
    liv. VI, chap. vi, p. 281).
30. « Le plaisir du roy avoit esté que je fusse vestu pareil de luy ce
    jour » (t. II, liv. IV, chap. x, p. 63). Notons qu'aucune apostrophe
    n'est au plus-que-parfait. (Cf., plus haut, la n. 27.)
31. « ... povez bien veoir le bien... » (t. I, liv. II, chap. iv, p. 121).
    « ... car je cuyde avoir veü et congneü la meilleure part de Europe »
    (t. II, liv. V, chap. ix, p. 156). *N. B.* Il peut s'agir, comme dans les
    exemples ci-dessus, de l'indicatif mais aussi du conditionnel ou encore
    de l'impératif. Ex. : « ... je conseilleroye a un mien amy, si je
    l'avoye... » (t. I, liv. III, chap. xii, p. 250). « ... mais entendez
    que... » (t. III, liv. VIII, chap. xxii, p. 275). Ajoutons qu'un indi-
    cateur adverbial vient occasionnellement accentuer le présent. Ainsi
    dans ce passage : « Vous entendez *maintenant...* » (t. I, liv. III,
    chap. ii, p. 181. C'est nous qui soulignons).
32. « ... comme vous entendrez » (t. II, liv. V, chap. v, p. 128). « ... que
    je diray cy après » (t. I, liv. I, chap. v, p. 50).
33. « ... Vous avez ouy... » (t. II, liv. IV, chap. iv, p. 22). « J'ay veü
    princes de deux natures... » (t. I, liv. I, chap. xvi, p. 93).

Que dirons-nous icy de Fortune (t. II, liv. IV, chap. XII, p. 86) ?

— à voir les faits rapportés dans les *Mémoires* à travers la loupe isolante et grossissante de la leçon.

Glissement, donc, de l'histoire en direction du « pôle moraliste » dont il a été question au tout début de la présente étude et auquel contribuent de manière importante *apostrophes* et *interventions directes*. Si certaines d'entre elles en effet — appelons-les neutres — ne sont guère plus qu'un tic d'écriture, ainsi « comme avez ouy » (t. I, liv. II, chap. I, p. 97 [34]) ou « dont j'ay icy devant parlé » (t. I, liv. I, chap. II, p. 14 [35]) faisant uniquement référence au récit qu'elles jalonnent comme autant de cailloux blancs, si d'autres — explicatives

... comme vous sçavez, mons[r] de Vienne, nostre roy parloit fort privéement et souvent à ceulx qui estoient plus prochains de luy... (t. II, liv. IV, chap. VII, p. 40).

... que aucuns des fuyans estoient retournéz (je parle des gens de pied)... (t. I, liv. II, chap. XI, p. 150).

ou autobiographiques,

34. Cette formule type et ses variantes dépassent toutefois le tic d'écriture quand elles servent à mettre en évidence un fait qui s'inscrit dans une leçon. Ainsi cette apostrophe qui résume les malheurs des princes anglais : « Ceulx qui estoient en vie en Angleterre et leurs enfans sont finéz, comme vous voyez » (t. I, liv. III, chap. IV, p. 192). De ces apostrophes, nous n'avons distingué que les cas flagrants.

35. Comme pour l'*apostrophe*, il arrive que cette formule type ou ses variantes débordent le tic d'écriture. L'intervention « dis-je », par exemple, (à la fois une incise) qui est un jugement de réprobation contre Campobasso traître au Téméraire, dans le passage suivant : « ... trahy, par celuy, dis-je, qu'il avoit recueilly vieil et povre... » (t. II, liv. V, chap. VI, p. 141). Encore ici, seuls les cas flagrants ont été relevés. Une analyse plus serrée aurait pu aussi distinguer parmi les *apostrophes* et les *interventions directes* que nous avons classées comme neutres, certaines qui, en fait, constituent une prise de conscience du phénomène écriture. Cette intervention par exemple : « ... le roy Charles [...] dont *tant* j'ay parlé... » (t. III, liv. VIII, chap. XXIV, p. 299. C'est nous qui soulignons). Nous n'avons retenu que les cas indiscutables.

Au saillir de mon enfance et en l'aage de povoir monter
à cheval, fus amené à Lisle devers le duc Charles de
Bourgoigne... (t. I, liv. I, chap. i, p. 4 [36]).

— demeurent encore très près des événements, nombreuses
sont celles qui les débordent. Qu'elles soient de simples réflexions sur les faits, sur les personnes, comme celles-ci :

Et véez cy les habilitéz qui furent tenues (t. I, liv. III,
chap. i, p. 173).

A mon advis que son oppinion estoit bonne (t. I, liv. I,
chap. iii, p. 21).

ou mieux encore, des réflexions élargies, du type :

Or voyez ung peu comme les affaires ou brouilliz de ce
royaulme sont grandz... (t. I, liv. III, chap. viii, p. 223).
Je sçay bien qu'il fault argent pour deffendre les frontières et les garder... (t. II, liv. V, chap. xix, p. 218).

Qu'elles fassent appel à des exemples,

Dieu leur dresse ung ennemy ou ennemys dont nul ne
doubteroit, comme vous povez veoir par ces roys nomméz
en la Bible et par ce que, puis peu d'années, en avez veu
en ceste Angleterre et en ceste maison de Bourgogne
et autres lieux, que vous avez veuz et voyez tous les
jours (t. I, liv. I, chap. vii, p. 54).

Mais quelques experiences en veulx-je dire, que j'ay
veü et sceu de mon temps (t. I, liv. II, chap. viii, p. 135).

ou qu'elles s'élèvent au niveau de la véritable leçon,

Ainsi povez veoir qu'il est presque impossible que deux
grans seigneurs se puissent accorder, pour les rapports

36. Notons que si certaines *interventions* sont proprement autobiographiques, comme celle citée ci-dessus, donc proches du récit, d'autres,
par contre, s'en éloignent. Ainsi celles qui font référence à la vérité
des sources utilisées. Ex. : « Et ces parolles m'a compté le roy, car
pour lors j'estoye avecques le conte de Charroloys » (t. I, liv. I,
chap. iii, p. 22). Celles surtout qui s'appuient sur l'expérience du
narrateur. Ex. : « ... j'ay peu veü de gens en ma vie qui sachent
fouyr à temps... » (t. II, liv. IV, chap. xi, p. 74).

et suspicions qu'ilz ont à chascune heure. Et deux grans princes qui se vouldroient bien entreaymer ne se devroyent jamais veoir, mais envoyer bonnes gens et sages les ungs vers les autres, et ceulx-là les entretiendroient ou amanderoient les faultes (t. I, liv. I, chap. XIV, p. 87).

> ... et me semble bien que ung saige prince ayant povoir de dix mil hommes et façon de les entretenir est plus à craindre et estimer que ne seroient dix qui auroient chascun six mil tous alliéz et confitz ensemble... (t. I, liv. I, chap. XIV, p. 91).

Qu'elles soient aussi, pour certaines *interventions,* refus de juger,

> Je n'ay parlé que de Europe, car je ne suys point informé des deux autres pars, Azie et Affrique (t. II, liv. V, chap. XVIII, p. 210 [37]).

et réflexion de moraliste sur la condition humaine :

> ... la raison naturelle ny nostre sens ne la craincte de Dieu ny l'amour de nostre prochain ne nous garde point d'estre violentz les ungs contre les autres ny de retenir l'autruy ou de l'autruy oster par toutes voyes qui nous sont possibles (t. II, liv. V, chap. XVIII, p. 212).

ou, pour *interventions* et *apostrophes,* prise de conscience du phénomène écriture,

> Et pour vous le faire court... (t. I, liv. II, chap. IV, p. 117).

> Depuis que j'ay commencé à parler de Nuz, je suys entré en beaucoup de matières l'une sur l'autre (t. II, liv. IV, chap. IV, p. 26).

du phénomène digressif à l'occasion,

> J'ay beaucoup mis avant retourner à mon propoz de l'arrest en quoy estimoit le roy estre à Peronne, dont j'ay parlé par cy-devant, et en suys sailly pour dire mon advis

---

37. Refuser de juger est une forme de jugement, surtout lorsque, comme ci-dessus, ce refus s'appuie sur la conscience d'être insuffisamment informé.

aux princes de telz assemblées (t. I, liv. II, chap. ix,
p. 142).

et procédés de discussion :

> Car vous ne sçauriez envoyer espie si bonne ne si seüre
> [...]. Et si vos gens [...]

On pourra dire que vostre ennemy... (t. I, liv. III, chap.
viii, p. 220 [38]).

> L'on pourroit respondre qu'il y a des saisons qu'il ne
> fault pas actendre l'assemblée et que la chose seroit trop
> longue à commencer la guerre et à l'entreprendre. Je
> respondz à cela qu'il ne se fault point tant haster... (t. II,
> liv. V, chap. xix, p. 217).

*　　*　　*

C'est évidemment au niveau de la véritable leçon que
se situent à peu près tous les tours proverbiaux des *Mémoires*.
N'est-ce pas la définition même du proverbe ? Sur la trentaine
relevée, deux seuls, adaptés au moment historique et limités
à ce dernier, ne dépassent pas la réflexion immédiate sur les
faits, les personnes. Ils concernent, l'un les déboires du connétable de Saint-Pol,

> Ceste malle adventure ne luy advint pas seulle... (t. II,
> liv. IV, chap. iv, p. 22 [39]).

l'autre, la mort du petit dauphin, fils de Charles VIII :

> Ce mal ne vint point seul... (t. III, liv. VIII, chap. xxi,
> p. 261).

Renouvellements d'un même proverbe, courant à l'époque [40],
ils se rattachent implicitement au narrateur par la déictique
— « ceste », « ce » — et s'inscrivent, par le passé simple —

---

38. C'est nous qui soulignons ainsi que dans l'exemple suivant.
39. Notons que la formule est à peine encore proverbiale.
40. Cf. J. Morawski, (*in Proverbes français antérieurs au XVᵉ siècle*,
Paris, librairie ancienne Édouard Champion, 1925, p. 16) qui au
n° 438 relève le proverbe suivant : « Cui avient une n'avient seule. »

par le pronom personnel « luy » également, pour le premier —
dans le temps des événements.

Les autres au contraire, impersonnels, débordent franchement celui-ci, que ce soit par le présent intemporel caractéristique du tour proverbial et employé dans vingt-six d'entre
eux,

> ... il est bien gardé qui Dieu garde... (t. III, liv. VIII,
> chap. XI, p. 183).

plus rarement, (dans deux cas seulement) par un futur presque
prophétique,

> Car à la fin du compte, qui en aura le prouffit en aura
> l'honneur (t. I, liv. III, chap. VIII, p. 220).

Ou encore (quatre occurrences) par le passé simple, mais un
passé simple porté à l'universel grâce à un « jamais » qui, du
fait historique répété, produit le fait exemplaire :

> ... car d'ung fol ne fist *jamais* homme son prouffit (t. I,
> liv. I, chap. IX, p. 66 [41]).

Que ce soit aussi par l'impersonnalité des pronoms employés,
« on » :

> Et pour ce faict bon bien faire tandis que *on* a le loysir
> et Dieu donne santé (t. II, liv. VI, chap. V, p. 278).

« nul » et « quelqu'un » :

> ... car *nul* n'y pert que *quelcun* n'y gagne (t. II, liv. V,
> chap. XVI, p. 190).

« rien » :

> Ainsi *rien* n'est parfaict en ce monde (t. II, liv. V,
> chap. XX, p. 231).

ou même, simplement, l'absence de personne :

> Bien assailly, bien deffendu (t. II, liv. IV, chap. VIII,
> p. 46).

41. *N. B.* la variante : « ... car l'accointance d'ung fol jamais ne prouffita
à la longue ; » (t. I, liv. II, chap. III, p. 116). C'est nous qui soulignons ainsi que dans les trois prochains passages cités.

Tous traits qui ont permis le relevé des tours proverbiaux, avec en plus, bien entendu, une certaine rigidité formelle,
presque partout présente et due souvent au parallélisme, à
l'antithèse ou/et à l'assonance,

Par divis*on* de *ceulx de dedans* y entrer*ont ceulx de
dehors* (t. II, liv. V, chap. xix, p. 229 [42]).

à l'image aussi, occasionnellement :

... car la nuyct n'a point de honte (t. I, liv. II, chap. x,
p. 148).

Si ce relevé était empiriquement facile à faire — « *An in-
communicable quality tells us this sentence is proverbial and
that one is not* [43] » — encore fallait-il en effet l'appuyer sur
un minimum de preuves stylistiques.

Bien que forcément partielle et par conséquent utilisable
à titre indicatif seulement, une comparaison des *tours proverbiaux* employés dans les *Mémoires* avec le corpus de 2 500
proverbes français antérieurs au xve siècle réuni par Joseph
Morawski [44] révèle l'originalité de Commynes et son indépen-
dance devant les formules toutes faites. C'est ainsi par exemple que sur les trente-quatre tours proverbiaux qu'il utilise, dix
seulement correspondent à des proverbes connus ; et encore en
sont-ils — mis à part son « Toutes-fois vault encores myeulx
tard que jamais » (t. I, liv. I, chap. xvi, p. 93) qui à quelques
nuances près recoupe le « Il vault mieux tard que jamais » cité
par Morawski [45] — de très libres adaptations. Commynes ne
se répète même pas lui-même :

---

42. C'est nous qui soulignons. On sait que pour des raisons mnémo-
    techniques, le proverbe était souvent un distique rimé ou assonancé.
    À l'inverse, des vers porteurs d'une leçon devenaient fréquemment,
    sortis de leur contexte, des tours proverbiaux.
43. Archer Taylor, *The Proverb*, Cambridge, Harvard University Press,
    1931, p. 3. Notons que cet ouvrage nous a fourni d'utiles repères
    dans notre recherche des tours proverbiaux.
44. Dont 2 000 différents, *in op. cit.* J. Morawski a utilisé 29 recueils
    de proverbes du moyen âge, dont 11 inédits.
45. *Op. cit.*, p. 35, n° 960.

Au fort, en nul n'a mesure parfaicte en ce monde (t. II, liv. V, chap. XIX, p. 220).

devient plus loin et avec un léger glissement de sens, la formule déjà citée :

Ainsi rien n'est parfaict en ce monde.

alors que l'on trouve dans Morawski :

Nus n'e[s]t parfais en toutes choses [46].

et que la même idée, élargie, était exprimée dans le *Prologue* [47] :

A Dieu seul appartient la perfection (t. I, p. 1).

Si rien n'autorise à avancer que les autres tours proverbiaux des *Mémoires* constituent des créations originales, tout porte à croire cependant qu'eux aussi sont marqués de la griffe commynienne. Pour Commynes en effet, le proverbe ne pouvait se limiter, comme trop souvent à l'époque, à une sagesse exemplaire sur laquelle il fallait s'aligner à tout prix ; la plupart du temps il devenait la réflexion-conclusion [48] — utile parce que rapide dans sa concision — d'une expérience. Comment le mémorialiste en aurait-il retenu la lettre ? Nous n'en voulons pour preuve que la façon dont il comprend le mot : citant le duc Philippe de Bourgogne qui disait des Gantois qu'ils aimaient bien le fils de leur duc jusqu'à ce que celui-ci devînt duc à son tour, il commente :

Ce proverbe fut veritable, car... (t. II, liv. VI, chap. XII, p. 331 [49]).

---

46. *Proverbes français antérieurs au XVe siècle*, p. 51, n° 1414.

47. N'y aurait-il pas là un argument en faveur de la rédaction postérieure aux *Mémoires* de celui-ci ? Aux six premiers livres du moins ?

48. Même lorsqu'il vient sous sa plume au début ou au milieu d'une digression ; à plus forte raison s'il la termine ou quand il est isolé.

49. Déjà au livre II (t. I, chap. IV, p. 120), Commynes utilisait le mot dans ce sens et au sujet de la même réflexion du duc Philippe : « Et s'il [le Téméraire] eust creü le proverbe de son pere, il n'eust point esté ainsi deceü, lequel disoit que ceulx de Gand aymoient bien le filz de leur prince, mais le prince, non jamais. »

Les quelques fois en outre où il fait précéder le tour proverbial
employé d'un commentaire comme celui-ci :

... *et leur povoit-on bien dire* que l'une partie du monde
ne scet point comment l'autre se gouverne (t. I, liv. III,
chap. iii, p. 183).

Approbation donc de la sagesse populaire, mais une fois l'expérience vécue. Vérification commode surtout de la valeur de
celle-ci. La méthode est-elle encore uniquement historique ?

*   *   *

Plus révélatrices que les *tours proverbiaux* qui doivent
peut-être autant à l'automatisme social — on sait qu'à propos
de tout et de rien, tout le monde alors avait un proverbe à la
bouche [50] — qu'aux motivations profondes de Commynes, plus

---

50. Le fait est abondamment attesté. J. Huizinga raconte que dans le
procès qui l'oppose à l'Archevêque de Reims, le théologien Jean de
Varennes nie l'avoir accusé de mauvaise conduite : tout au plus
aurait-il cité le proverbe : « Qui est tigneus, il ne doit pas oster
son chaperon.» (*In le Déclin du moyen âge*, Paris, petite bibliothèque Payot, 1967, p. 205.) E. A. Lecoy de la Marche, pour sa
part, nomme au moins un sermonnaire — Nicolas de Biard —
qui émaillait de proverbes le texte de ses sermons. (Cf. *la Chaire
française au moyen âge*, p. 234.) Et quelle forme, sinon la sentence proverbiale, emprunte un des livres les plus goûtés du temps,
l'Imitation de Jésus-Christ ? Aucun genre n'y échappe d'ailleurs :
on trouve des proverbes dans la nouvelle — «... car nul cueur qui
desire ne peut avoir repos...» (*Pierre de Provence et la belle
Maguelonne*, Paris, éd. A. Biedermann, Honoré Champion, 1913,
p. 21) — dans le traité didactique, cela va de soi — « Et pourtant
à maus chat maus rat» (*les Lunettes des princes* de Jean Meschinot,
éd. de Paris, mdcccxc, p. 91) — dans la poésie — pensons à
Charles d'Orléans et à Villon. Quant à la farce qui reproduit volontiers les manières de parler des petites gens, elle en use généreu-
sement : «... vela tout, qui femme a noise a », de répéter comme
un refrain le sot, dans *la Farce du pauvre Jouhan* (Genève, Droz,
1959, p. 38-39). Il lui arrive même d'en être littéralement truffée,
comme aussi certains « dits » — *les Faicts et dicts* de Jean Molinet,
par exemple, (publiés par Noël Dupire, S.A.T.F., t. III, 1939)
« proverbes », comme *Li proverbes au vilain*, (Heidelberg, 1966,

révélatrices même que les *apostrophes* et les *interventions directes* qui, jusqu'à un certain point, vont de soi dans des mémoires et qui en outre, du moins pour celles que nous avons nommées neutres, s'inscrivent dans les habitudes du temps [51], les *digressions proprement dites* jouent sans doute un rôle premier dans l'utilisation moraliste que fait celui-ci de l'histoire. Leur relevé n'a pas été sans peine toutefois. Non qu'elles soient difficiles à repérer : certaines d'entre elles s'annoncent même comme éléments digressifs, mais parce qu'elles ne sont à peu près jamais pures, mis à part évidemment les discours directs [52]. Aussi fallait-il une attention de tous les instants pour

144 p.) ou « emblèmes moraux » (cf. G. Cohen, « Emblèmes moraux inédits du XVᵉ siècle », *in Mélanges de littérature, d'histoire et de philologie offerts à Paul Laumonier,* Paris, Droz, 1935, XIX-633 p.). Jusqu'à la lettre qui en est marquée, comme en témoigne celle qu'attribue à Louis XI, Bittman, *in Contribution à l'histoire de Louis XI. Un document inédit,* Paris, éd. Henri Perrier, 1945, 31 p.), où l'on peut lire : « ... car on dit (par) ung commun proverbe par deça que oncque grant marché ne fut net qu'il y a tousiours gare darrière ». Et l'iconographie : l'imagerie populaire ainsi que la tapisserie, comme le prouvent les *Dictz moraulx pour faire tapisserie* de Henri Baude (T.L.F., Genève, Droz, 1959, 140 p.), la peinture également, lorsqu'elle est signée Breughel entre autres (cf. H. A. Hatzfeld, *Literature Through Art. A New Approach to French Literature,* New-York, Oxford University Press, 1952, p. 46-47). Ce goût pour le proverbe s'est d'ailleurs perpétué au XVIᵉ siècle. Combien de chapitres rabelaisiens ne sont autre chose que l'illustration par l'absurde d'un proverbe ? Relisons aussi les *Juives* de Garnier ou même Ronsard. La « sentence » y est fréquente : elle plaisait tellement aux lecteurs du temps que la typographie se donnait même la peine de la leur signaler par des guillemets.

51. Comme un reste de style oral. Cf. Jens Rasmussen, *la Prose narrative...,* p. 19.

52. Rares en effet les « discours directs » interrompus et encore le sont-ils par un procédé normal, l'incise, procédé qui, de plus, nous ramène au récit. Ex. : « Pour ce, *dist-il,* que quant j'envoyai mes ambassadeurs à Lisle, naguères, devers mon oncle, vostre père et vous et que... » (t. I, liv. I, chap. XII, p. 75-76. C'est nous qui soulignons). Sont-ils eux-mêmes inclus dans une digression ? Ils ne posent alors aucun problème de découpage : ils s'annoncent beaucoup trop clairement pour cela. Si l'on met de côté les signes exté-

les isoler avec un minimum de rigueur. Nous en avons compté près de deux mille cinq cents ; ce nombre — approximatif, nous tenons à le répéter — exclut, cela va de soi, toute digression déjà répertoriée comme *apostrophe, intervention directe* [53] ou *tour proverbial* [54] ; également, puisqu'ils sont analysés plus loin, les *mots-jugements, euphémismes, litotes, ironie* et cette sorte d'anti-digression qu'est l'*asyndète.*

Ici encore le découpage s'est appuyé d'abord sur les temps verbaux du discours : présent [55] et passé composé, fréquents tous deux,

> ... [à Bruges], où hantent toutes nations estranges... (t. I, liv. I, chap. I, p. 4-5).

> ... duquel assez de fois a esté parlé en ces presens memoires (t. I, liv. II, chap. VI, p. 128).

futur, employé plus occasionnellement :

> Je les mectray aujourduy si près l'un de l'autre qu'il sera bien abille qui les pourra desmeller (t. I, liv. I, chap. III, p. 21).

Sur certains « indicateurs » adverbiaux, l'adverbe « icy », par exemple, ou la locution adverbiale « pour lors » qui, avec des prépositions comme « depuis » déplacent le temps et le lieu historique, les rapprochant plus ou moins de ceux de l'écriture :

rieurs qui n'existent pas forcément dans les manuscrits, soit les deux points, les guillemets et, pour les répliques, le tiret, il reste les « indicateurs » essentiels : la relation je/tu, les temps du discours, etc., sur un plan second, évidemment, par rapport à celui des *Mémoires.*

53. La digression qui englobe une *apostrophe* ou une *intervention* est comptée cependant : elle se trouve être une digression dans laquelle s'inscrit une digression.

54. La présence d'un *tour proverbial* dans une *digression proprement dite* constitue une digression dans une digression. Elle n'empêche donc pas que celle-ci soit comptée.

55. *N. B.* Il peut s'agir du présent de l'indicatif, de l'impératif [ex. : « Parlez à mes gens... » (t. I, liv. I, chap. X, p. 70)], du participe présent [ex. : « Revenant à ce roy Edouard... » (t. I, liv. III, chap. IV, p. 192)] ou du conditionnel : [« ... ce que beaucoup de gens ne croyroient point ayséement » (t. II, liv. V, chap. X, p. 160)].

Et estoient ces Liégeoys *icy excommuniez...* (t. I, liv. II, chap. IV, p. 121 [56]).

... [à Cambray], où *pour lors* estoit ledict duc Philippes (t. I, liv. I, chap. II, p. 10).

... [le conte de Sainct Pol], *depuis* connestable de France *(ibid.).*

Sur le dubitatif « peut-être » :

Et *peult estre,* d'autre costé, que si le roy l'eust eu, qu'il eust fait plus de faveur audict duc de Lorraine qu'il ne faisoit (t. II, liv. IV, chap. XII, p. 89-90).

Sur des démonstratifs [57] aussi, malgré la ténuité du lien qu'ils créent avec le narrateur :

Ce qui fist faire *cest* exploit audit duc fut de peur qu'elle ne se retirast devers le roy son frère (t. II, liv. V, chap. IV, p. 123).

Sur des exclamatifs, forcément chargés d'affectivité, donc très subjectifs :

Quelle douleur luy fut de oyr ceste nouvelle et ceste sentence (t. II, liv. VI, chap. XI, p. 316) !

des tournures interrogatives, comme :

Est-il nulle playe et persecution si grande que guerre entre les amys et ceulx qui se congnoissent ne nulle hayne si mortelle (t. II, liv. V, chap. XIX, p. 229) ?

Sur des comparatifs qui élargissent automatiquement l'événement :

---

56. C'est nous qui soulignons ainsi que dans les quelques prochains passages cités.

57. Nous n'avons pas tenu compte de tous les « ledict », « dudict », « audict », « dessusditz » et leurs variantes qui ne sauraient être considérés comme digressifs : au XVᵉ siècle, ils étaient employés couramment et avaient, plutôt qu'une intention vraiment déictique, un rôle de lien dans le tissu narratif.

Philippes de Lalain, qui estoit d'une race dont peu s'en
est trouvé qui n'ayent esté vaillans et courageux... (t. I,
liv. I, chap. ii, p. 12).

Sur certains éléments descriptifs, des adjectifs, des adverbes
entre autres, qui se trouvent suspendre pour un moment la
linéarité de la narration, qu'ils portent sur des caractéristiques,
soit physiques —

> ... leurs osséz, qui estoient grans et parfons et plains
> d'eaue (t. I, liv. II, chap. ii, p. 106).

— soit, comme c'est souvent le cas, psychologiques : n'est-ce
pas le portrait moral du Téméraire que fait Commynes quand
il écrit qu'à Péronne, celui-ci « se trouve en plus grant collère
que jamais » et qu'il se rendit « soudainement [...] en la chambre du roy... » (t. I, liv. II, chap. ix, p. 144 [58]) ? Sur des
charnières logiques enfin, « car », si fréquent sous la plume
du mémorialiste et qui ouvre une explication lorsqu'il n'annonce pas une réflexion ou une leçon :

> ... car ilz estoient trop grans, trop forz et trop habilles
> tous deux (t. I, liv. III, chap. iii, p. 188).

> Car, naturellement, les Angloys qui ne sont jamais partys
> d'Angleterre sont fort collericques (t. II, liv. IV, chap. vi,
> p. 37).

---

58. *N. B.* Nous n'avons pas retenu les expressions d'usage courant comme « gens de bien », à moins qu'elles n'aient été revalorisées sans
ambiguïté, comme dans ce passage : « ... et *très* gens de bien : *et
aussi ils le monstrèrent ;* » (t. II, liv. IV, chap. i, p. 7. C'est nous
qui soulignons ainsi que dans les quelques prochains exemples).
Notons que les éléments descriptifs sont particulièrement difficiles
à isoler de la narration. N'y a-t-il pas une part de description, par
exemple, dans le verbe de cette phrase : « ... Morvillier luy *rompoit*
tousjours la parolle... » (t. I, liv. I, chap. i, p. 6) et dans cet autre :
« Mais lesdictz embassadeurs *supplièrent* au roy que... » (t. II, liv.
IV, chap. xi, p. 80). Mais comment la mesurer ? Aussi n'avons-
nous répertorié que les cas très nets, au risque, encore une fois
de faire partiel.

... *car ilz* [les princes] sont hommes comme nous *(Prologue,* t. I, p. 1).

« toutesfois » qui appelle une nuance,

> *Toutesfois* sa personne presente estoit grant chose et la bonne parolle qu'il tenoyt aux gens d'armes (t. I, liv. I, chap. IV, p. 33).

« combien que », restrictif, « si », etc. :

> *Combien que* cest empereur eust esté toute sa vie homme de peu de vertu, si estoit-il bien entendu ; et, pour le long temps qu'il avoit vescu, povoit avoir beaucoup d'experience (t. II, liv. V, chap. III, p. 20).

> Et *si* Dieu les eust faictz saiges que de vouloir mettre les bledz dedans [...] ilz ne fussent jamais venuz en cest inconveniant, et se fussent leurs ennemys levéz en leur grant honte (t. III, liv. VIII, chap. XVII, p. 237).

Tous signaux qui, notons-le au passage, se retrouvent souvent à plusieurs dans une même digression. L'exemple suivant en fait foi : il contient un démonstratif, le présent, des qualificatifs, un comparatif,

> C'est bien grant peril et grant follie d'assaillir si grans gens (t. I, liv. III, chap. X, p. 237).

Si bon nombre des *digressions proprement dites* ne font qu'apporter une précision sur le plan de l'histoire ou bien « collent » à cette dernière par un mimétisme — nous pensons à quelques discours directs [59], à certaines descriptions [60] aussi —

---

59. Ces « parolles effroyées » par exemple, qui reconstituent toute une atmosphère : « Ils saillent par une telle porte ! » (t. I, liv. II, chap. XI, p. 152).

60. Ainsi « ... gros et lourd et ort... », appliqué à un nommé Jehan Cadet (t. I, liv. I, chap. IV, p. 31). La description suivante, en revanche, par sa façon d'étaler le récit dans l'espace, comporte un jugement non équivoque sur les « marchandises » ou tractations de guerre : « ... maint ambassade allant et venant au roy et à eulx deux, au roy d'eulx, au conte de Charrolois, [...], et de luy à eulx, du roy audict duc de Bourgongne et de luy au roy... » (t. I, liv. I, chap. XVI, p. 92).

qui vise uniquement la reproduction des événements, plusieurs par contre dépassent ces derniers : celles déjà qui les réfléchissent,

Ces deux n'avoyent garde de se mordre l'un l'autre (t. I, liv. I, chap. IV, p. 33).

celles ensuite et surtout qui tendent vers — ou mieux encore atteignent — le niveau-leçon,

... car en tel conseil se treuve beaucoup gens [...] qui ne parlent que après les autres, sans guères entendre aux matières, et desirent à complaire à quelcun qui aura parlé, qui sera homme estant en auctorité (t. I, liv. II, chap. II, p. 104).

... c'est peu de chose que de l'homme et [...] ceste vie est miserable et briefve et [...] ce n'est riens des grandz ny des petitz, dès ce qu'ilz sont mortz... (t. II, liv. VI, chap. XII, p. 341 [61]).

Celles aussi qui marquent une prise de conscience du phénomène écriture :

Pour revenir à la declaration de cest article... (t. I, liv. I, chap. III, p. 27).

---

61. Il faut noter que les digressions-portraits conduisent souvent au niveau-leçon : ces quelques lignes, par exemple, sur la soudaine neurasthénie du Téméraire : « Car la douleur qu'il eut de la perte de la première bataille fut si grande et luy troubla tant les esperitz, qu'il en tumba en grand malladie. Et fut sa collère et challeur naturelle si grande qu'il ne beuvoit point de vin, mais, le matin, beuvoit ordinairement de la tizanne et mangeoit de la conserve de roses pour se refroischir. Ladicte tristesse mua tant sa complexion, qu'il luy failloit faire boyre le vin bien fort sans eaue ; et, pour luy faire retirer le sang, aucuns mectoient des estouppes dedans ardantes et les luy passoient en ceste challeur à l'endroit du cœur. [...] Et telles sont les passions de ceulx qui jamais n'eurent adversité et ne sçavent trouver nulz remeddes et, par especial, les princes qui sont orgueilleux » (t. II, liv. V, chap. v, p. 128-129).

Toutes les didactiques enfin [62], qu'elles soient procédés de discussion,

> *Aucuns pourroient dire* que gens faisans aucunes de ces faultes ne devroient estre au conseil d'ung prince. *A quoy fault respondre* que nous sommes tous hommes, et qui les vouldroit cercher telz que jamais ne faillissent à parler saigement, ne jamais ne se meüssent plus une fois que aultre, il les fauldroit cercher au ciel... (t. I, liv. II, chap. II, p. 103 [63]).

récit exemplaire, tel celui des événements d'Angleterre destiné à appuyer la leçon sur les « mutations » (t. I, liv. I, chap. VII, p. 52-53) ou encore — mais comme nous voilà loin de l'histoire ! — apologue :

> ... auprès d'une ville d'Allemaigne, y avoit ung grant ours qui faisoit beaucoup de mal. Trois compaignons de ladicte ville, qui hantoient les tavernes, vindrent à ung tavernier, à qui ilz devoyent, luy priant qu'il leur accreüst encores ung escot, et que, avant deux jours, le payeroient du tout ; car ilz prendroient cest ours qui faisoit tant de mal, dont la peau valloit beaucoup d'argent... (t. II, liv. IV, chap. III, p. 20-22 [64]).

*   *   *

Parmi les *digressions proprement dites* se trouve un certain nombre d'*insertions* et d'*hyperbates*. Par insertions nous

---

62. Même celles qui, exceptionnellement, portent directement sur un point d'histoire. Ex. : « *Quelcun pourra demander* cy après si le roy ne l'eust sceü faire seul : *à quoy je repondz* que non ; car... » (t. I, liv. III, chap. XI, p. 244. C'est nous qui soulignons).

63. C'est nous qui soulignons.

64. Cet apologue, Commynes le doit à l'empereur d'Allemagne, mais notons combien vite il le prend en charge ! D'une part, par le passage, dès la première phrase, du discours indirect au discours direct, d'autre part, en s'y attachant avec un plaisir évident (26 lignes !) et aussi en en tirant la morale suivante : « ... comme s'il vouloit dire : « Venez icy comme vous avez promis et tuons cest homme, si nous povons, et puis departons ses biens » (p. 22).

entendons l' « introduction au sein d'une proposition — proposition insérante — d'un mot ou d'un groupe de mots gram-
maticalement étranger à cette proposition et dont il interrompt
le déroulement naturel [65] ». Les quelques mots entre parenthèses de ce passage, par exemple :

> ... c'estoit pour le trespas du prince de Castille, dont les
> roys (car ainsi les appellent) faisoient si merveilleux deul
> que nul ne le sauroit croire (t. III, liv. VIII, chap. XXIV,
> p. 294).

Ou bien ceux-ci qui dépassent cette fois la simple explication :

> ... en tel conseil se treuve beaucoup de gens *(et y en a
> assez)* qui... (t. I, liv. II, chap. II, p. 104 [66]).

Quant à l'*hyperbate,* c'est une « figure par laquelle on
ajoute à la phrase qui paraissait terminée une épithète ou une
proposition » comme si « l'orateur se ravis[ant], s'aper[cevait],
au moment où il va terminer sa phrase, qu'il omet quelque
point essentiel et le jet[ait] en supplément [67] ... » Ainsi Commynes, parlant de « Ceulx que le roy nommoit pour estre ostai-
giers », lors des négociations de Péronne, assure qu'ils « se
offroient fort », pour ajouter tout de suite — et nous devinons
le sourire — « au moins en public » (t. I, liv. II, chap. IX,
p. 143). Bien que procédés plutôt courants au XVe siècle [68],
insertions et *hyperbates* demeurent néanmoins révélatrices de
la tendance commynienne à sans cesse ajouter, nuancer, et cela
immédiatement, au moment même où le détail supplémentaire,
la précision, la nuance, s'imposent à l'esprit.

---

65. M. Dessaintes, *in Études classiques,* janvier 1955, p. 27-43, cité par
    M. Grevisse, *le Bon usage,* éd. de 1961, p. 168, n° 177/3. Notons
    que plusieurs *apostrophes* et *interventions directes* sont des *inser-
    tions* également.
66. C'est nous qui soulignons.
67. Cette définition est de Henri Morier, *Dictionnaire de poétique et de
    rhétorique,* Paris, P.U.F., 1961, p. 195. Nous l'avons tronquée de
    ces quelques mots, « dans une forme coordonnée », afin de donner
    à l'*hyperbate* une portée plus large.
68. Cf. Jens Rasmussen, *la Prose narrative...,* p. 45.

Mais la digression chez Commynes peut se faire encore plus immédiate, plus discrète également. Dans les *mots-juge-ments* par exemple, le mot « feste » qu'il utilise pour parler des opérations de 1468 contre Liège,

> Ceste *feste* dura huit jours... (t. I, liv. II, chap. XI, p. 153 [69]).

le « disoient estre » du passage suivant,

> ... fut conclud que on tireroit devant Paris, pour essayer se on pourroit reduyre la ville a vouloir entendre au bien de la chose publicque du royaulme, pour lequel *disoient estre* tous assembléz (t. I, liv. I, chap. V, p. 43).

montrant clairement qu'il ne se méprend pas sur les véritables intentions, les vrais mobiles des princes révoltés contre Louis XI. Ou alors cet extraordinaire « manyoient » à l'allure si innocente ! (Il s'agit, précisons-le, des conseillers de Charles VIII) :

> ... ceulx qui *manyoient* l'affaire du roy... (t. III, liv. VIII, chap. XVI, p. 221).

La négation répétée aussi, dans l'extrait que voici : — elle juge la conduite des « Gantoys » envers Hugonet et Humber-court —

> Paravant ladicte sentence, ilz les avoyent fort gehennéz, *sans nulle* ordre de justice, et *ne* dura leur procès plus hault de six jours. Et [...] *ne* leur donnèrent *que* troys heures de temps pour se confesser et penser à leurs affaires... (t. II, liv. V, chap. XVII, p. 201-202).

Le passif, ailleurs, pour montrer combien Marie de Bourgogne était devenue dépendante de ses sujets :

> Le conseil fut preparé, et ceste damoiselle *mise* en son siège... *(ibid.,* p. 197).

Et l'on pourrait multiplier les exemples !

Avec l'*asyndète,* l'*euphémisme* ou la *litote,* l'*ironie,* toutes figures de distanciation — et nous ne prétendons pas être

---

69. C'est nous qui soulignons ainsi que dans les quatre prochains passages cités.

exhaustive, n'y a-t-il pas également l'ellipse, fréquemment signalée ? — nous entrons dans l'infiniment petit de la digression
commynienne [70]. Celle-ci se produit dans une absence de charnière logique et c'est l'*asyndète* :

> Il [Charles VIII] avoit de bons medicins quatre ; il n'ad-
> jouxtoit foy que au plus fol ; (t. III, liv. VIII, chap. xxvii,
> p. 312).

Elle se dissimule sous un *euphémisme,* comme dans cet extrait :

> Le roy eut *quelque* amy qui l'en advertit... (t. I, liv. II,
> chap. ix, p. 144).

le « quelque » s'éclairant une trentaine de lignes plus loin alors
que Commynes explique, dans une de ses rares confidences :

> Autresfois a pleü au roy me faire cest honneur que de
> dire que j'avoye bien servy à ceste pacification *(ibid.,*
> p. 145 [71]).

À l'occasion, elle devient *ironie,* ainsi lorsque le mémorialiste
raconte les succès du duc de Bourgogne en Normandie, à
l'été 1472 :

> Ledict duc de Bourgongne vint devant Heu, qui luy fut
> rendue, et Sainct Vallery ; et feît mectre les feux par tout
> ce quartier jusques aux portes de Dieppe. Il print le
> Neuf Chastel et le fist brusler et tout le pays de Caux
> et la pluspart jusques aux portes de Rouen et tira en
> personne jusques devant ladicte ville. Il perdoit souvent
> de ses fourraigeurs et en endura son ost très grand fain.
> Puis se retira, pour l'yver qui estoit venu.

et qu'il ajoute, sans transition ni commentaire :

> Dès ce qu'il eut le dos tourné, ceulx du roy reprindrent
> Heu et Sainct Valery... (t. I, liv. III, chap. x, p. 239).

---

70. Étant donné la finesse de ce type de digression et par conséquent
les risques d'oubli, nous avons préféré ne pas effectuer de relevé
chiffré. La même raison nous avait déjà poussée à ne pas distinguer
les *insertions* et les *hyperbates* des autres types de digression.

71. *N. B.* Le fait est confirmé par Louis XI lui-même. Cf. Calmette,
l'Introduction aux *Mémoires,* p. v, n° 1. C'est nous qui soulignons
ainsi que dans l'exemple qui précède.

3

La digression : classement et interprétation

— La digression simple : le degré zéro ; les trois niveaux, A, B et C. — La digression complexe : les trois principaux groupes d'association : BC, Ce, Ch et leurs variantes. Le récit devenu discours. — La digression en situation ; « aiguilles » et stimuli. — Le problème des derniers livres. — La digression, clef de voûte des *Mémoires.*

Le relevé des différentes sortes de procédés digressifs en supposait un premier classement et par conséquent une certaine analyse, sur le plan du moins de chacun d'entre eux. Mais leur contenu surtout se trouvait impliqué. Un classement davantage formel et portant sur la digression comme phénomène, indépendamment des caractéristiques individuelles, s'impose maintenant si l'on souhaite comprendre vraiment le rôle que joue celle-ci dans les *Mémoires,* donc chez Commynes écrivain. Savoir qu'elle existe ne suffit pas en effet ; la nommer sous ses diverses applications, non plus. Il faut tenter de la rejoindre dans le geste verbal [1] qu'elle constitue et qui fait des *Mémoires* cet acheminement de l'œuvre vers elle-même, acheminement, nous le verrons, révélateur de leur auteur en tant que moraliste en devenir.

Ce geste verbal, réduit au minimum, peut n'être qu'un clin d'œil complice au lecteur : nous avons alors la digression au degré zéro. Comment classer autrement les jugements par *asyndète ? Ironie ? Mots-jugements ?* Et les *euphémismes ?* Les *litotes ?* Ils ne provoquent aucun arrêt explicite du récit. Tout au plus créent-ils une profondeur inattendue dans l'aire de signification du mot, de la phrase, et, pour l'*asyndète,* une absence significative des liens logiques normalement nécessaires. Profondeur et absence dues à un recul soudain du narrateur par rapport à la trame événementielle et que nous pourrions traduire schématiquement ainsi : soit le récit →, l'interruption par la digression au degré zéro se trouvant indiquée par un trait vertical — | — et l'ensemble du phénomène devenant —— | → . Si la digression est obtenue par un *mot-jugement,* le schéma serait ——— ↑ → ; ——— ↓ → au contraire, pour la digression par *asyndète.* Quelques exemples : la bataille de Montlhéry vient d'avoir lieu dans le désordre que l'on sait. Sûr d'être le vainqueur, le comte de Charolais se réjouit ostensiblement. Voyons comment Commynes rapporte la chose :

---

1. Nous appuyons cette expression sur un passage de *la Psychologie des styles* d'Henri Morier (Genève, Georg éd., 1959, p. 7-8) dont nous ne citons ici que quelques extraits : « Le style est pour nous une disposition de l'existence, une manière d'être. [...] La façon d'agir correspond à la façon de sentir et de penser. Nul ne peut allumer une cigarette, manier une plume ou lancer une balle, que l'attitude, la cadence, le volume, la ligne et l'économie du geste ne trahissent un caractère : l'action tire sa forme d'une forme d'esprit. [...] Le style est le visage de l'âme. Toute personnalité suppose une fidélité à soi-même. Sans continuité dans la manière d'être, sans unité, nul style. On ne pourrait en parler s'il n'existait pas un retour de formules, une répétition de phénomènes liés à la personne. Or ce sont eux qu'il s'agit de déterminer en vue d'isoler et de caractériser un style. »

> Tout ce jour demoura encores mons[r] de Charroloys sur le champ, fort joyeux, *estimant* la gloire sienne... (t. I, liv. I, chap. IV, p. 37 [2]).

Un mot d'allure innocente et la position est prise face à l'événement, jugé également l'auteur de l'attitude en question. Et le récit s'en trouve automatiquement entamé. Il l'est aussi dans la *litote* que constitue ce commentaire sur « le roy Henry de Lenclastre » :

> ... lequel n'estoit guères saige (t. II, liv. VI, chap. XII, p. 333).

Il l'est de manière encore plus subtile dans l'*asyndète* suivante : toujours à Montlhéry, le grand sénéchal de Normandie, Pierre de Brézé, s'était vanté de faire en sorte que la bataille ait lieu, malgré le désir clairement manifesté par le roi de l'éviter. Le jugement de Commynes est admirable de brièveté :

> Et ainsi le feist. Et le premier homme qui mourut, ce fut luy et ses gens (t. I, liv. I, chap. III, p. 21-22).

Digression implicite, la digression au degré zéro, sous toutes ses formes, est une bien précieuse clef à la connaissance des *Mémoires*. D'une part elle révèle leur non-naïveté. Elle permet d'autre part de mesurer l'acuité de l'intelligence de l'ancien conseiller devenu écrivain ; son astuce aussi : plusieurs jugements courts et discrets ne font-ils pas plus d'effet qu'un seul, important, clair et précis, mais facile à contredire ou aisément rejeté en bloc ? Et quelle meilleure façon d'enfoncer une leçon que d'en préparer ainsi, peu à peu, la venue ?

La digression commynienne sait cependant se faire fréquemment explicite, qu'elle soit simple ou complexe. *Hyperbate, insertion, tour proverbial, intervention directe* ou *digression proprement dite,* elle est simple chaque fois qu'elle rompt le fil narratif sans entraîner avec elle une ou d'autres digressions. Chaque fois en somme qu'elle correspond au schéma suivant : toujours le récit $\longrightarrow$ et son interruption par un élément digressif unique $\bigcirc$, donc $\underline{}$ $\bigcirc$ $\rightarrow$. C'est le cas, par exemple, de cette réflexion :

2.   C'est nous qui soulignons.

Cependant sourdit grant differand entre ledit Ludovic et seigneur Robert de Sainct-Severin, *comme est bien de coustume : car deux gros ne se peuvent endurer ;* et demoura le pré audit seigneur Ludovic... (t. III, liv. VII, chap. II, p. 14 [3]).

ou de cette autre, une *intervention directe :*

Davantaige, donna le roy audict Souplenville six mille escuz : *j'entendz cest argent contant, tant de luy que de son maistre, payé en quatre années ;* et ledict Souplenville eut douze cens francz de pension... (t. I, liv. III, chap. XI, p. 242).

La digression simple, comme nous avons été amenée à le constater en analysant chacune des diverses formes digressives relevées, se situe à trois niveaux différents. Si elle est neutre, explicative, historique ou autobiographique, elle appartient au niveau A. Ainsi les intrusions du type,

Et envyron vingt jours après partirent *comme dit est.* Et promisdrent que... (t. III, liv. VIII, chap. XV, p. 217).

ou :

Ledict duc [...] fist brusler toutes les maisons et rompre tous les moullins à fer lesquelz estoient au pays, *qui est la plus grant façon de vivre qu'ilz ayent,* et cerchèrent le peuple parmy les grans forestz où ilz s'estoient cachéz... (t. I, liv. II, chap. XIV, p. 167-168).

ou bien encore :

... puis se retira en ses places et manda au roy *(car je ouys son homme par le commandement du roy)* qu'il s'estoit levé... (t. II, liv. IV, chap. IV, p. 24).

Elles demeurent toutes sur le plan du récit qu'elles modifient à peine et leur représentation schématique pourrait être celle-ci :
——— Ⓐ → .

Mais bien que Commynes se plaise à préciser le nom ou l'état civil d'un personnage — sans doute était-ce d'ailleurs

---

3.   C'est nous qui soulignons ainsi que dans les prochains exemples.

dans les coutumes du temps — la situation d'une ville, les
habitudes de ses habitants, etc., plus souvent qu'autrement,
c'est une réflexion qu'il fait sur les gens et sur les événements.
La digression se situe alors au niveau B, que la réflexion
se limite à l'immédiat, comme dans ce passage — une *apostrophe* —,

> Beaucoup d'autres se misdrent aux embusches près du
> lieu pour veoir si ledict duc seroit desconfit, pour happer
> quelque prisonnier ou autre butin. *Et ainsi povez veoir
> en quel estat s'estoit mis ce pouvre duc, par faulte de
> croire conseil.*
>
> Assemblées que furent lesdictes armées... (t. II, liv. V,
> chap. VIII, p. 152).

ou qu'elle ait une portée plus large. Dans ce dernier cas, elle
s'éloigne davantage et d'autant du récit. Le schéma ⎯ Ⓑⁱ ⟶
rend adéquatement compte, nous semble-t-il, de l'extrait suivant :

> Les ungs disoient que tout estoit mort, autres le contraire.
> *De telz matières ne vient point voulentiers ung messaige
> seul,* mais en vindrent aucuns qui avoient ainsi veü...
> (t. I, liv. II, chap. VII, p. 133).

Une certaine généralisation en effet le rapproche de la véritable
leçon, soit du niveau C de digression.

La digression de niveau C, pour sa part, ne peut plus du
tout prétendre appartenir à l'histoire. À peine s'en nourrit-elle.
Les faits ne font que lui servir de tremplin. Une fois lancée,
elle existe en dehors d'eux et autrement qu'eux. Voyons ce
passage :

> Je croy bien que les gens d'armes de soulde sont bien
> employéz sous l'auctorité d'un saige roy ou prince ; mais
> quant il est autre et qu'il laisse enfans petiz, l'usaige à
> quoy les emploient leurs gouverneurs n'est pas toujours
> prouffitable ny pour le roy ny pour ses subjectz (t. I,
> liv. III, chap. III, p. 189).

Il s'inscrit — mais c'est pour en sortir aussitôt — dans l'inquiétude des Bourguignons devant la demande ducale du « payement de huyct cens lances » *(ibid.,* p. 188) et dont Commynes vient tout juste de parler. Comme il déborde l'événement ! Si une légère critique du Téméraire est décelable dans le « quant il est autre », il y est question en revanche « d'un saige roy » qui peut même n'être qu'*un* « prince », qui peut mourir en laissant *des* enfants mineurs pour qui décideront *des* « gouverneurs ». Aussi est-ce de bien loin que revient le mémorialiste lorsqu'il enchaîne :

> La hayne ne diminuoit point entre le roy et le duc de Bourgongne... *(ibid.,* p. 189).

Les *Mémoires* vivent donc d'un rythme ternaire très net et que révèle déjà la digression simple. Or rythme de l'œuvre, rythme de son auteur, cela va de soi. Le niveau A, c'est, pour reprendre l'expression de Montaigne, « la matière de l'Histoire nue et informe » ; c'est le niveau du récit, celui du narrateur historique. L'historien donne sa mesure dans les digressions de niveau B : les faits y sont examinés et les personnages étudiés dans leurs actes et leurs projets. Quant au niveau C, il est franchement para-historique. N'atteint-il pas en effet le pôle moraliste dont il a été question dans l'introduction de la présente étude ? Pôle vers lequel tendent déjà les digressions de niveau B⁺. Et ne nous donne-t-il pas à connaître l'intérêt que porte Commynes à l' « *homo politicus* » d'abord et à l'homme enfin qu'il rejoint souvent par ce biais ?

*   *   *

Parallèlement au niveau C, se trouvent les digressions qui sont refus de juger, celles aussi qui marquent une prise de conscience devant le phénomène écriture [4] ou qui constituent des procédés de discussion. Toutes en effet se situent en

---

4.   À quelques exceptions près, ces digressions ont une portée didactique ; celles, par contre, qui sont autobiographiques avec référence aux sources de renseignements — des *interventions directes* — se rattachent au souci de Commynes de faire vrai, donc à l'histoire.

marge de l'histoire. Mais, fait intéressant à noter parce que révélateur d'une autre dimension de l'œuvre commynienne, la digression est alors rarement simple. Dès qu'elle dépasse le niveau A d'ailleurs, elle devient volontiers complexe. Comme si Commynes, une fois pris dans l'engrenage de ses réflexions et de ses jugements, de son propre examen des faits, ne pouvait plus — ou ne voulait plus — revenir au récit, du moins sans aller au bout de la leçon. Comme si une première digression — *apostrophe, intervention directe* ou *commentaire réflexif* — était porteuse d'un potentiel digressif incontrôlable dont elle déclenche le mécanisme par sa seule présence. Cette *apostrophe,* par exemple, de niveau B $^+$ et qui interrompt le récit des menées des princes (nous sommes en 1472) :

> Or voyez ung peu comme les affaires ou brouilliz de ce royaulme sont grandz...

Elle n'est pas terminée qu'une *insertion* vient la rompre :
> (ainsi qu'ilz se peuent bien appeller par aucun temps)...

Cette précision-leçon apportée, Commynes reprend :

> quant il est en discord et comme ilz sont pesans et mal aiséz à conduyre et loing de fin quant ilz sont commencéz ...

Puis c'est la véritable leçon, donc le passage franc au niveau C :

> car, encores qu'ilz ne soyent au commencement que deux ou trois princes ou moindres personnaiges, avant que ceste feste ait duré deux ans tous les voysins y sont conviéz. Toutesfois, quant les choses commencent, chascun pense en veoir la fin en peu de temps ; mais ilz sont bien à craindre...

et enfin l'enchaînement au récit, mais un enchaînement didactique :

> pour les raisons que vous verrez en continuant ce propoz (t. I, liv. III, chap. VIII, p. 223).

La digression complexe, faite de plusieurs digressions et que rendrait bien le schéma suivant ⸺ ◯ → , prend diverses formes : elle est juxtaposée dans cet extrait :

... toutesfois il n'estoit pas vray, mais i avoit largement biens, et depuis l'ay veü duc d'Albourg et tenir grant terre en Castille (t. I, liv. II, chap. VIII, p. 137).

Un jugement — de niveau B — est suivi d'une précision historique *intervention directe,* sans lien avec lui et de niveau A. La digression complexe ainsi créée a donc la forme ——— ⓑⒶ → .

Elle peut encore s'emboîter à la façon de certaines poupées russes. Ainsi cette *insertion* « ... (et en y a assez) ... » contenue dans une digression de niveau B (B^+, plus exactement) et qui n'est qu'une nuance à celle-ci. Inscrivons-la dans le récit d'abord :

> ... deux ou trois furent de cet advis, estimant la grandeur et le sens dudict Contay ;

dans la digression ensuite :

> car en tel conseil se treuve beaucoup (et y en a assez) qui ne parlent que après les autres, sans guères entendre aux matières, et desirent à complaire à quelcun qui aura parlé, qui sera homme estant en auctorité.

Puis dans le récit qui se poursuit :

> Après, en fut demandé... (t. I, liv. II, chap. II, p. 104).

Le schéma de ce type de digression emboîtée serait alors ——— (ⓑ⁺→) → .

Plus souvent qu'autrement, la *digression complexe* est *enchaînée :* elle forme alors une suite de digressions de types et de niveaux différents. La chaîne ainsi établie mène presque toujours à une espèce d'escalade, comme dans cet exemple :

> ... et me trouvay tousjours ce jour avecques luy, ayant moins de craincte que je n'euz jamais en lieu où je me trouvasse depuis, pour la jeunesse en quoy j'estoye et que n'avoye nulle congnoissance du peril ; mais estoye esbahi comme nul se osoit deffendre contre ce prince à qui j'estoye, en estimant que ce fust le plus grant de tous les autres. Ainsi sont gens qui n'ont point d'experience,

dont vient qu'ilz soustiennent assez d'arguz mal fondéz
et à peu de raison, par quoy faict bon user de l'oppinion
de celuy qui dit que l'on ne se repent jamais pour parler
peu, mais bien souvent de trop parler (t. I, liv. I, chap. III,
p. 28).

C'est d'abord une *intervention directe* de niveau A , plus
précisément une intervention autobiographique et qui se trans-
forme en *intervention directe* de niveau B au moment où il
est question du prince « le plus grant de tous les autres ».
« Ainsi » introduit une véritable leçon ; il déplace donc la
digression vers le niveau C , celui également du *tour proverbial* qui la termine. Et le récit de reprendre :

A la main senestre estoit le seigneur de Ravastin et
messire Jacques de Sainct Pol...

Quant au schéma, il pourrait être quelque chose comme ceci :

Les trois types de digression complexe que nous venons
d'isoler se présentent évidemment dans les *Mémoires* avec
toutes sortes de variantes qu'il n'est pas utile — ni d'ailleurs
possible — d'examiner ici. Il est important par contre de tenter
d'en dégager les significations. Deux gestes différents président
en effet, d'une part à la digression emboîtée, d'autre part, aux
digressions juxtaposée et enchaînée. Alors que celle-là maintient la leçon sur place, la rétrécissant même pour mieux la
préciser, la nuancer, celles-ci au contraire, la prolongent dans
l'espace. L'une travaille en profondeur, les autres vont de
l'avant. Au rythme ternaire déjà révélé par la *digression simple,*
s'ajoute donc la double démarche de la *digression complexe*
et pour nous c'est un pas de plus vers la découverte de l'œuvre,
un pas de plus vers la connaissance de son auteur.

La digression complexe n'est pas formée uniquement de
digressions simples, *apostrophe, intervention directe, tour proverbial, digressions proprement dites* ou *hyperbate.* Elle comporte aussi à l'occasion des récits exemplaires. Ceux-ci, toujours de niveau C , à cause de l'intention qui motive leur
existence, sont de deux sortes : exemples choisis pour illustrer

une leçon — nous les désignerons par le sigle « e » — ou bien tranches d'histoire utilisées de façon didactique — ce sera alors le sigle « h ». Quant à son contenu, la digression complexe se trouve ainsi susceptible de trois principaux groupes d'associations : les *associations réflexion-leçon* [5] ou ⬭BC⬭ , les *associations leçon-exemple* [6] ou ⬭Ce⬭ et les *associations leçon-histoire* ou⬭Ch⬭.

Il y a plusieurs sortes d'associations ⬭BC⬭. Elles sont vraiment ⬭BC⬭ quand la leçon naît d'une réflexion sur les faits historiques comme dans la digression suivante constituée d'un jugement sur Louis XI et d'un tour proverbial :

> Si Dieu luy eust donné la grace de vivre encores cinq ou six ans, sans estre trop pressé de maladie, il eust faict beaucoup de bien à sondict royaume. [...] Et pour ce faict bon bien faire tandis que on a le loysir et Dieu donne santé (t. II, liv. VI, chap. v, p. 278).

⬭CB⬭ au contraire, lorsque le phénomène inverse se produit ; la leçon d'abord :

> ... qui est le vray signe de la destruction d'un pays, quant ceulx qui se doyvent tenir ensemble se separent et se habandonnent. Je le dy aussi bien pour les princes et seigneurs allyéz ensemble, comme pour villes et communautéz ...

le jugement ensuite,

5. Nous ne croyons pas nécessaire de tenir compte des associations avec le niveau A : elles sont moins fréquentes et c'est logique. Pour que la leçon naisse, il faut que l'événement s'y prête, qu'il en soit en somme prégnant. Il l'est rarement lorsqu'il déclenche une digression de niveau A ; n'est-il pas normal alors que celle-ci se suffise à elle-même et que, conséquemment, elle soit rarement en association ?

6. Dans quelques cas, les exemples ne sont même pas donnés. Commynes se contente de signaler que tout le monde en connaît : « ... mais pour ce qu'il me semble que chascun peut avoir veü et leü de ces exemples, je m'en tais » (t. I, liv. II, chap. i, p. 96). Il s'agit alors d'une *association Ce virtuelle.*

Or est à noter que le roy Loys, nostre dit maistre, a myeulx sceü entendre cet art de separer les gens que nul autre prince que jamais je cogneü et n'espargna l'argent ne ses biens ne sa peine, et non point seulement envers les maistres, mais aussi bien envers les serviteurs (t. I, liv. II, chap. ɪ, p. 96).

Si deux leçons encadrent un jugement, nous avons affaire à la digression (CBC) . Ainsi dans cet exemple où un tour proverbial,

Ung mal ne ung peril ne vient jamais seul.
précède des réflexions sur les malheurs d'Édouard IV d'Angleterre, réflexions suivies de ce commentaire de sagesse royale,

Bien devroit rougir ung prince...
et notons au passage l'*insertion,* « (s'il avoit aage) »,
de trouver telle excuse, car elle n'a point de lieu (t. I, liv. III, chap. v, p. 204).

Dans la digression (BCB) , ce sont les jugements qui entourent la leçon. Il est une sorte de digression (BCB) bien particulière — appelons-la tactique — qui commence par un jugement sur Charles le Téméraire, se poursuit en leçon pour se terminer en éloge de Louis XI. Voyons-en une de près. Nous sommes aux environs de Liège, en octobre 1468. Vu la faiblesse de la ville, on conseille au duc de Bourgogne de renvoyer une partie de son armée ; il refuse,

... dont bien luy print, car jamais homme ne fut si près de perdre le tout. Et la suspicion qu'il avoit du roy luy fist choisir ce saige party, et estoit très mal advisé à ceulx qui en parloyent de penser estre trop fort. C'estoit une très grande espèce d'orgueil ou de follie. Et mainstesfois ay ouy telles oppinions. Et le font quelques fois les capitaines pour estre estiméz de hardiesse ou pour n'avoir asséz congnoissance de ce qu'ilz ont à faire ; mais quant les princes sont saiges, ilz ne s'y arrêtent point.

Or, comme chacun sait, Louis XI est toujours sage, lui, et non pas seulement à l'occasion. Sa « saigesse » n'est-elle pas en outre « saigesse » naturelle ?

Cest article entendoit bien le roy nostre maistre, à qui
Dieu face pardon ; car il estoit tardif et craintif à entreprendre, mais à ce qu'il entreprenoit il y pourvoyoit
si bien... (t. I, liv. II, chap. x, p. 146).

La digression ⟨BC⟩ se complique encore davantage quelquefois ; elle se fait ⟨BCBC⟩ par exemple, ou même ⟨BCBCBC⟩.
Mais peu importe. Ce qui compte surtout, c'est le fait significatif qu'elle ne plafonne jamais longtemps au niveau C .
Soit que Commynes revienne directement au récit avec comme « passeur » une formule du genre de « En retournant à
ma matière... » (t. I, liv. I, chap. III, p. 24), soit qu'il reprene
pied dans un domaine qui lui est familier, celui de l'observation
concrète, et c'est alors un jugement sur un personnage ou sur
un événement précis, comme dans cet extrait où il est question
de l'incurie du roi Édouard :

> Mais il n'avoit nulle crainte, *qui me semble une très
> grande espesse de follie, de ne craindre son ennemy ne
> vouloir croire riens,* veü l'appareil qu'il veoyt (t. I, liv. III,
> chap. v, p. 197 [7]).

La sagesse commynienne n'est-elle pas avant tout celle de
l'expérience ? Et ne doit-elle pas sans cesse se vivifier aux
sources du réel ?

Ce besoin qu'a Commynes de toujours revenir au réel
ne peut en effet s'expliquer uniquement par le désir de plaire
à Angelo Cato. Ou alors comment interpréter les diverses
associations ⟨Ce⟩ et ⟨Ch⟩ ? Elles ne répondent certainement

---

7. C'est nous qui soulignons ainsi que dans cet autre exemple : « Ledit
ambassadeur porta le lendemain lettres à la Seigneurie de par ses
seigneurs, contenant comme il avoit esté chassé pour ce qu'il se
vouloit faire seigneur de la ville par le moyen de la maison d'Arragon et des Orsins, et assés aultres charges » — et ici commence
vraiment la digression — « qui n'estoient point vrayes. *Mais telles
sont les adventures du monde que celluy qui fuyt et pert ne trouve
point seullement qui le chasse, mais ses amys tournent ses ennemys,*
comme fist cest ambassadeur nommé Paul Anthoyne Soderin, qui
estoit des saiges hommes qui fust en Italie » (t. III, liv. VII, chap. x,
p. 64).

pas au seul souci historique, pas plus d'ailleurs, soit dit en passant, qu'elles ne sont une simple utilisation du procédé courant à l'époque de l'*exemplum*. En quoi la connaissance de la célèbre rencontre de Péronne entre Louis XI et le Téméraire est-elle éclairée — sur le strict plan de l'histoire, s'entend — par les exemples de cas similaires que rapporte le mémorialiste (t. I, liv. II, chap. VIII, p. 135-140) ? Et leur dénominateur commun non ambigu (elles sont toutes des entrevues malheureuses), ne mène-t-il pas tout droit à la leçon : il est plus sage de les éviter ?

Que vient faire également dans le récit des préparatifs d'une autre rencontre royale, celle à Picquigny de Louis XI avec Édouard d'Angleterre cette fois, le rappel détaillé de l'assassinat de Jean sans peur à Montereau-Fault-Yonne (t. II, liv. IV, chap. IX, p. 60-62) ? Franchement encadré par deux leçons, son rôle est indiscutablement didactique :

> Je veulx dire l'occasion qui meüt le roy que cest entre-deux fut faict de telle façon que l'on ne peüst aller d'un costé à l'autre. *Et pourroit par aventure servir, le temps advenir, à quelcun qui auroit à faire semblable* cas. [...]
>
> *Cecy n'est pas de ma matière, par quoy je n'en diz plus avant (ibid.,* p. 60 et 62 [8]).

Le fait historique n'est-il pas donné dans le but précis et avoué, exclusif aussi, que l'expérience déjà faite serve ? Et le récit, ainsi automatiquement devenu « discours » ?

Ne le devient-il pas d'ailleurs chaque fois que l'histoire est utilisée pour la leçon ? En donnant à un fait plus d'importance qu'il n'en a réellement sur le plan historique, comme par exemple dans la longue narration de la reddition de Liège en novembre 1467 (t. I, liv. II, chap. III, p. 112-114). En racontant encore des événements qui n'ont à peu près rien

---

8.   C'est nous qui soulignons ainsi que dans les prochains exemples. *N. B.* La deuxième « leçon » est en fait une prise de conscience du phénomène écriture.

à voir avec l'histoire en cours, ceux entre autres qui concernent
le duc Arnold de Gueldres (t. II, liv. IV, chap. i, p. 1 et suiv.).
Ou même, mais alors de façon plus subtile, en mettant en
évidence le fait historique, soit par une espèce d'avant-leçon
comme celle-ci :

> Or fault maintenant veoir comment changea le monde
> après ceste bataille et comme leurs parolles furent muées
> et comme nostre roy conduysit tout saigement. *Et sera*
> *bel exemple pour ces seigneurs jeunes qui follement*
> *entreprennent, sans congnoistre ce qu'il leur en peult*
> *advenir ne aussi ne l'ont point veü par experience, et*
> *mesprisent le conseil de ceulx qu'ilz deüssent appeler*
> (t. II, liv. V, chap. ii, p. 108).

ou cette autre :

> *Pour ce qu'il est besoing d'estre informé aussi bien des*
> *tromperies et mauvaistiéz de ce monde comme du bien,*
> *non pour en user, mais pour s'en garder, et veulx de-*
> *clairer une tromperie* [...] *et aussi vueil que on entende*
> *les tromperies de nos voisins, comme les nostres, et que*
> *partout il y a du bien et du mal* (t. I, liv. III, chap. iv,
> p. 185-186).

soit par une sorte de mise au point après le fait :

> ... *par là povez veoir* quelz sont les broulliz en ce royaul-
> me à toutes mutacions (t. I, liv. I, chap. v, p. 41).

Ainsi conditionné, le lecteur pourra-t-il n'en rester qu'à
la lettre de ce que Commynes va lui raconter des suites de la
bataille de Granson d'une part, de la duplicité de Wenlock,
d'autre part ? Et ne sera-t-il pas porté à réfléchir rétrospec-
tivement sur la guerre dite du Bien public ? Ne se sentira-t-il
pas enfin directement impliqué chaque fois — et cela arrive —
que la leçon s'appuie et sur des exemples et sur une tranche
d'histoire ? Ainsi dans ce passage particulièrement intéressant :
Commynes vient de signaler combien rares sont les princes
qui s'y connaissent en hommes : c'est la leçon. Elle est immédiatement suivie de quelques exemples. Puis le récit reprend,

mais précédé d'une autre leçon qui se trouve lui donner une dimension didactique :

> Pour ce que icy dessus j'ay beaucoup parlé des dangiers qui sont en ces traictéz, et que princes y doivent estre bien saiges et bien congnoistre quelz gens les meinent [...] *maintenant s'entendra qui m'a meu de tenir si long compte de ceste matière* (t. I, liv. I, chap. xii et xiii, p. 18 et suiv.).

Et puisque motivés par la leçon — dans leur mode d'existence sinon toujours dans leur existence en soi — les récits en question, qu'ils soient exemples ou tranches d'histoire [9] ne connaissent-ils pas une autre pulsion que l'historique ? Ne rejoignent-ils pas aussi sûrement que les digressions de niveau C (et de niveau B$^+$), la dimension moraliste des *Mémoires* ?

*   *   *

Avec la digression complexe, nous amorcions déjà l'étude de la digression en situation. Il ne s'agissait alors que de la digression en relation avec elle-même et si elle impliquait certains récits, c'est que ceux-ci étaient (les exemples) ou étaient devenus (les tranches d'histoire), éléments digressifs. Or bien d'autres questions se posent qui mettent plus directement en cause la digression en tant que partie de la structure digression/récit, sur le plan horizontal comme sur le plan vertical des *Mémoires*. De quelle manière, par exemple, interrompt-elle la narration ? Comment et quand cède-t-elle de nouveau la place à cette dernière ? Quels sont ses agents pro-

---

9. Nous n'avons tenu compte ici encore que des cas évidents. Notons cependant que la moindre réflexion-leçon se trouve toujours modifier d'une manière quelconque la tranche d'histoire sur laquelle elle porte. Ainsi la narration de l'incident mettant en cause le bâtard de Rubempré et par laquelle commencent les *Mémoires*. Le fait que Commynes tire à l'avance par rapport à l'événement les conséquences des paroles impulsives prononcées par le comte de Charolais, ne comporte-t-il pas une leçon ? Mais comment la mesurer en chiffres ?

vocateurs ? Sa fréquence relative peut-elle se mesurer ? Est-
elle significative ? Toutes questions dont l'examen est indispensable à la connaissance de la digression comme clef de
l'œuvre commynienne.

Les « aiguilles » d'abord. Nous n'avons pas à revenir sur
les parenthèses et les tirets, écartés parce qu'artificiels. Il n'est
pas utile non plus de nous arrêter aux signes extérieurs des
digressions-discours directs : nous leur avons déjà fait un sort.
Pas davantage à la ponctuation qui dépend également — la
chose a aussi été signalée — des éditeurs. Par « aiguilles »,
nous entendrons donc le mot ou le groupe de mots qui effectue
le passage du récit à la digression.

Lorsque la digression est au degré zéro, il n'y a pas vraiment aiguillage. La digression se trouve intercalée au déroulement sans intermédiaire et selon le schéma suivant :
—— ◯ —➔ ; ainsi le mot « cuydant » qui, dans ce passage,
juge l'ignorance des Suisses se partageant sottement le riche
butin du Téméraire, après la bataille de Granson :

> Il y en eut qui vendirent grand quantité de platz et
> escuelles d'argent pour deux grans blancs la pièce, *cuydant*
> que ce fut estaing (t. II, liv. V, chap. ii, p. 115 [10]).

Elle l'est également chaque fois qu'il y a *ironie, asyndète,
euphémisme,* dans les *hyperbates,* la plupart des *insertions* et
bien des *digressions proprement dites* lorsque celles-ci sont
des digressions simples :

> ... et tant osé-je bien dire de luy, à son loz, qu'il ne me
> semble pas que jamais j'avoye congneu nul prince où il
> y eust moins de vices que en luy, *à regarder le tout*
> (*Prologue,* t. I, p. 2).

> ... car ilz avoient de coustume, *et ont encores,* d'aller tout
> le peuple ensemble au palais de l'evesque... (t. I, liv. II,
> chap. iii, p. 112).

----

10. C'est nous qui soulignons ainsi que dans les prochains exemples.

Comme ilz se trouvèrent leans furent très eshabyz [11] ; toutesfois ledict conte tenoit la meilleure contenance qu'il povoit. *Il est à croire que nul de ces deux seigneurs ne sont acreüz de joy depuis ce temps-là, veü que à l'un ne l'autre ne print mal* (t. I, liv. I, chap. XIII, p. 83).

Mais la digression est fréquemment annoncée aussi ; elle répond alors au schéma ⎯⎯⎯⟋○ ⟶ . Dans la digression simple, si l'aiguille existe, c'est pour jouer un rôle logique, sinon toujours conscient. Elle sera explicative,

Car en toutes les autres villes de Flandres le prince renouvelle tous ceulx de la loy chascun an et fait ouyr leurs comptes (t. I, liv. II, chap. IV, p. 120-121).

restrictive,

Toutesfois, je croy qu'il ne s'en trouva jamais riens, mais estoyent les suspessons grandz, et le vey delivrer d'une prison où il avoit esté cinq ans (t. I, liv. I, chap. I, p. 7).

ou encore oppositive,

Mais quelque chose que sachent deliberer les hommes en telles matières, Dieu y conclud à son plaisir (t. I, liv. III, chap. II, p. 182).

Une sorte d'automatisme semble la régir, automatisme peut-être assumé en partie lorsqu'elle devient une formule comme « à la verité », « pour ne mentir point », etc. :

... *mais, à la verité,* je ne sçay si c'estoit de joye ou de tristesse... (t. I, liv. V, chap. X, p. 161).

Pour ne mentir point, il sembloit bien qu'ilz fussent neufs à ce mestier de tenir les champs (t. II, liv. IV, chap. IX, p. 55).

L'aiguille est consciente le plus souvent au contraire dans la digression complexe. Voyons celle-ci :

Or, nottez comme ung bien grant prince et puissant peult très soudainement tumber en inconvenient, et par bien

---

11. Il faut évidemment lire « esbahyz ».

peu d'ennemys ; pour quoy toutes entreprinses... (t. I,
liv. II, chap. xii, p. 154).

Elle l'est encore, après le fait du moins, quand la digression
est terminée par un tour du type « en retournant à ma ma-
tière... » (t. I, liv. I, chap. iii, p. 24) (schéma ——— $\bigcirc_{\nearrow}\rightarrow$).
Et, à plus forte raison, si la digression est à la fois annoncée
et terminée de façon explicite, dans cet extrait, par exemple,
dont le schéma pourrait être ———$^{\nearrow}\bigcirc_{\nearrow}\rightarrow$: c'est d'abord
l'aiguille qui annonce ce qui va suivre,

> Il me semble bon à dire que...

puis la digression, digression complexe, soit dit en passant :

> ... après que ledict seigneur de Contay eut donné ceste
> cruelle sentence contre ces pouvres ostaigiers comme
> avez ouy, dont une partie d'eulx s'estoient mys par vraye
> bonté, eulx estans en ce conseil, me dist en l'oreille ung
> de la compaignie : « Véez-vous bien cest homme ? Com-
> bien qu'il soit bien vieil, si est-il de sa personne bien
> sain ; mais je ozeroye mectre grant chose qu'il ne sera
> point vif d'icy à ung an. Et le diz pour ceste terrible
> oppinion qu'il a dicte ». Et ainsi en advint, car il ne
> vesquit guères ; mais avant servit bien son maistre pour
> ung jour en une bataille dont je parleray cy-après.

l'avis de retour au récit, enfin :

> Retournant à nostre propoz... (t. I, liv. II, chap. ii,
> p. 104-105).

À plus forte raison si elle constitue une espèce de palier qui
marque un moment de la digression. Ainsi, dans la longue
réflexion sur les entrevues princières, ce commentaire :

> Pour continuer ce propoz que la veüe des princes n'est
> point necessaire... (t. I, liv. II, chap. viii, p. 136).

et cet autre, cinq pages plus loin :

> Et, pour conclusion, me semble que... *(ibid.,* p. 141).

Ni l'un ni l'autre n'empêchant le retour explicite au récit :

> J'ay beaucoup mis avant retourner à mon propoz de l'arrest en quoy estimoit le roy estre à Peronne, dont j'ay parlé par cy-devant, et en suys sailly pour dire mon advis aux princes de telz assemblées (t. I, liv. II, chap. IX, p. 142).

Notons qu'automatisme et conscience sont souvent combinés, celle-ci n'étant alors que la reconnaissance lucide de celui-là. Comment en effet interpréter autrement cette aiguille-palier?

> Je me suys mys en ce propoz pour ce que j'ay veu beaucoup de tromperies en ce monde, et à beaucoup de serviteurs envers leurs maistres, et plus souvent tromper les princes et seigneurs orgueilleux, qui peu veullent ouyr parler les gens, que les humbles et qui vulentiers escoutent (t. I, liv. I, chap. X, p. 67).

Que l'aiguille se fasse annonce de la digression, palier ou déclaration de retour au récit par l'*apostrophe,* l'*intervention directe,* la *digression proprement dite* importe peu. Ce qui compte, c'est la signification de son absence ou de son mode de présence. Deux constatations en effet peuvent être faites : d'une part, la grande étendue du registre digressif dans les *Mémoires* — donc chez Commynes — de la plus fine, la plus discrète, à la plus ouvertement avouée, d'autre part la coexistence de la digression volontaire et de la digression involontaire. Constatations qui ne peuvent manquer d'être révélatrices de l'œuvre et de son auteur.

Volontaire ou non, qu'est-ce qui, dans le récit, provoque la digression? C'est là le problème des stimuli. Arriver à les nommer équivaudrait sans doute à rejoindre la vision du monde de Commynes. Peut-on y prétendre cependant? Et ne faut-il pas d'abord bien distinguer ceux-ci des thèmes? Si certains thèmes inducteurs sont évidents et déclenchent une digression à chacune de leurs apparitions — la question des impôts, par exemple, celle des entrevues princières, de la loi salique, les maladresses du Téméraire, etc. — ils ne sont pas forcément les plus utiles à la connaissance des *Mémoires*. Sont-ils même toujours ce qu'ils semblent, les vrais (ou les seuls) moteurs de la digression?

Comment découvrir ces derniers, d'autant plus importants peut-être qu'ils sont plus difficiles à cerner ? Nos données sont bien minces : il y a le fait, vérifiable souvent, mais neutre en soi ; la digression, subjective par définition — ne relève-t-elle pas du discours ? — concrète toutefois et analysable. Entre les deux, l'inconnu, le stimulus, cet élément dans l'un qui donne naissance à l'autre et qui, ce faisant, se trouve fréquemment modifier la dynamique de l'événement inducteur.

Parce que, théoriquement du moins, la digression est liée, donc limitée, à cette dynamique. À fait banal, correspond logiquement digression banale. C'est d'ailleurs souvent le cas dans les *Mémoires*. Ainsi lorsque, sans arrière-pensée critique chez Commynes, le nom d'un personnage entraîne la liste de ses qualités ou des titres qu'il porte depuis l'événement,

> ... Symon de Quingé, *qui depuis a esté bailly de Troyes*...
> (t. I, liv. III, chap. iii, p. 186 [12]).

celui d'une ville, des précisions sur sa situation,

> ... Novarre, *qui est à dix lieues de Millan ;* et y fut receü...
> (t. III, liv. VIII, chap. iv, p. 150).

ou bien encore sur le type d'industrie qui s'y pratique :

> ... Liège *(ville très forte de sa grandeur et très riche à cause d'une marchandise qu'ilz faisoient de ces ouvrages de cuyvre appelle dynanderie, qui sont, en effect, potz et pesle et choses semblables)*... (t. I, liv. II, chap. i, p. 94).

Le rappel d'un événement, ses suites :

> Et ledict conte [...] eut plusieurs coups, et entre les autres ung à la gorge d'une espée, *dont l'enseigne luy est demourée* toute sa vie... (t. I, liv. I, chap. iv, p. 30 [13]).

---

12. C'est nous qui soulignons ainsi que dans les prochains exemples.
13. Faut-il, comme le veut Jean Dufournet (*la Destruction des mythes...*, p. 104) voir une critique du Téméraire dans la dernière partie de la phrase : « ... par deffault de sa bavyere qui luy estoit cheutte et avoit esté mal attachée dès le matin, et luy avoye veu cheoir... » ? Il est certain que le fait, anodin en soi, révèle habilement l'imprudence du futur duc et se trouve ainsi ajouter un trait à son portrait.

Toutes digressions qui relèvent de la même espèce de stimulus : le besoin éprouvé par Commynes d'offrir à son lecteur le réel tel qu'il l'appréhende lui-même, au fur et à mesure que celui-ci se présente et dans ses moindres détails, afin d'en mieux saisir le mouvement et la complexité ; besoin qui s'inscrit, signalons-le au passage, dans le désir du XVe siècle d' « épuiser la réalité [14] ».

Le fait est-il davantage prégnant ? Le commentaire se doit de devenir jugement. Il n'y manque pas, qu'il provienne uniquement d'un souci historique, comme dans cet extrait,

> ... une autre bande devers le pont de Charenton *(et ceulx-là n'eussent guerre sceu nuyre)* et deux cens hommes d'armes... (t. I, liv. I, chap. XI, p. 71).

ou qu'avec des intentions moralistes, il se fasse leçon :

> Au duc de Lorraine print bien de ce que l'on s'ennuyoit de luy en nostre court, *mais un homme grand, quant il a tout perdu le sien, ennuye le plus souvent à ceulx qui le soubstiennent.* Le roy luy... (t. II, liv. V, chap. III, p. 119).

Le stimulus, c'est alors la tendance commynienne à expliquer les événements pour mieux les comprendre d'abord, à en tirer ensuite et à en faire tirer profit. Il peut être si puissant qu'il aille même jusqu'à modifier le récit de ces derniers. Ainsi, comme le signale Samuel Kinser en s'appuyant sur les recherches historiques de Karl Bittmann [15], la narration de l'entrevue de Péronne complètement soumise aux digressions didactiques.

Certaines digressions complexes semblent même — peut-on dire programmées ? — dans le détail et dès leur décrochage initial. S'il en est en effet, nous l'avons vu, qui connaissent une croissance presque biologique, atteignant un développement apparemment disproportionné au stimulus leur ayant donné naissance, d'autres, par contre, suivent une trajectoire précise

14. Cf. Jens Rasmussen, *la Prose narrative...*, p. 42.

15. *In* Introduction à *The Memoirs of Philippe de Commynes,* p. 20-21 et p. 30-34.

et comme fixée à l'avance. Celles, par exemple, que nous avons nommées tactiques [16], dont le début est un jugement critique sur Charles le Téméraire : elles deviennent soudain leçon pour se transformer bientôt en commentaire élogieux de Louis XI. N'est-ce pas là une bien habile façon de monter en épingle les qualités de ce dernier ? Et, faisant d'une pierre deux coups, d'abaisser celui-là ? Le roi correspond à ce que devrait être le Prince ; le duc n'égale ni l'un ni l'autre. Le stimulus est dissimulé. Il n'en est pas pour autant ambigu.

Mais tout n'est pas toujours aussi simple ni aussi clair. Bien souvent quand la digression déborde la dynamique du fait, ce n'est que de justesse qu'elle se prête à l'analyse. Celle-ci, par exemple :

> Deux jours après la fuytte de ses serviteurs *(qui s'en estoient alléz),* qui estoit ou moys de decembre... (t. I, liv. III, chap. ii, p. 177).

Est-elle de précision seulement, comme l'on pourrait s'y attendre ? Du mot-jugement « fuytte » à la locution verbale neutre « en estoient alléz », il y a un net glissement de sens. Le mot « fuytte » a échappé à l'attention pourtant continuellement en éveil du mémorialiste. Véritable boomerang qui risque de mettre en cause sa propre défection, il devait être nuancé. Le désir de Commynes d'atténuer — pour l'oublier peut-être, plus que pour se justifier — sa conduite passée a sans doute été le stimulus de la digression.

N'est-ce pas vraisemblablement le même qui, comme le suggère Jean Dufournet, se trouve à la base de certaines formules d'allure faussement explicative, ce « depuis grant escuyer de France » (t. I, liv. II, chap. vi, p. 127), par exemple, appliqué au seigneur d'Urfé lors de l'entrevue de Péronne —

---

16. À cette catégorie peuvent se rattacher certaines digressions simples mais de type « parallèle ». Elles répondent au même stimulus, soit la comparaison à faire entre le Téméraire et Louis XI, à l'avantage, évidemment, de ce dernier.

d'avance donc sur les faits — afin de révéler la trahison à venir de ce dernier alors serviteur du Téméraire [17] ? Le « depuis conte de Commynges » (t. I, liv. I, chap. VI, p. 49) aussi, au sujet de Lescun, un autre traître dont les « trente deniers » seront justement la seigneurie de Commynges [18]. Si Commynes en effet réussissait à convaincre son lecteur — à se convaincre lui-même sans doute surtout — de la fréquence du phénomène trahison, de sa normalité même, ne diminuerait-il pas automatiquement la sévérité du jugement que celui-ci portera inévitablement sur lui, surtout s'il n'a pas compris les motifs impérieux qui le poussaient lorsqu'il a rejoint Louis XI et sur lesquels nous reviendrons. Commynes ne cesserait-il pas de se voir malgré lui avec les yeux de son prochain, ceux du duc de Bourgogne, entre autres ?

Peut-être est-ce également le but secret de commentaires du type « homme bien extimé » (t. I, liv. I, chap. II, p. 17), quand ils qualifient, par exemple, un chancelier de France, G. de Rochefort qui officiellement avait été du côté des Bourguignons et du duc de Bourbon lors de la guerre du Bien public [19] ? Ils prouveraient hors de tout doute qu'un changement d'allégeance n'affecte en rien l'honorabilité d'un personnage bien en place. Qui sait cependant ? Ne pourraient-ils pas être aussi une des facettes de la constatation essentielle chez le moraliste en Commynes que « les choses de ce monde sont peu estables » (t. I, liv. III, chap. VI, p. 209) ? Comment cerner avec précision le stimulus ?

Comment le cerner surtout si la digression sert à éviter certains sujets. Le stimulus est alors bien éloigné du thème officiellement inducteur ! Ce dernier ne joue plus qu'un rôle de masque. Mais faut-il conclure que c'est pour donner de lui une meilleure image que Commynes répugne, par exemple,

---

17. Exemple analysé par Jean Dufournet, *in la Destruction des mythes...*, p. 39.
18. Cf. Jean Dufournet, *op. cit.*, p. 38.
19. Exemple analysé par Jean Dufournet, *op. cit.*, p. 38.

à s'étendre sur sa disgrâce de 1477 [20] ? Conscient du pouvoir
des mots — et en cela il est tout à fait de son époque, époque
de formalisme par excellence [21] — n'est-ce pas uniquement
lui-même qu'il protège d'un souvenir cruel en refusant de le
nommer ? Réaction alors de pure survie psychologique qui
n'implique qu'indirectement le lecteur et la vérité des faits.
Lui-même, et pourquoi pas aussi le portrait idéal du Prince
qu'il édifie peu à peu en faisant celui de Louis XI, au détriment
du Téméraire le plus souvent, nous l'avons vu et nous y reviendrons, et qui risquerait d'être indûment terni par un tel aveu ?

Le mémorialiste aurait-il pu d'ailleurs résister à la force
de ce double stimulus dont il n'était probablement pas entièrement conscient ; comme il ne devait pas toujours l'être non
plus des stimuli provoquant un jugement, une leçon, une simple prise de possession du réel ou une digression de diversion.
Mais là n'est pas la question. Ce qui est important, c'est de
se rendre compte combien multiples et différents de leur visage
extérieur peuvent se présenter dans les *Mémoires* les stimuli
des éléments digressifs. Et l'admettre, n'est-ce pas reconnaître
l'ambiguïté de l'œuvre commynienne ? N'est-ce pas d'autant,
aussi paradoxal que cela puisse sembler — car comment mieux
repousser en effet les frontières de son appréhension ? — se
rapprocher d'elle.

*   *   *

La digression n'est pas seulement en situation face à
elle-même et face au récit, elle l'est également par rapport à

---

20. C'est ce que prétend Jean Dufournet : « Il [Commynes] atténue la
réalité et l'ampleur de sa disgrâce de 1477, en s'éloignant de ce
sujet dangereux par de multiples digressions » (*op. cit.*, p. 220).

21. Formalisme qui, comme le signale J. Huizinga, « est à la base de
la croyance en l'effet du mot prononcé, croyance qui se manifeste
pleinement chez les peuples primitifs et se maintient à la fin du
moyen âge par des formules de bénédiction, des formules magiques
ou judiciaires ». Et il cite l'exemple du malheureux exécuté par
erreur et que l'on enterre en criant qu'il vient d'être « trouvé mort
soubz un chesne », le mot niant ainsi l'exécution (*in le Déclin du
moyen-âge*, p. 290-291).

l'ensemble des *Mémoires*. C'est d'ailleurs justement afin d'être en mesure d'étudier sa fréquence relative et la signification de celle-ci que nous avons jugé bon d'en effectuer un relevé chiffré. Il aurait été plus simple en effet de n'avoir qu'à constater la présence de tel ou tel type de digression. Mais sans la nécessité de procéder de façon systématique, aurions-nous toujours évité l'à peu près ? D'autres dangers nous guettaient toutefois, le plus grand étant probablement d'accorder une confiance illimitée aux chiffres obtenus. Mais comment n'en aurions-nous pas été consciente ? N'avions-nous pas été amenée à constater la présence d'une marge d'erreur due, d'une part à l'existence de nombreuses variantes dans le texte même des *Mémoires,* d'autre part à la subjectivité inévitable de nos analyses ?

Ajoutons qu'un chiffre ne peut en aucune manière rendre compte de l'importance du phénomène digressif relevé et cela même dans le seul quantitatif [22]. Un exemple : au livre premier, nous avons dénombré *deux* récits exemplaires ; au livre second, *sept.* La proportion de sept à deux n'est pas négligeable et risquerait de nous entraîner vers une fausse interprétation si nous nous en tenions aux chiffres bruts. Les récits exemplaires du livre premier comportent en réalité plus de deux exemples — il s'agit des malheurs arrivés à différents princes anglais — mais qui ne forment que deux digressions. Au livre second, au contraire, chacun des exemples est annoncé et constitue une digression autonome.

Rappelons en outre que chaque livre n'a pas le même nombre de pages : avec ses 140, en effet, le livre V double presque les 78 du livre II et les 184 du livre VIII font plus de deux fois les 90 du livre premier. Aussi ne tirerons-nous des relevés faits que des conclusions grossières et qui s'impo-

---

22. À moins peut-être de procéder par coefficients, mais au prix de quelles difficultés ! Raison de plus alors dès que le « qualitatif » est impliqué ! Cf. A. J. Greimas, « La linguistique statistique et la linguistique structurale à propos du livre de Pierre Guiraud : *Problèmes et méthodes de la statistique linguistique* », in *Français moderne,* octobre 1962, p. 241-254 et janvier 1963, p. 55-68.

sent d'elles-mêmes par leur évidence. Encore les aurons-nous auparavant étayées par un autre type de calcul basé cette fois sur le nombre de lignes impliquées : soit d'abord le nombre total de lignes dans les *Mémoires,* ensuite le nombre total de lignes digressives, le nombre enfin de lignes digressives situées au delà du niveau B et au delà du niveau B^{+}[23]. Calcul grâce auquel il nous aura été permis d'établir des rapports extrêmement intéressants [24].

La plus importante sans doute de ces conclusions était déjà connue et depuis fort longtemps : il existe une différence essentielle entre les six premiers livres et les deux derniers. L'autre, souvent signalée également — récemment encore par Samuel Kinser [25] — que le livre V se révèle le point culminant de la leçon, suivi de près par le livre VI. Mais n'est-il pas intéressant de pouvoir presque toucher du doigt ces deux phénomènes ?

Le livre V par exemple. S'il contient moins de lignes digressives — 2 011 sur les 2 902 qu'il comporte, soit un rapport de 0,694 — que le livre VI avec un rapport, le plus élevé de tous, de 0,827 (1 859 *lignes digressives/*2 245 *nombre total de lignes),* il inscrit par contre les trois plus hauts rapports *lignes digressives de niveau B et au delà* et *lignes digressives de niveau B^{+} et au delà / nombre total de lignes digressives ; lignes digressives de niveau B^{+} et au delà / nombre total de lignes,* soit 0,766, 0,482 et 0,334 [26].

Ne retenons que les rapports tenant compte des digressions qui se situent au niveau B^{+} et au delà, c'est-à-dire celui de la leçon. Le rapport 0,334 représente, pour le livre V, le tiers de l'ensemble des lignes. Et les *Mémoires* ne seraient qu'un récit historique, entrecoupé, çà et là, un peu au hasard, de

23. Cf., en annexe, le tableau 1.
24. Cf., en annexe, le tableau 2.
25. *In* l'Introduction à *The Memoirs...,* p. 71, n. 184. S. Kinser y annonce une étude prochaine des chapitres digressifs 18, 19 et 20 de ce livre V.
26. Cf., en annexe, le tableau 3.

leçons plus ou moins parasites, bien qu'intéressantes ? Quant au rapport *lignes digressives de niveau B⁺ et au delà/nombre total de lignes digressives,* il est encore plus grand : 0,482, soit près de la moitié ! Comment, dans ces conditions, continuer à croire que la leçon n'est pas intentionnelle ?

Un examen d'autre part du relevé des *apostrophes,* des *interventions directes* et des *digressions proprement dites* montre — compte tenu des différences en nombre de pages d'un livre à l'autre, compte tenu également du volume de certaines digressions — que le livre V se classe bon premier dans les passages digressifs de niveau B⁺ et C. Il comporte aussi le plus grand nombre de « nous » moralistes ou didactiques, le plus grand nombre d'*apostrophes* démonstratives du type « vecy » et « velà » et il est un des plus riches en « récits exemplaires », sinon en « tranches d'histoire-leçon ».

Deux dernières constatations avant de passer à l'étude des livres VII et VIII. Dans son ouvrage sur Commynes, Gustave Charlier fait le commentaire suivant :

> Ce que l'on n'a peut-être pas suffisamment remarqué, c'est son recours assez fréquent à des formules d'un tour proverbial, qui condensent une vérité d'expérience. On pourrait extraire des *Mémoires* toute une série d'apophtegmes [27]...

Implicitement, Charlier se trouve présenter le fait comme original. Étant donné l'usage abondant qu'en faisait le XVᵉ siècle, l'originalité du mémorialiste nous paraît plutôt résider dans une utilisation somme toute assez réduite des tours proverbiaux [28].

---

27. *Commynes,* p. 73.
28. C'était déjà aussi, mais par la négative, l'avis de Charles Aubertin qui compare Commynes à Froissart, Joinville et Villehardouin : « La puissance du génie de Comines est dans la pensée, et c'était là précisément le faible de ses devanciers. À peine trouve-t-on chez eux quelques saillies d'un bon sens naturel ou de judicieuses remarques exprimées sous la forme commune et superficielle des proverbes ; leur style, si alerte quand il s'agit de raconter, s'embarrasse et s'appesantit dès qu'il ébauche un raisonnement. Dans Comines, au contraire, tout se tourne en réflexions sur les choses,

Nous n'en voulons pour preuve que la diminution de ces derniers, du livre I au livre VIII [29], diminution qui correspond
sans doute à la prise de conscience par Commynes de son rôle
d'écrivain et, nous le verrons, à l'édification de sa propre personnalité.

Si les chiffres nous étaient encore utiles dans l'élaboration
de cette hypothèse, ils ne sont plus d'aucun secours lorsqu'il
s'agit de saisir des phénomènes comme la transformation, au
cours des *Mémoires,* de la relation je/tu. Seule l'analyse du
contenu des *apostrophes* et de certaines *interventions directes*
nous a permis d'en découvrir les modifications déjà signalées,
soit le passage du « je » de l'homme au « je » de l'auteur et,
pour le « vous » le transfert de destinataire.

Il n'est pas étonnant qu'on ait souvent refusé d'attribuer
à Commynes les deux derniers livres des *Mémoires* et cela pour
des raisons autres que celles, purement historiques, qu'ils n'ont
pas été publiés en même temps que les six premiers : leurs
dissemblances avec ceux-ci sont en effet d'importance.

Une première différence entre la moyenne des rapports
lignes digressives/nombre total de lignes [30] — 0,621 pour les
livres I à VI et 0,584, pour les livres VII et VIII — est déjà
significative : le récit serait plus pur dans les derniers livres
que dans les premiers. N'est-ce pas imprudent cependant de
tirer cette conclusion sans l'appuyer sur d'autres comparaisons ?
D'autant plus que les livres VII et VIII occupent les 5e et 3e

en appréciations sur les hommes ; il y a chez lui comme une verve
raisonneuse et une fertilité de conception philosophique qui se dé-
clarent en présence des événements ; il remonte des effets aux
causes ; il scrute les mobiles cachés, les intérêts couverts et compli-
qués qui donnent secrètement le branle aux plus grandes affaires ;
dans le caractère et les passions des plus fameux personnages, il
cherche l'explication de leur destinée, il montre le germe obscur
qui, en se développant, produira leur bonne ou mauvaise fortune »
(*in Histoire de la langue et de la littérature...,* t. II, p. 191-192).

29. Cf., en annexe, le tableau 4.
30. Cf., en annexe, le tableau 5.

places dans l'ordre de grandeur de ce rapport *lignes digressives/nombre total de lignes* [31].

Poussons donc plus loin l'examen. La moyenne du rapport *lignes digressives de niveau B et au delà/nombre total de lignes digressives* est plus élevée de 0,166 pour les livres I à VI que pour les livres VII et VIII. C'est la confirmation de ce que nous constations plus haut : il y a moins de lignes digressives dans l'ensemble que forment les livres VII et VIII. Celles-ci, en outre, se situent plus fréquemment au niveau A — donc près du récit — que ne le font les lignes digressives des premiers livres [32]. Et ici l'ordre de grandeur est concordant : les livres VII et VIII sont bien aux 7e et 8e rang !

Si le niveau B s'éloigne du récit, il demeure cependant attaché au plan de l'histoire. Aussi n'est-ce qu'en étudiant les rapports qui mettent en cause les niveaux B + et C, c'est-à-dire la leçon, que se manifestent vraiment les dissemblances des livres I à VI et VII-VIII. Elles sont alors flagrantes : les rapports *lignes digressives de niveau B + et au delà/nombre total de lignes digressives* et *lignes digressives de niveau B + et au delà/nombre total de lignes* sont près de trois fois plus grands pour les premiers livres que pour les derniers. Une différence en effet de 0,388 en faveur des livres I à VI marque le rapport *lignes digressives de niveau B + et au delà/nombre total de lignes digressives* [33] et de 0,145, le rapport *lignes digressives de niveau B' et au delà/nombre total de lignes* [34], toujours en faveur des premiers livres. Et il y a encore concordance dans l'ordre de grandeur : les livres VII et VIII sont respectivement en 7e, 8e et 8e, 7e positions.

---

31. Cf. le tableau 3 cité, n. 26.
32. Le rapport *lignes digressives de niveau B et au delà/nombre total de lignes* est de 0,696 pour les livres I à VI et de 0,530, pour les livres VII et VIII, il implique donc une proportion de lignes digressives de niveau A de 0,304 pour les premiers livres et de 0,470, pour les derniers. Cf. en annexe le tableau 6.
33. Les rapports étant, livres I à VI, de 0,530 et, livre VII et VIII, de 0,142.
34. Les rapports étant, livres I à VI, de 0,228 et, livres VII et VIII, de 0,083.

Ces chiffres sont éloquents. Alors que les six premiers livres des *Mémoires* cèdent volontiers au « discours » et manifestent une indiscutable tendance raisonneuse et didactique, les deux derniers, plus narratifs, se rapprochent davantage du récit historique. Un changement d'orientation aussi essentiel ne peut s'expliquer uniquement par le laps de temps qui a séparé les deux rédactions ; d'autant que Commynes avait eu le loisir de relire la première partie avant d'entreprendre la seconde. Il suppose nécessairement un choix de sa part. Ce choix, qui a pu n'être pas totalement conscient, nous avons déjà essayé de l'interpréter par la « tentation de l'écriture ». Interprétation partielle, toutefois, et qui n'a de sens que si elle s'appuie sur une nouvelle lecture de l'œuvre commynienne.

*   *   *

Car c'est bien vers une nouvelle lecture des *Mémoires* que nous conduit l'étude de la digression en situation. N'a-t-elle pas fait la preuve indiscutable que seule une lecture qui tienne vraiment compte des différences constatées entre les six premiers livres et les deux derniers et qui pratiquement n'ignore plus que le point culminant de la leçon se situe au livre V, est susceptible de les rejoindre dans leur unité et leur dynamique d'œuvre ? Une lecture en somme qui reconnaisse à la digression le rôle premier qu'elle joue dans les *Mémoires* dont elle n'est rien de moins que la clef de voûte.

Toute notre recherche d'ailleurs l'a démontré : sans elle, ceux-ci n'arrivent à se définir que partiellement — comme chronique ou narration historique ; ils existent au contraire pleinement dès que sa présence est assumée. Assumée en fonction du récit cependant, non « en soi », ou alors l'approche des *Mémoires* demeure fragmentaire et mène à des hérésies littéraires du genre « aphorismes ou maximes politiques » à la Pierre Matthieu. Assumée en fonction du récit, même lorsqu'elle ne l'implique qu'indirectement et non en tant qu'exemple ou bien tranche d'histoire devenue discours. Le récit n'est-il pas automatiquement modifié par la seule présence d'un élément digressif ? N'est-il pas aussi, au moins en partie, respon-

sable des stimuli qui lui donnent naissance ? Et, pour plusieurs,
de leur polyvalence ? Dans certains cas, ne doit-elle pas son
existence même aux intentions didactiques de Commynes, donc
à sa tendance utilisatrice des faits ?

Clef de voûte de l'œuvre qu'elle motive dans ses structures les plus intimes — nous espérons le démontrer par le
Triptyque — la digression, examinée sous tous ses angles, s'est
indéniablement révélée comme le « geste verbal » par excellence de Commynes. Cherchez le tic d'un écrivain, suggérait
déjà Lautréamont — Baudelaire également — et vous saurez
qui il est. À plus forte raison si, comme c'est fréquemment
le cas dans les *Mémoires,* le tic se fait option d'écriture. Aussi
pouvons-nous affirmer sans crainte de nous tromper que la
digression chez Commynes dévoile en lui le moraliste. Forçant
constamment le récit dont elle se trouve ainsi disposer, n'est-
elle pas en effet un moyen d'appréhension du réel, un instrument surtout de connaissance des hommes d'abord, de soi à
travers eux et de l'homme au bout du compte ?

II

Le Triptyque

« Car à quoi sert l'écrivain, si ce n'est à tenir
des comptes ? Que ce soit les siens ou d'un
magasin de chaussures ou de l'humanité toute
entière. »

CLAUDEL
Cinq grandes odes

1

Pour une nouvelle
lecture des *Mémoires*

— Rejet du plan actuel en faveur du Triptyque. — Le volet gauche : Charles le Téméraire, prince « fol » ou l'échec de la passion. — Le volet droit : un prince « poy entendu » qui réussit : Charles VIII. — En esquisse au portrait de Charles VIII, Édouard d'Angleterre. — Les autres princes en arrière-plan.

La première étape d'une nouvelle lecture des *Mémoires* se doit d'être le rejet du plan artificiel et contraignant qui leur a, presque de tout temps, été imposé par les éditeurs. Ce plan, véritable carcan d'une lecture à peu près exclusivement linéaire, nous paraît indéfendable. Il offre une division en huit livres et en deux parties (cf. Fig. 1, p. 138) dont seule celle qui sépare le septième livre du sixième a vraiment sa raison d'être : Commynes ayant cru terminer ses mémoires après le récit de la mort du roi Louis XI, la narration des événements d'Italie constitue une partie nettement délimitée par rapport à l'ensemble. La troisième, plus précisément, puisque, pour que les six premiers livres se divisent aussi — peut-on dire « naturellement » ? —

FIGURE 1

PLAN ADOPTÉ PAR CALMETTE [1]

Prologue

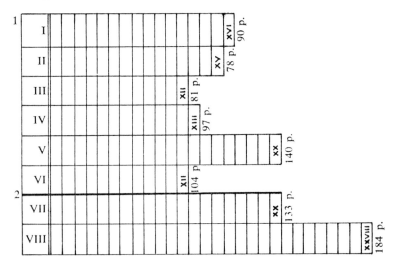

1. Ce plan — celui de tous les éditeurs à quelques variantes près
    depuis Sauvage — est indéfendable en effet. Non seulement ne
    tient-il compte que du niveau historique des *Mémoires* mais encore
    heurte-t-il souvent la logique même du récit. Au début du livre II,
    par exemple, se trouve un « Ainsi » démonstratif (t. I, p. 94) ; un
    « Or » qui implique un raisonnement en cours commence le livre V
    (t. II, p. 98), etc. Quant aux titres du ms Dobrée qui servent fré-
    quemment de charnières au plan Calmette, une analyse rapide
    révèle qu'il est peu vraisemblable qu'ils soient de Commynes ou
    même voulus par lui. Qu'ils débutent par « Comme » ou « Com-
    ment » (ex. : « *Comment le roy commença la guerre au duc de
    Bourgongne et les moyens pour commancer ladicte guerre* », t. I,
    liv. III, chap. I, p. 172), par « Icy » (ex. : « *Icy commence à parler
    de la veüe du roy et du roy d'Angleterre qui fut à Pequigny* », t. II,
    liv. IV, chap. IX, p. 54), ou par la tournure latine « De... » (ex. :
    « *De la bataille de Morat où le duc de Bourgongne fut deffaict
    pour la seconde foyz* », t. II, liv. V, chap. III, p. 120), ils portent la
    marque d'un professionnel de l'écriture, ce que n'était pas ce dernier.
    On imagine mal le mémorialiste utilisant l'expression consacrée à
    la troisième personne, « L'Acteur » (ex. : t. I, liv. III, chap. XI,

il n'y a qu'à bien lire Commynes. On peut difficilement être plus clair qu'il ne l'est dans l'épître liminaire : il va commencer son récit « avant le temps » qu'il fût au service du roi, « puis, par ordre », il le continuera « jusques à l'heure » qu'il devînt son serviteur et enfin « jusques » au « trespas » de celui-ci (t. I, p. 3). Deux mouvements donc, très exactement indiqués. Et fidèlement respectés aussi, le passage de l'un à l'autre se trouvant, rappelons-le, au début du chapitre xi du livre III, alors que Commynes justement annonce son arrivée auprès de Louis XI.

Aussi proposons-nous un nouveau plan, en trois parties (cf. Fig. 2, p. 140) le Triptyque, le seul qui nous paraisse correspondre aux résultats de nos analyses de la digression commynienne, le seul surtout qui recoupe les desseins avoués du mémorialiste quant au contenu des *Mémoires,* à ses projets implicites également et même aux décisions plus ou moins conscientes qu'il a prises en cours de route. Il va faire le portrait de son maître, le roi Louis XI ; cela, il l'annonce dès

p. 239), que l'on retrouve dans plusieurs titres de l'époque, dans les *Cent nouvelles Nouvelles,* entre autres. L'objection que Commynes connaissait sans aucun doute cet ouvrage ne nous paraîtrait pas sérieuse. Ajoutons que la troisième personne ne se trouve pas correspondre au « je » des *Mémoires.* Pour ce qui est de l'utilisation du « Icy... », il est intéressant de constater que, jalonnant exclusivement le récit dans les titres, comme cela était courant dans le roman d'aventure (ex. : « *cy devise comment le comte d'Artois vint au tournoy et des haultes proëcez qu'il fist dont il gaigna le pris* », in le *Roman du comte d'Artois,* éd. Droz, 1966, p. 9), il sert plutôt le niveau leçon lorsque utilisé dans le texte même des *Mémoires* : « Icy voiez-vous la miserable condicion de ces deux princes... » (t. I, liv. II, chap. xii, p. 158). Argument de poids, s'il en est un, contre l'attribution des titres du Dobrée à Commynes ! D'autant que sa connaissance des formules du langage curial ne nous permet pas de lui attribuer pour autant — à lui qui savait peu ou prou le latin — ceux à tournure latine. Ou alors, si ces titres étaient bien du mémorialiste, ils seraient postérieurs à l'œuvre et d'un Commynes ayant connu la « tentation de l'écriture » déjà signalée et notre hypothèse n'en est pas pour autant infirmée. Au contraire même, puisque *ce* Commynes refuse la vérité des *Mémoires.*

le *Prologue*. De tous les princes qu'il a connus, n'est-il pas celui qui eut « le moins de vices [...] à regarder le tout » (t. I, p. 2) ? N'est-il pas le plus « habile » en outre ? Comment le présenter de manière plus avantageuse qu'en le comparant à un autre grand prince du temps, Charles le Téméraire ? Le portrait de ce dernier s'impose alors : il servira — ici les

FIGURE 2
PLAN SUGGÉRÉ PAR LA PRÉSENTE ÉTUDE
SOIT LE TRIPTYQUE [2]

Prologue

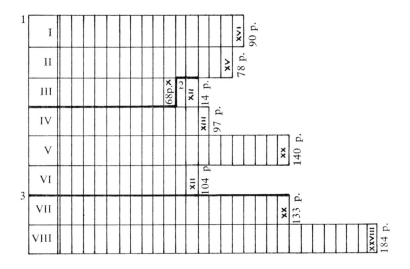

2.   Notons que ce plan se trouve implicitement — mais partiellement — proposé par Noël Coulet dans son édition vulgarisée des *Mémoires* (livres I à VI) : *Louis XI et Charles le Téméraire*, 10/18, 1963, 181 p. N'a-t-il pas également été entrevu par Gustave Charlier lorsqu'il écrivait que l' « essentiel » dans les *Mémoires* sont « les effigies des trois princes que Commynes a tour à tour servis, [... le] Téméraire, Louis XI et [...] Charles VIII » (*in Commynes*, p. 68).

intentions ne sont pas avouées [3] et pour cause — à amener celui du roi.

Puis Commynes dépose la plume. Tout a été dit. Le parallèle systématique entre les deux princes — à moins qu'il ne s'agisse d'un examen des moyens de l'intelligence et de ceux de la passion ? — a mis en évidence le plus « saige ». Il a révélé toutefois les limites de l'« humaine condition » : la mort, bien sûr, contre laquelle personne ne peut ruser. Le fait également qu'en fin de compte, c'est Dieu qui toujours dispose ; l'homme propose seulement et ses objectifs les plus astucieusement recherchés ne sont atteints que si celui-là le veut bien.

Il reste qu'à l'intérieur de ces limites, le plus grand demeure encore Louis XI. Un autre portrait fera ressortir le fait : celui de Charles VIII. Ce dernier n'est-il pas en outre la preuve que le succès peut être indépendant des qualités personnelles ? L'expédition d'Italie a réussi parce que Dieu l'a permis. Commynes reprend alors la rédaction de ses *Mémoires* et termine le Triptyque. Charles VIII en sera le volet droit — volet déjà esquissé par le portrait d'Édouard IV — comme le duc de Bourgogne en est le gauche. Ainsi déplacé au panneau central, le roi occupe la place d'honneur, la seule digne de lui. Le parallèle n'est plus nécessaire cependant. La supériorité de Louis XI sur son fils n'est-elle pas évidente ? Comment un prince qui a besoin d'un cheval pour paraître grand [4] pourrait-il supporter la comparaison avec lui ? Aussi n'y a-t-il qu'à laisser parler les faits. Et l'asyndète initiale de la troisième partie —

3. Elles n'en sont pas pour autant indécelables. Car si Commynes annonce qu'il va commencer son récit avant le temps qu'il vint au service du roi, pourquoi le fait-il débuter *précisément* alors qu'il arrive à la cour de Bourgogne, c'est-à-dire au moment où il fait la connaissance du comte de Charolais et où il découvre, nous le verrons, son tempérament violent.

4. « ... il [Charles VIII] est fort craintif à parler encores au jour d'uy (aussi avoit esté nourry en grande craincte) et petite personne, et ce cheval le monstroit grand ». Notons l'ambivalence ici du mot « grand » : il est opposé à une caractéristique physique, la petite taille de Charles VIII, et à un trait de caractère, sa timidité (t. III, liv. VIII, chap. x, p. 175).

les livres VII et VIII — remplacera la technique comparative
utilisée dans les deux premières parties du Triptyque — soit
dans les livres I, II et pour le livre III, les chapitres I à X ; dans
les chapitres XI et XII de ce même livre et les livres IV, V, VI
— et que méritait tout de même la forte personnalité du
Téméraire.

À quoi bon d'ailleurs une leçon qui va de soi ? Donner
les faits bruts ou à peu près, n'est-ce pas aussi la seule façon
qui reste à Commynes d'exorciser son angoisse ? Car c'est
comme dans un miroir qu'il s'est regardé en retraçant les destins
du duc et du roi. S'il y a vu l'homme, il s'y est d'abord vu.
Dans celui du duc, il a compris ce qu'il avait pressenti en le
quittant : la passion est aveugle, elle mène tout droit à l'échec.
Mais c'est sans doute dans celui du roi qu'il a découvert la
vérité la plus cruelle : l'intelligence, la « saigesse » n'assure pas
nécessairement, ni toujours, le succès — ses propres revers n'en
sont-ils pas la preuve ? — et encore moins le bonheur. Vérité
d'autant plus cruelle en effet que, pour Commynes, Louis XI
n'est rien de moins qu'une espèce d'*alter ego*. En devenant son
serviteur, n'est-ce pas lui-même, un de ses possibles, qu'il choi-
sissait ? Comment, dans ces conditions, s'accepter encore comme
moraliste ? Quelles réponses s'apporter ? Lesquelles suggérer
aux autres ? Aussi Commynes refuse-t-il le rôle qu'à un moment donné il avait assumé. Refus qui donne tout son relief
au portrait de lui-même — le plus attachant de tous ceux qu'il
a faits — qu'en « donateur » du Triptyque, le mémorialiste
se trouve présenter à ses lecteurs.

*   *   *

C'est avec raison que l'on a pu parler de machiavélisme
avant la lettre à propos de Commynes. N'est-ce pas au nom
d'un concept d'ailleurs bien moderne, celui d'« efficacité », que
le mémorialiste s'en prend à Charles le Téméraire, nommé si
justement « prince de l'échec [5] » par Jean Dufournet ? Mais

5. *In la Destruction des mythes...*, p. 90. Il s'agit d'un sous-titre du
     chapitre II intitulé « Commynes et le Téméraire ».

ce n'est que partiellement avec raison. Il nous semble en effet que la notion d'efficacité est plus gratuite chez le mémorialiste français que chez son contemporain, le politique florentin. Pour Commynes, plus que le résultat à obtenir à tout prix, compte l'efficacité déployée. Elle est à ses yeux la mesure même de la valeur d'un individu. N'indique-t-elle pas sûrement ses limites ? Et celles de l'homme ?

Or alors qu'il avait tout pour réussir — et le mémorialiste, chaque fois qu'il le peut, insiste volontiers sur ses atouts [6] ou encore sur la faiblesse de l'ennemi [7] — le Téméraire va d'insuccès en insuccès jusqu'à sa mort ignominieuse à Nancy. Quant à ses demi-succès, ils sont si peu mérités [8] ! Tels du moins

6.   Comme pour mieux démontrer son manque d'efficacité. Il insiste par exemple plusieurs fois sur les forces dont disposait le Téméraire : ainsi lors du siège de Neuss, son armée était « la plus belle qu'il eust jamais ». Et Commynes de détailler : « especiallement pour gens de cheval » ; si les « quelque mil hommes d'armes ytaliens » sont dits « que bons que mauvais », les « trois mil Angloys » par contre sont qualifiés « très gens de bien ». Quant aux Bourguignons, « en très grand nombre », ils sont « bien montéz et bien arméz » ; de plus « jà longtemps avoient exercé le faict de guerre » (t. II, liv. IV, chap. I, p. 7-8). Mais ce n'est pas tout. À cette armée dont le mémorialiste répète (*ibid.*, p. 11) qu'elle est puissante, devait se joindre celle d'Angleterre. Et Commynes de s'y prendre à deux fois pour la décrire, sans ménager les « tours intensifs », comme le signale Jean Dufournet qui analyse l'un de ces passages (*in la Destruction des mythes...*, p. 91-92). « ... jamais roy d'Angleterre ne passa si puissante armée pour ung coup... » (t. II, liv. IV, chap. I, p. 10-11) et « ... estoit ceste armée la plus grande que passa roy d'Angleterre... » (*ibid.*, chap. V, p. 27-28). Or à quoi rimèrent tous ces efforts ? À la levée humiliante du siège de Neuss et, par la faute évidemment du Téméraire qui s'y entête, à la venue inutile en France de l'armée anglaise.

7.   Ainsi aux batailles de Granson et de Morat l'ennemi est « de bien petite force [...] en fort jeune aage, peu experimenté en toutes choses ; » (t. II, liv. IV, chap. XIII, p. 94. Il s'agit du duc de Lorraine).

8.   La victoire à Brusthem, par exemple. Commynes écrit qu'elle a été remportée « contre toute raison » et uniquement parce que Dieu l'a voulu (t. I, liv. II, chap. III, p. 115).

que les présente Commynes et cela seul compte pour nous. Les
« silences » et les « minimisations » que constate dans son récit
Jean Dufournet[9] ne confirment-ils pas d'ailleurs que, plus que
les faits, ce qui intéresse le mémorialiste, c'est le portrait du
Téméraire, type parfait, ou presque, du prince « fol » ? Et son
échec, celui de la passion ? Aussi servira-t-il, dans les *Mémoires,*
à la condamnation de cette dernière.

Condamnation de l'impatience d'abord, du geste impulsif
donc non réfléchi. Et cela, dès l'entrée en matière. Cet incident
à Lille, était-il si important qu'il fallût lui consacrer cinq pages
(t. I, liv. I, chap. I, p. 4-8) ? Relisons bien ces cinq pages :
l'acteur principal en est justement le comte de Charolais. Il est
accusé d'avoir fait emprisonner à tort le bâtard de Rubempré
dont le navire de guerre longeait les côtes bretonnes. C'est
Morvilliers qui, au nom du roi et des ambassadeurs présents,
transmet l'accusation au duc Philippe. Il le fait « fort arrogamment » (*ibid.,* p. 4), « donnant grandes et deshonnestes
charges au duc de Bretaigne », présentant le « cas » comme
« si enorme, si crimineux, que nulle chose qui se peult dire
[...] pour faire honte et vitupère à ung prince il ne dist », de
préciser Commynes qui semble ainsi protéger le Charolais dont
il se trouve motiver les réactions violentes. Ce qui ne l'empêche
pas de rapporter celles-ci en détail : c'est « par plusieurs foys »
que le comte voulut répondre et encore « comme fort passionné ». Morvilliers l'interrompt ; il s'adresse alors à son père
« par plusieurs foys », le « supplia [nt] » de lui donner la
parole. Le calme du duc Philippe sert à mettre en évidence
l'impatience du comte :

> J'ay respondu pour toy, comme il me semble que père
> doit respondre pour filz. Toutesfoys, si tu en as si grand
> envie, penses y aujourduy, et demain dy ce que tu voudras
> (*ibid.,* p. 6).

Le jeune homme n'a plus qu'à ronger son frein et si le
lendemain il fait bonne figure devant son père — « il eust

9.   En s'appuyant sur les récits des autres chroniqueurs du temps
(*la Destruction des mythes...*, p. 95-97).

beaucoup plus asprement parlé » en l'absence de celui-ci, assure le mémorialiste — il prend à part l'évêque de Narbonne et le charge d'un message de menaces pour le roi :

> ... luy dictes qu'il m'a bien faict laver ici par ce chancellier, mais que, avant qu'il soit ung an, il s'en repentira.

Et notons encore une fois la comparaison : « La conclusion » du duc Philippe avait été, elle, « fort humble et saige ». Quant à la condamnation de Commynes, elle est implicite [10] : d'une part, elle est contenue dans ce commentaire d'apparence neutre :

> Ces parolles engendrèrent grand hayne dudict conte de Charroloys au roy... (t. I, liv. I, chap. I, p. 8).

d'autre part et peut-être surtout dans la dramatisation même de l'événement. Un tout petit peu de réflexion pourtant aurait suffi à prévenir un geste dont la portée devait être si grande.

Si le comte évite le pire lors des négociations d'octobre 1465 en vue de la paix, il ne le doit qu'à la « foy » du roi. Et ici Commynes dissimule à peine sa réprobation. Comment

---

10. Comme le plus souvent d'ailleurs, qu'elle soit dissimulée sous un « on », dans ce passage, par exemple, qui vient immédiatement après le récit des contre-ordres donnés par le Charolais à Montlhéry et du désordre qui en résulta : « ... tout le contraire se fist, comme s'*on* eust voulu perdre à son escient » (t. I, liv. I, chap. III, p. 26). Ou bien qu'elle soit élargie en leçon ainsi que dans ces quelques lignes qui visent l'orgueil du comte : « Et ne m'est pas advis que le sens d'un homme sceust porter ne donner ordre à ung si grant nombre de gens ne que les choses tinssent aux champs comme elles sont ordonnées en chambre et que *celuy qui s'estimeroit jusques là mesprendroit Dieu, s'il estoit homme qui eust raison naturelle...* » (*ibid.,* c'est nous qui soulignons dans ces deux extraits). Mais faut-il conclure, avec Jean Dufournet, que si Commynes charge le Téméraire de façon discrète, c'est qu'il poursuit un but, soit sa propre apologie ? Nous croyons au contraire que cette manière de faire assez constante prouve bien que ce qui intéresse le mémorialiste — « moraliste » serait plus juste ici — ce n'est pas tant l'individu appelé Charles de Bourgogne que l'être passionné qui court au désastre comme prince et comme homme. Pourquoi alors chargerait-il celui-là ? Il suffit d'analyser le mécanisme qui le fait agir ; de l'analyser concrètement dans les actes posés.

peut-on agir si imprudemment en effet ? Le Charolais, mal
accompagné, chevauche avec Louis XI et se laisse entraîner
« devers Paris [...] tant qu'ilz entrèrent dedans ung boullevart
de terre et de bois [...] au bout d'une tranchée » (t. I, liv. I,
chap. xv, p. 83) qui mène droit à la ville. Devant « ceste
follye », raconte le mémorialiste, « il y eut très grant murmure »
dans l'armée bourguignonne et ce n'est certainement pas par
simple souci historique qu'il se plaît à répéter les paroles du
maréchal de Bourgogne, Neufchastel :

> Si ce jeune prince *fol* ou *enraigé* s'est allé perdre, ne
> perdons pas sa maison ne le fait de son père ne le nostre...
> *(ibid.* [11]).

insistant même : le comte revenu, « [p]lus luy dist ledict
mareschal en sa presence qu'il n'avoit faict en son absence »
(ibid., p. 84). L'humilité temporaire que manifeste Charles en
reconnaissant sa sottise n'empêche pas Commynes d'en tirer des
conséquences qui condamnent :

> Toutesfois ne retourna oncques depuis ledict conte en sa
> puissance *(ibid.).*

Et ce n'est qu'aux bons conseils reçus que, devenu duc
de Bourgogne, il dut de ne pas commettre l'irréparable au
moment de Péronne. Commynes qui « [p]our lors, estoi[t]
encores avec [lui], le serv[ant] de chambellain et couch[ant]
en sa chambre » (t. I, liv. II, chap. ix, p. 133-134), s'est senti
obligé d'avertir Louis XI du danger qu'il courait, tant le
Téméraire « estoit terriblement meü contre le roy et le menas-
soit fort » (*ibid.*). On pouvait s'attendre à tout. « Sur le
matin » de la troisième nuit qu'il passa à se « pourmen[er] »,
ne se couchant que « par deux ou trois fois sur le lit », comme
il en avait l'habitude quand « il estoit troublé », il « se trouva
en plus grant collère que jamais et usant de menasses et prest
à executer grant chose » (*ibid.,* p. 143-144), dont la moindre
— Commynes a déjà prévenu son lecteur — aurait pu être que
le roi « eust esté mys en la grosse tour » (*ibid.,* p. 134) du

---

11. C'est nous qui soulignons.

château. Encore est-ce « soudainement » (*ibid.*, p. 144) que le duc partit porter sa décision. Et le jugement du mémorialiste, sublimé en de nombreuses réflexions sur les dangers des entrevues princières, recoupe celui de l'homme, soit le geste du sieur de Renescure envers le roi [12].

Cette concordance se produira de nouveau, de façon définitive cette fois, puisque Commynes quitte le duc de Bourgogne pour rejoindre Louis XI. Aussi le Téméraire avait-il passé la mesure ! D'abord il y eut Nesle. Une expédition commencée sous le coup de la colère [13] ne pouvait qu'être « exploict de guerre ort et mauvais » (t. I, liv. III, chap. IX, p. 227) : on brûle, on pend, on coupe des poings. « Cruauté » tout à fait gratuite que le mémorialiste se sent forcé de dénoncer, non pas tant nous semble-t-il, par pitié [14], comme on l'a souvent dit, mais parce que, pure vengeance, son inutilité même devenait accusatrice. « Ledict duc de Bourgogne estoit » d'autant « plus passionné de faire si cruel acte » (*ibid.*, chap. IX, p. 228) que « Nesle [...] guères ne valloit » (*ibid.*, p. 227) et que — Commynes nous l'a appris quelques lignes plus haut — l'armée bourguignonne était « très puissante et plus belle » (*ibid.*, chap. VIII, p. 226) que jamais.

Puis ce fut l'assaut de Beauvais. Ici encore la décision fut impulsive. Le duc vient de remporter un autre succès — toujours sans gloire, étant donné les forces dont il dispose ; « Si belle armée n'eut jamais », d'insister le mémorialiste — : il s'est emparé de Roye, puis de Montdidier et il se dirige vers

---

12. Le fait que Commynes y trouva pécuniairement son profit ne change rien à la signification de son geste. Paradoxalement même, ne devait-il pas être plus efficace à ses yeux ?

13. À la nouvelle de la mort du duc de Guyenne, mort qu'il impute au roi à qui elle profite particulièrement bien au moment où elle se produit.

14. Quoique celle-ci ne fût sans doute pas absente comme le laisse croire cet autre commentaire, quelques lignes plus loin : « ... et comme *cruellement* furent traictéz ung tas de *povres* archiers qui avoient esté prins dedans Nesle » (*ibid.*, chap. X, p. 234-235. C'est nous qui soulignons).

la Normandie. « Mais passant près de Beauvais » *(ibid.)* — notons bien la tournure opportuniste — il en fait le siège. Le manque de jugement remplace cependant la cruauté. Manque de jugement dans la décision même d'attaquer : on « n'estoit point venu fourny pour un tel exploit, pour quoy estoit mal pourveü » *(ibid.,* p. 235). Manque de jugement dans l'appréciation de la valeur de l'ennemi : « Ledict duc [...] tenoit la ville pour prinse » *(ibid.).* Manque de jugement enfin dans les manœuvres : « pour ung petit ruysseau » à passer, le Téméraire hésite à disposer une partie de son armée du côté de Paris. S'y résout-il, il n'est plus temps ; c'« eust esté mectre tout son ost en peril » *(ibid.,* p. 236), commente Commynes qui se répète plus loin : « C'estoit au commencement qu'il le devoit faire » *(ibid.,* p. 239). Un moment vint que « la ville eust mis peu à composer » *(ibid.,* p. 236), mais sa colère le pousse à la prendre d'assaut. Il est le seul de cet avis [15], ce qui n'empêche pas l'assaut d'avoir lieu, car son manque de jugement, depuis Montlhéry, se double volontiers du refus d'écouter les conseils [16]. Et le Téméraire est bientôt forcé de mettre fin à une « grant follie » (t. I, liv. III, chap. X, p. 237) de plus !

Ce n'est pas la dernière d'ailleurs. Il y déjà eu Montlhéry justement qui lui est monté à la tête et lui a donné le goût de la guerre [17]. Il y aura encore et jusqu'à ce que soit « finée sa vie », jusqu'à la chute de sa maison qu'il « desole[r]a » (t. I, liv. I, chap. XII, p. 79 [18]), Granson où « il perdit honneur

15. « ... nul ne se trouvoit de ceste oppinion que luy » *(ibid.,* p. 237). Déjà, alors qu'à contretemps il voulait déplacer une partie de son armée, « à grant peine l'on peüt-l'en desmouvoir » *(ibid.,* p. 236).

16. « Tout ce jour demoura encores mons^r de Charroloys sur le champ, fort joyeux, *estimant la gloire sienne,* qui depuis lui a cousté bien cher : car *oncques puis ne usa de conseil d'homme, mais du sien propre* » (t. I, liv. I, chap. IV, p. 37. C'est nous qui soulignons).

17. « Et estoit très inutile pour la guerre paravant ce jour et n'aymoit nulle chose qui y appartint ; mais depuis changèrent ses pensées, car il a continué jusques à sa mort » (t. I, liv. I, chap. IV, p. 37).

18. Comme le note avec justesse Jean Dufournet *(op. cit.,* p. 90), le mot « désoler » revient fréquemment sous la plume du mémorialiste lorsqu'il s'agit des malheurs du Téméraire et de la maison

et chevance », « toutes [ses] grandz bagues » (t. II, liv. V, chap. I, p. 104), ce qui restait de son bon sens aussi [19], puis Morat et Nancy. Comment se serait-il arrêté ? Quand son caractère impulsif et coléreux n'entraîne pas des actes de cruauté non nécessaires [20] ou appuyés par le parjure sur la cupidité, comme dans l'affaire du comte de Saint-Pol [21], quand il ne

de Bourgogne. À d'autres occasions aussi et il révèle alors à quel point Commynes est bouleversé par l'absurde de certains événements. Raconte-t-il, par exemple, la mise à feu de Liège, en novembre 1468 ? Il précise que cette « desolation » fut confiée à « trois ou quatre mil hommes du pays de Lembourg qui estoient *leurs voisins et assez d'ung habit et d'ung langaige* », à des presque frères, en somme ! (T. I, liv. II, chap. XIV, p. 166. C'est nous qui soulignons.)

19. Commynes y insiste plusieurs fois : « ... à dire la vérité, je croy que jamais il n'eut l'entendement si bon qu'il avoit eu auparavant ceste bataille » (t. II, liv. V, chap. III, p. 117). Ailleurs : « Car la douleur qu'il eut de la perte de la première bataille de Granson fut si grande et luy troubla tant les esperitz, qu'il en tumba en grand malladie [...] Et, à mon advis, oncques puis [...] ne fut si saige que auparavant, mais beaucoup diminué de son sens » (t. II, liv. V, chap. V, p. 128-129).

20. Avant Nesle, il y avait déjà eu Dinant « bruslée et rasée » où « jusques à huyt cens » prisonniers furent sacrifiés aux habitants de Bouvignes (t. I, liv. II, chap. I, p. 97) ; Liège aussi où « furent noyés en grand nombre de pouvres gens prisonniers qui avoient esté ès maison cachéz à l'heure que ceste cité fut prinse » (*ibid.*, chap. XIV, p. 166). Il fallait encore Granson où « *à sa voulenté* [...] il feit tous mourir » ceux qui pourtant s'étaient rendus (t. II, liv. V, chap. I, p. 103. C'est nous qui soulignons).

21. Et ici le jugement de Commynes est explicite et sévère : « ... il n'estoit nul besoing audict duc de Bourgongne, qui estoit si grand prince et de maison si renommée et honorable, de *luy donner une seüreté* pour le prendre, et fut grant cruaulté de le bailler où il estoit certain de la mort *et par avarice* (t. II, liv. V. chap. XIII, p. 92. C'est nous qui soulignons). Les meilleures excuses ne pourraient en effet « couvrir » aux yeux du mémorialiste « *la faulte de foy et d'honneur* que ledict duc commist en baillant bon et loyal sauf-conduit audict connestable et neantmoins le prendre et *vendre par avarice...* » (t. II, liv. V, chap. VI, p. 139. C'est nous qui soulignons).

provoque pas de flagrantes erreurs de jugement [22], quand il
ne le durcit pas dans une obstination irraisonnée fermée aux
conseils les plus évidemment sages [23], c'est son orgueil déme-
suré qui le mène droit au désastre.

« [F]ol vice d'orgueil » (t. I, liv. I, chap. ix, p. 66), s'écriera
Commynes. « [F]ol vice d'orgueil » qui déjà le poussait à maintenir le siège de Neuss contre tous ses intérêts, pour la seule
« gloire » de tenir tête à « la plus grande armée qui ait esté
de memoire d'homme » ; « gloire [qui] coustoit bien cher », de
commenter le mémorialiste, « car qui a le proufit de la guerre
il en a l'honneur » (t. II, liv. IV, chap. iv, p. 26 [24]). « [F]ol
vice d'orgueil » responsable de ses « grans fantasies » (t. II, liv.
V, chap. i, p. 102) concernant le duché de Milan. « [F]ol vice
d'orgueil » qui lui faisait estimer comme « procedées de son sens
et de sa vertu, sans les attribuer à Dieu, comme il le devoit »,
« toutes les graces et honneurs qu'il avoit receues en ce monde »
(t. II, liv. V, chap. ix, p. 154 [25]).

« [F]ol vice d'orgueuil » qui, transformant en témérité
sa hardiesse [26] — à Montlhéry, par exemple — et son endu-

---

22. Ainsi son refus d'entendre Syffred de Bashi qui lui aurait révélé
les intrigues de Campobasso : « ... Sifron (lequel il ne voulut ouyr
parler, comme homme qui avoit l'ouye bouchée et l'entendement
troublé) ... » (t. II, liv. V, chap. vi, p. 140). Ses nombreuses maladresses de tactique également. Entre autres, celle de s'obstiner
à faire le siège de Nancy plutôt que de « bien garnir les petites
places d'entour » ce qui lui aurait sans doute permis de « en peu de
temps recouvr [er] la place » (t. II, liv. V, chap. vi, p. 135).

23. Après Granson, dans sa décision, par exemple, d'aller au-devant
des Suisses à l'entrée des montagnes. Elle va « contre l'oppinion
de ceulx à qui il en demanda » et pourtant « son desadvantaige »
n'y était-il pas clair (t. II, liv. V, chap. i, p. 103) ?

24. Cette idée revient souvent sous la plume de Commynes. Ex. : « Car,
à la fin du compte, qui en aura le proufit en aura l'honneur »
(t. I, liv. III, chap. viii, p. 220).

25. Commynes l'a déjà dit : « Son cueur ne se amollit jamais, mais
jusques à la fin a estimé toutes ses bonnes fortunes procedans de
son sens et vertuz » (t. II, liv. IV, chap. xiii, p. 95).

26. Qualité que le mémorialiste lui reconnaît volontiers en dépit de
sa fuite lors de la bataille de Granson : « ... je ne congneuz oncques

rance [27] en entêtement [28] brisera l'homme comme il aveugle le prince pour mieux le conduire à sa perte. Aussi il n'est pas étonnant que celui qui « eust bien voulu ressembler à ces anciens princes dont il a tant esté parlé après leur mort » (t. II, liv. V, chap. IX, p. 154-155) et que « la moytié d'Europe n['eût] sceü contenter » (t. I, liv. III, chap. III, p. 189) ait péri anonymement — « à ceste heure, luy estoient passéz les honneurs » (t. II, liv. V, chap. IX, p. 154) ! — « sur le champ » (t. II, liv. V, chap. VIII, p. 153) de Nancy, dépouillé par l'ennemi, non sans avoir auparavant été forcé de faire violence à sa nature en s'humiliant [29], non sans avoir surtout connu la solitude [30] et le désespoir [31], car « telles sont les passions de ceulx qui jamais n'eurent d'adversité et ne sçavent trouver nulz remeddes et, par especial, les princes qui sont orgueilleux » (t. II, liv. V, chap. V, p. 129). Et comment Commynes n'approuverait-il pas le « mot bien saige » du roi Louis : « ... quant orgueil chevauche devant [...] honte et dommaige suyt de bien près » (t. I, liv. II, chap. IV, p. 121). Le destin tragique du Téméraire n'en est-il pas l'illustration exemplaire ?

*   *   *

homme plus hardy. Je [...] ne lui vey jamais faire semblant d'avoir paour et sy ay esté sept années de reng en la guerre avecques lui... » (t. I, liv. I, chap. IV, p. 38).

27. « ... je croy que jamais nul homme peust porter plus de travail que luy en tous endroitz où il fault exerciter la personne ; ... Je ne luy ouy oncques dire qu'il fust las... » (*ibid.*), « ... sa personne povoit assez porter le travail qui lui estoit necessaire ; » (t. I, liv. II, chap. IV, p. 189).

28. Son obstination à demeurer à La Rivière par exemple, alors que les assiégés de Pont à Mousson comptaient sur son aide (t. II, liv. V, chap. V, p. 132-135).

29. Ainsi après Granson « contre sa nature », il envoie le seigneur de Contay « devers le roy avecques humbles et gracieuses parolles » (t. II, liv. V, chap. II, p. 108). Et, au moment de Nancy, « il tint quelque peu de conseil, combien qu'il ne l'avoit point acoustumé, mais usoit communement de son propre sens » (t. II, liv. V, chap. VIII, p. 150).

30. Après Morat, t. II, liv. V, chap. V, p. 128-129.

31. Après Granson, t. II, liv. V, chap. IV, p. 122.

C'est encore le thème de l'« efficacité » qui sert de trame au portrait de Charles VIII faisant pendant, dans le Triptyque, à celui du Téméraire. Pendant idéal d'ailleurs, que la vie offre à Commynes comme une réponse anticipée aux questions qu'inévitablement il se posera. L'efficacité n'a-t-elle pas été chez les deux princes inversement proportionnelle aux moyens dont chacun disposait ? Mais alors que son absence chez le duc s'explique par son tempérament passionné — partiellement du moins et nous y reviendrons, car devant l'énormité de la disproportion « résultats obtenus/moyens au départ », comment ne pas supposer l'existence d'un autre facteur déterminant ? — sa présence dans le destin du roi Charles VIII défie toute logique.

Est-il vraiment possible en effet qu'un prince « très jeune », qui « ne faisoit que saillir du nyd » (t. III, liv. VII, chap. v, p. 33), écrira même Commynes — « foible personne [32], plain de son vouloir [33], peu accompaigné de saiges gens [34] ne de bons chiefz » (t. III, liv. VII, chap. I, p. 3), sans expérience aucune [35], d'une insouciance totale [36], en un mot « poy enten-

32. Tant au physique qu'au moral. Le mémorialiste a déjà noté la santé fragile de Charles VIII (cf. t. II, liv. VI, chap. x, p. 310), il parlera plusieurs fois de sa petite taille — « si petit homme de corps ne fut jamais » (t. III, liv. VIII, chap. xx, p. 257) — de sa timidité, à l'occasion — mais n'avait-il pas « esté nourry en grande craincte » ? (t. III, liv. VIII, chap. x, p. 175) —, du fait aussi que « de soy ne faisoit riens » (t. III, liv. VIII, chap. xx, p. 256). Sa bonté même que signale Commynes (cf. t. III, liv. VII, chap. XIV, p. 81 ; liv. VIII, chap. XXVII, p. 313), n'est-elle pas une forme de cette faiblesse ?

33. « ... jeune et vouluntaire... » (t. III, liv. VIII, chap. XIV, p. 211).

34. Qu'il n'écoute pas d'ailleurs, Commynes le signale en plusieurs endroits. Ex. : t. III, liv. VIII, chap. IX, p. 173 ; chap. XVI, p. 211 et p. 224.

35. Aussi il n'est pas étonnant qu'arrivant à Pise, il ait commis l'erreur de libérer la ville de l'influence de Florence. Comme l'explique le mémorialiste, il découvrait seulement « les pitiéz d'Italie » et il ne pouvait comprendre la portée du mot « liberté » que l'on criait à son approche » (t. III, liv. VII, chap. IX, p. 59 et p. 61).

36. Ainsi, à Naples, est-il « au dessus de ses affaires » (t. III, liv. VII, chap. XVIII, p. 106). À Sienne, c'est « en riant » qu'il s'informe

du » (t. III, liv. VIII, chap. xx, p. 258), ait réussi seul une « emprise » comme l'expédition d'Italie qui, dès le début « sembloit à tous gens saiges et experimentéz très deraisonnables » (t. III, liv. VII, chap. i, p. 3 [37]) ? Et pour cause : « toutes choses necessaires [...] failloient », l'argent, pourtant le nerf de la guerre, et qu'il faudra emprunter au hasard des besoins et des prêteurs *(ibid.* [38]) ; le matériel le plus indispensable aussi, « tantes » et « pavillons », par exemple, alors qu'il était à peu près certain, étant donné le lieu et la date du départ [39] qu'on se retrouverait « en yver en Lombardie » *(ibid.,* p. 3) ; le « sens » surtout, aux « conducteurs » de l'expédition. Comment aurait-il pu en être différemment ? Ceux-ci, Guillaume Briçonnet [40]

auprès de Commynes des intentions des Vénitiens qui viennent pourtant de former une ligue contre lui (t. III, liv. VIII, chap. ii, p. 141). De retour à Lyon, au lieu de s'occuper d'aider ceux des siens restés en Italie, il passe « grant temps à faire tournais et joustes ». Pourtant, de préciser le mémorialiste, il désirait « ne perdre point [les] places » conquises (t. III, liv. VIII, chap. xxii, p. 271). Et comment réagit-il à la mort de son fils ? « ... en eut deul, comme la raison le veult, et poy luy dura... » (t. III, liv. VIII, chap. xx, p. 256-257). Notons que « comme la raison le veult » qui indique bien que Commynes juge le roi incapable d'un sentiment profond. La comparaison avec la douleur éprouvée par la reine est révélatrice aussi et permet au mémorialiste de répéter : « Au roy son mary dura poy ce deul » *(ibid.).*

37. Parmi les « gens saiges », « monsʳ de Bourbon et madame estoient là, serchant rompre ledict voyage à leur pouvoir » (t. III, liv. VII, chap. v, p. 35).

38. Un premier emprunt de « cent mil francs » à la banque gênoise de Sauli sera suivi de plusieurs autres dont celui de « cinquante mil ducatz à ung marchant de Millan » et pour lequel Commynes se lia personnellement pour une somme de « six mil ducatz », sans intérêts, ainsi qu'il le précise *(ibid.).* On devra même engager les « bagues » de madame de Savoye *(ibid.,* chap. vi, p. 36) et celles de la marquise de Montferrat *(ibid.,* p. 37).

39. « ... Vienne [...] en Daulphiné, le XXIIIᵉ jour d'aoust, l'an M CCCC IIIˣˣ XIIIᵉ » (t. III, liv. VII, chap. i, p. 1).

40. De lui, Commynes écrira au moment du conseil de guerre tenu en Italie par Charles VIII, qu'il parlait « comme [...] homme qui savoit pou à parler de tel cas et qui ne s'y congnoissoit ; » (t. III, liv. VIII, chap. ix, p. 173).

et Etienne de Vesc [41] qui depuis longtemps y poussaient le
roi — sans mérite d'ailleurs, vu son jeune âge et son caractère influençable — n'étaient que « deux hommes de petit estat
et qui de nulle chose n'avoient esperiance » (t. III, liv. VII,
chap. v, p. 33) ; que, de plus — et Commynes y insiste —
motivait d'abord leur intérêt personnel [42]. Aussi le mémorialiste
a-t-il du mal à admettre qu'« ilz furent cause de donner grant
honneur et grant gloire à leur maistre » (t. III, liv. VII, chap. I,
p. 3) ; mais tout, dans cette expédition d'Italie, ne se déroule-
t-il pas en dépit du bon sens ?

C'est ainsi que jusqu'à la dernière minute on ignorera
si le départ aurait lieu : « l'ung des jours estoit l'alée rompue,
l'aultre renouée » (t. III, liv. VII, chap. v, p. 35 [43]) ; il y aura
même des volte-face spectaculaires [44]. Puis l'armée finira par
se mettre en route. Quelle armée ! Commynes n'en revient pas,
lui qui en a vu plus d'une [45] — pas plus qu'il ne reviendra du

41. Ce dernier surtout ; « varlet de chambre » de Charles VIII depuis
    l' « enffance » — rôle qu'il remplissoit « très bien » de préciser non
    sans arrière-pensée le mémorialiste qui a déjà prévenu son lecteur
    du fait qu'Etienne de Vesc « jamais n'avoit veü ne entendu nulle
    chose » (t. III, liv. VII, chap. I, p. 2) — c'est « journellement »
    (ibid., p. 8) qu'il « nourrissoit son maistre en ce langaige » (ibid.,
    p. 6). Etienne de Vesc dont Commynes dira ailleurs : « ... et avoit
    cestuy-là plus de fetz qu'il ne pouvoit ne n'eust sceü porter » (t. III,
    liv. VIII, chap. I, p. 136).
42. Cf. t. III, liv. VII, chap. I, p. 2 et 5 ; chap. III, p. 20 et 22 ; chap. v,
    p. 36, etc. Il y revient alors que l'expédition est en cours ; ainsi au
    tout début du livre VIII (chap. I, p. 134), il signale que si le roi
    ne pense « que à passer temps », « d'aultres » par contre ne son-
    gent qu' « à prendre et à proufiter ». Et d'ajouter le mémorialiste,
    eux n'ont pas l'excuse de l'âge...
43. Une fois en route on crut également que l'armée rebrousserait
    chemin. Commynes reconnaît y avoir pensé lui aussi (t. III, liv. VII,
    chap. VI, p. 46-47).
44. Celle de Briçonnet, par exemple, à qui « le sens faillit voyant que
    tout homme saige et raisonnable blasmoit l'alée du roy de par
    delà » (t. III, liv. VII, chap. v, p. 34). Jusqu'au dernier moment,
    on doutera que le roi fasse le voyage (ibid., p. 29 et chap. III, p. 23).
45. Cf. t. III, liv. VIII, chap. x, p. 177.

manque de jugement dont feront preuve au cours du voyage
les conseillers du roi [46] — : sa seule qualité est de former « une
gaillarde compaignée, playne de jeunes gentilz hommes », qualité discutable d'ailleurs, comme l'indique la clausule restrictive
« mais en peu d'obéissance » (t. III, liv. VIII, chap. I, p. 3 [47]).
Les ennemis auxquels il lui faudra faire face — y pensait-on
seulement [48] ? — étaient, au contraire, « tenuz très saiges et
experimentéz au faict de la guerre » (t. III, liv. VII, chap. V,
p. 33 [49]), riches de surcroît ; le roi Louis XI lui-même aurait
évité de les attaquer. Quant à la flotte fraîchement équipée et
confiée à monsieur d'Orléans, le mémorialiste se rend vite
compte de son inutilité, donc du gaspillage qu'elle représente [50].

Aussi une constatation, la seule possible devant tant d'in-
conséquence, s'impose-t-elle bientôt et avec force à son esprit :

Ainsi *fault conclure* que ce voyage fut conduict de Dieu
tant à l'aller que au tourner (t. III, liv. VII, chap. I, p. 3).

Constatation qui, tout au long de son récit, se transformera en
un véritable leitmotiv appuyé occasionnellement sur les pré-

46. Ainsi, au moment des événements de Gênes (juin-juillet 1945) :
    « Et *m'esbays* comment il est possible que ung si jeune roy n'avoit
    quelzques bons serviteurs qui luy osassent avoir dict le peril en
    quoy il se mectoit » (t. III, liv. VIII, chap. V, p. 153. C'est nous
    qui soulignons).

47. Le mémorialiste rend hommage à sa résistance cependant, au
    moment de la retraite française : « ... jamais je ne oys homme se
    plaindre [...] et si fut le plus penible voyage que je veiz jamais en
    ma vie » (t. III, liv. VIII, chap. XIV, p. 210).

48. Commynes en doute si l'on en croit ce commentaire : « ... toute
    [l]a compaignée estoient jeunes gens et ne croyoient point qu'ilz
    fussent nulz aultres gens qui portassent armes » (t. III, liv. VIII,
    chap. II, p. 141).

49. La preuve en a été faite à Fornoue. Commynes se plaît à répéter
    qu'ils y « avoient ordonné leur bataille si très bien que myeulx on
    ne sauroit dire » (t. III, liv. VIII, chap. X, p. 178). Cf. également
    p. 177 et p. 182.

50. Cf. t. III, liv. VII, chap. V, p. 32 et chap. XII, p. 72.

dictions de Savonarole [51] et ne pouvant que mettre en évidence
l'incapacité de Charles VIII [52] — « il n'estoit pourveü ne de
sens ne d'argent ne de aultre chose necessaire à telle emprise ;
et si en vint bien moyennant la grace de Dieu, qui clerement le
donna à congnoistre » (t. III, liv. VII, chap. v, p. 32-33 [53]) —
devenu simple instrument entre les mains divines ; mais révé-
lant peut-être surtout, du moins au lecteur attentif, le soulage-
ment de Commynes devant une solution acceptable à l'absurde
de la situation qu'il vient de vivre : on peut donc pleinement
réussir sans posséder cette « saigesse » dont dépendit pourtant

51. « Et sembloit bien, *et m'en souvint,* que frère Jheronime m'avoit
     dit vray que Dieu le conduist par la main et qu'il auroit de l'afaire
     ou chemin, mais que l'honneur luy en demeureroit » (t. III, liv. VIII,
     chap. x, p. 176). Cf. aussi : chap. iii, p. 144-145 ; chap. v, p. 155 ;
     chap. xi, p. 184 ; chap. xii, p. 195 ; chap. xiii, p. 202 ; chap. xiv,
     p. 209. Notons bien le « et m'en souvint » significatif du fait que
     les prédictions de Savonarole ne font que confirmer la découverte
     du mémorialiste.
52. Rencontre-t-il peu d'obstacles sur sa route ? C'est uniquement que
     le « Maistre des seigneurs s'en mesloit... » (t. III, liv. VII, chap. xii,
     p. 74). Ses gens réussissent-ils à s'emparer du château de Naples ?
     « [C]este grant euvre ne l'avoient point faict d'eulx ; mais fut vray
     euvre de Dieu... » (t. III, liv. VII, chap. xvii, p. 102). Celui-ci
     empêche plus d'une fois l'armée de se démanteler (t. III, liv. VII,
     chap. ix, p. 52 ; chap. xi, p. 70, etc.), « garde » le roi à Fornoue
     (t. III, liv. VIII, chap. xi, p. 183), partout « ost[e] le sens [à ses]
     ennemys » (t. III, liv. VIII, chap. viii, p. 166) qui en deviennent
     si « aveuglez et abestiz, qu'ilz ne deffendoient ce pas » (t. III,
     liv. VIII, chap. v, p. 155), « guyde » enfin le retour comme il avait
     « guydé » [le ...] venir ... » (t. III, liv. VIII, chap. xiii, p. 203). Et
     si les choses vont moins bien, « sembloit que Dieu laissoit de tous
     pointz à faire la grace au roy qu'il luy avoit faict à l'aller » (t. III,
     liv. VIII, chap. xx, p. 256).
53. « ... se peult veoir, dès le commencement de l'entreprise de ce
     voyage, que c'estoit chose impossible aux gens qui le guidoient, s'il
     ne fust venu de *Dieu* seul, *qui vouloit faire son commissaire de ce
     jeune roy* bon, si pouvrement pourveü et conduict, *pour chastier*
     roys si saiges [notons au passage — et nous y reviendrons — qu'il
     vient d'être question de la méchanceté des Aragonais de Naples]
     et si experimentéz [...] qui veoïent venir ce fetz sur eulx de si
     loing, qui jamais n'y sceürent pourvoir ne resister en nul lieu... »
     (t. III, liv. VII, chap. xiv, p. 81. C'est nous qui soulignons).

l'essentiel des succès de Louis XI et qui fut sa marque indiscutable de supériorité sur les autres princes [54] ! À moins que ce leitmotiv presque lancinant n'indique plutôt une angoisse si profonde que, par ce biais, elle cherche à se fuir ?

*   *   *

Ainsi deux portraits encadrent celui du roi et contribuent à le mettre en valeur : d'une part le Téméraire, en prince « fol » qui se détruit lui-même, d'autre part, un prince incapable qui a bien failli cependant ne pas être Charles VIII [55]. Car si le Triptyque n'existe vraiment qu'avec les livres VII et VIII qui complètent les *Mémoires,* il se trouvait déjà en puissance dans les six premiers. N'est-ce pas en effet une esquisse de prince « poy entendu » que le portrait du roi Édouard d'Angleterre ? Et ses succès ne sont-ils pas dus plus à la « fortune [56] » ou

54. Comment Commynes ne se serait-il pas scandalisé en effet de la conduite des Français allés en Italie « avecques des esperons de boys et de la craye en la main des fourriers pour marcher leurs logis, sans aultre peyne » ? (t. III, liv. VII, chap. XIV, p. 81).

55. Nous sommes convaincue que Commynes ne s'en prend pas plus à l'individu Charles VIII qu'il ne s'attaque à l'homme surnommé le Téméraire. Ce qui l'intéresse seulement, c'est le type de prince qu'il représente. Nous n'en voulons pour preuve que l'excuse de l'âge qu'il trouve volontiers au roi (cf. t. III, liv. VII, chap. V, p. 33), ce commentaire particulièrement révélateur aussi et bien qu'il soit sans doute, comme le signale J. Calmette, postérieur à la rédaction primitive : « Mais Dieu nous avoit faict ce que me dist frère Jheronime : l'honneur nous estoit demouré ; car, veü le peu de sens et d'ordre qui estoit parmy nous, tant de bien ne nous estoit point deü, car nous n'en eussions sceü user pour lors ; *mais je croy que si, à cette heure, qui est l'an M CCCC IIII*ˣˣ *XVII, ung tel bien advenoit au roy, il en sçauroit myeulx ordonner* » (t. III, liv. VIII, chap. XII, p. 195. C'est nous qui soulignons). Notons en passant le « nous » de « nous n'en eussions sceü user pour lors » qui se réfère discrètement à Charles VIII.

56. « Il a esté roy *bien fortuné* en ses batailles, car neuf grosses batailles pour le moins en a gaigné, et toutes à pied » (t. I, liv. III, chap. IV, p. 193. C'est nous qui soulignons). Jean Dufournet a montré que systématiquement Commynes lui en diminue le mérite (cf. *la Destruc-*

à sa vaillance — mais que vaut aux yeux de Commynes une
vaillance qui n'est que « très grande espèce de follie » (t. I,
liv. III, chap. v, p. 197 ?) — qu'à son « sens [57] » ? Que le
mémorialiste ait fini par lui préférer Charles VIII n'y change
rien et ne devrait pas nous surprendre : alors que le portrait
d'Édouard IV n'appelait que des conclusions de saine logique
— l'incapacité du prince rejaillit sur tout son peuple qu'elle
maintient dans la médiocrité quand elle ne le conduit pas au
désastre [58] — celui de Charles VIII lui en apportait, par
l'absurde, la confirmation éclatante, mais lui fournissait peut-
être surtout, et nous y reviendrons, la pièce manquante à sa
vision du monde.

Comment n'imputer qu'au hasard le fait que l'un des
passages où Commynes cite à la fois Louis XI, le duc de
Bourgogne et le roi Édouard, en précisant que « ces trois
seigneurs ont vescu d'ung temps grandz », soit immédiatement
suivi d'une digression au cours de laquelle il déclare ne « garde[r] point l'ordre d'escrire qui sont les hystoires [...] mais
seulement [...] di[re] ce qu['il a] veü et sceü ou ouy dire
aux princes [qu'il] nomme » (t. I, liv. III, chap. IV, p. 190) ;
le fait aussi que c'est au cours d'une leçon — sur l'importance
pour un prince de savoir choisir et écouter ses conseillers
— qu'il les réunit pour la première fois (t. I, liv. I, chap. XII,
p. 79). Hasard si l'on veut, mais hasard qui ne peut qu'être
significatif. Et sans aller jusqu'à prétendre que Commynes,
de façon consciente et dès ce moment, ait songé au Triptyque
tel que nous l'envisageons, nous croyons pouvoir affirmer que
l'idée tout au moins d'une comparaison entre les trois princes
l'a effleuré, ne fût-ce qu'un instant. D'autant qu'alors — nous

tion des mythes..., p. 506-507). Ne se trouve-t-il pas fournir un
argument en faveur de notre thèse : ce que veut le mémorialiste,
c'est faire le portrait d'un prince incompétent.

57. Ainsi, précise le mémorialiste, les « huict ou neuf » batailles gagnées
n'étaient que « différentz courtz, où il ne falloit point que le sens
dudict roy Edouard travaillast » (t. II, liv. VI, chap. I, p. 239-240.
C'est nous qui soulignons).

58. « ..en ung pays [...] d'ung prince peu entendu [...] procèdent tous
aultres maulx » (t. I, liv. II, chap. VI, p. 130-131).

sommes au livre III — il commençait à pressentir la portée didactique de ce qu'il écrivait et ne pouvait vraisemblablement plus ignorer le parallèle Charles le Téméraire/Louis XI qui s'y établissait peu à peu. Sinon pourquoi le roi d'Angleterre aurait-il eu droit lui aussi à un rapprochement avec Louis XI ? Rapprochement, bien sûr à son détriment : le « sens et vertu » de celui-ci « preced[ant] » le sien (t. II, liv. VI, chap. I, p. 239).

La supériorité du roi de France n'a-t-elle pas justement consisté en une excellente connaissance du tempérament superficiel et jouisseur de son adversaire [59] ? À la lucidité de Louis XI qui a vite fait de démêler les motifs de sa venue en France [60], d'en mesurer les dangers et de prendre des moyens humiliants même en apparence [61] pour le faire repartir, Édouard IV n'oppose qu'une incroyable naïveté, se contentant comme de hochets — lui qui pourtant venait demander rien de moins que la couronne [62] ! — de satisfactions à court terme : des

59. « ... le roy avoit bonne congnoissance de la personne du roy d'Angleterre, lequel aymoit fort ses plaisirs et ses aises » (t. II, liv. IV, chap. VIII, p. 48).

60. « ... *ledict seigneur savoit bien que,* à toute heure les Anglois, tant nobles que commune et gens d'eglise, sont enclins à la guerre contre ce royaulme, tant soubz couleur de leurs querelles qu'ils y pretendent que pour l'esperance de y gaigner... » (t. II, liv. VI, chap. I, p. 240). Motifs de gain chez toute une nation donc, héréditaires en outre, auxquels s'ajoutaient pour le roi Édouard « la presse que lui faisoit le duc de Bourgongne » et son désir « de reserver une bonne grosse somme d'argent de celluy qu'il levoit en Angleterre pour faire ce passaige » (t. II, liv. IV, chap. XI, p. 76). Aussi « ... *sentoit bien le roy nostre maistre* ledit roy d'Angleterre et ses prochains estre assez enclins à entretenir la paix et à prendre de ses biens » (t. II, liv. VI, chap. I, p. 241. C'est nous qui soulignons).

61. Commynes craint du moins qu'on ne le juge ainsi : « Je croy que à plusieurs pourroit sembler que le roy se humilioit trop. Mais les saiges pourroient bien juger par mes parolles precedentes que ce royaume estoit en grant dang:er si Dieu n'y eust mis la main. Lequel disposa le sens de nostre roy à eslire saige party... » (t. II, liv. IV, chap. VII, p. 45).

62. Cf. t. II, liv. IV, chap. VIII, p. 46.

présents, une pension — « eulx l'appeloyent tribut » (t. II,
liv. VI, chap. i, p. 241 [63]), commente le mémorialiste dont on
devine le sourire —, que Louis XI finira pas cesser de payer,
et une promesse de mariage qui ne sera pas tenue entre sa
fille aînée et le dauphin. « Et s'en retourna très dilligemment »
(t. II, liv. IV, chap. xi, p. 77), écrit Commynes sans juger
bon d'ajouter aux conclusions qu'inévitablement son lecteur
est amené à tirer !

Aussi le roi Édouard n'était-il « point complexionné pour
porter le travail qui seroit necessaire [...] à faire conqueste en
France » *(ibid.)* : il manquait de subtilité et allait « grossement
en besongne » (t. II, liv. IV, chap. vi, p. 37 [64]). Comment
aurait-il entendu les « affaires de deça » (t. II, liv. VI, chap. i,
p. 240) et « les dissimulations dont on use » (t. II, liv. IV,
chap. vi, p. 371), lui qui comprenait si mal celles d'Angleterre ?
Qu'attendre d'ailleurs d'un prince « pesant et qui fort aymoit
ses plaisirs » (t. II, liv. VI, chap. i, p. 245) — il avait, précise
Commynes, « le personnaige propice à ce faire » — à qui
« rien ne [...] en challoit » que la chasse, les dames et la bonne
chère (t. I, liv. III, chap. v, p. 203) et qu' « amollissoyent »
(t. II, liv. VI, chap. i, p. 246) quelques mille écus ? Qu'attendre enfin d'un prince « point homme de grant ordre » (t. I,
liv. III, chap. v, p. 197), qui dédaignait les conseils [65] et que
Warwick qui le connaissait bien trouvait « ung peu simple »
(t. I, liv. III, chap. iv, p. 193) ?

*   *   *

Le « sens », voilà l'étalon-valeur pour Commynes ! Le
« sens », c'est-à-dire la lucidité appuyée autant que possible

63. Cf. aussi, *ibid.*, ch. viii, p. 304 et liv. V, chap. xx, p. 231.
64. Cf. aussi, chap. ix, p. 60.
65. C'est ainsi qu'il néglige ceux que lui donne, au sujet de Warwick,
    son allié le Téméraire *(ibid.)*, ceux également de « la commune »
    et de certains membres de son conseil pourtant « sages personnages
    et qui veoyent loing » concernant Marie de Bourgogne (t. II, liv. VI,
    chap. i, p. 245).

sur l'expérience et entraînant, cela va de soi, efficacité ou
« vertu ». Quelle meilleure manière de départager les princes
ou les grands en général ? D'une part, ceux qui en sont dé-
pourvus, les « poy entendu[z] » que leur « bestialité » seule
conduit, soit leur ignorance et leur goût du plaisir, responsables,
avec leur préférence pour des conseillers incompétents ou
intéressés qui les flattent, de leur incapacité politique : Édouard
IV d'Angleterre en est une bonne ébauche et Charles VIII,
le portrait type auquel contribuent de quelques traits tous les
princes faibles que mettent en scène les *Mémoires,* François II
de Bretagne [66] et Charles de France [67], par exemple, d'ailleurs
immortalisés par Commynes en guerriers de comédie [68], ou
encore le piètre Jean-Galéas Sforza [69], sa mère, Bonne de
Savoie [70] à qui il doit de n'être « guère saige » — car aux
femmes aussi peut manquer le « sens » — et le médiocre
Louis d'Orléans, futur Louis XII [71].

D'autre part, ceux « qui ont sens assez et experience »,
mais qui, poussés et aveuglés par leur « mauvaistié », « en
veulent mal user » (t. II, liv. V, chap. VIII, p. 121 et 123) :

66. Qui cède à son conseiller Odet d'Aydie, seigneur de Lescun, le
    véritable gouvernement de son duché. Cf. t. I, liv. I, chap. XVI,
    p. 92 et liv. III, chap. II, p. 182.
67. « ... homme qui peu ou riens faisoit de luy, mais en toutes choses
    estoit manyé et conduyt par autres... » (t. I, liv. II, chap. XV, p. 170).
68. Lors de la marche sur Paris de l'armée du Bien public, ils « che-
    vauchoient sur petites haquenées, à leur ayse, arméz de petites
    brigandines fort legières », leur cotte d'arme, n'étant, aux dires
    d'« aucuns [...] que petiz clouz doréz par dessus le satin, pour
    moins leur peser » (t. I, liv. I, chap. VI, p. 49-50). Et quand
    Commynes les voit armés, il précise : « ... arrivèrent les ducs de
    Berey et de Bretaigne, *que jamais ne vey arméz que ce jour* » (t. I,
    liv. I, chap. XI, p. 72. C'est nous qui soulignons).
69. Incapable de résister à l'ambitieux Ludovic le More qui abuse de
    lui. Tout au plus peut-il répéter ce que lui souffle sa femme (t. III,
    liv. VII, chap. II, p. 13 et 15).
70. Femme de « petit sens » à qui « plus grant plaisir » on ne pouvait
    faire « que de non luy parler de riens ». Aussi se laisse-t-elle mettre
    en tutelle par tous ceux qui l'approchent (*ibid.*).
71. « ... homme jeune et beau personnaige, mais aymant son plaisir »
    (t. III, liv. VII, chap. V, p. 31).

définition, nous l'avons vu, qu'illustre bien le destin du Téméraire, qui convient également aux Aragonais de Naples [72] et
à Richard III d'Angleterre [73] ; des uns et des autres, la liste
d'ailleurs serait longue, même en mettant de côté les « incen-
séz [74] » à qui cependant « on ne [...] doit riens reprocher »
(t. II, liv. VI, chap. III, p. 262). Les « saiges [75] » enfin, dont
par contre le tour est vite complété puisqu' « il en est peu »
(t. II, liv. V, chap. XIX, p. 224). Mais ceux-là — quelques
noms seulement dans les *Mémoires,* dont le roi Mathias de
Hongrie [76], du moins avant qu'il ne devînt cruel, ou encore
le Turc Mahomet II [77] et, bien sûr, Louis XI [78] « sont bien

72. Dont Commynes rapporte en détail les nombreux crimes. Cf. t. III,
liv. VII, chap. XIII et suiv., p. 76 et suiv.

73. Que Louis XI jugeait « très cruel et mauvais ». N'avait-il pas tué ou
fait tuer le roi Henri VI, ses neveux, peut-être sa femme, le duc de
Buckingham aussi ? Et déclaré bâtardes ses nièces ? (Cf. t. I, p. 53
et 216 ; t. II, p. 233, 235 et 305.)

74. Ce « bon homme le roy Henry », par exemple (t I, liv. III, chap. VII,
p.216), qu'ailleurs le mémorialiste désigne comme le « filz insensé »
d'Henri V (t. I, liv. III, chap. III, p. 24).

75. Les « saiges saiges », faudrait-il préciser, car le mot chez Commynes
— nous l'avons déjà signalé — ne manque pas d'ambiguïté, dépourvu qu'il est, la plupart du temps, de toute connotation morale ;
ainsi sont « saiges », les princes de Naples dont la « mauvaistié »
était pourtant notoire.

76. « ... des plus vaillans hommes qui ayent esté de son temps [...]
Il estoit roy qui gouvernoit aussi saigement ses affaires en temps
de paix comme en temps de guerre. » Aussi ne s'en remettait-il pas
aux autres pour diriger l'État : « Toutes choses despechoit de soy
ou par son commandement » (t. II, liv. VI, chap. XII, p. 337).

77. « ... a esté saige et vaillant prince, plus usant de sens et de cautelle
que de valleur ne hardiesse ». Notons au passage que dans l'échelle
des valeurs commyniennes « sens » et « cautelle » sont placés plus
haut que « valleur » et « hardiesse » (*ibid.*, p. 337-338).

78. Le Turc, « [L]a plupart de ses œuvres les conduysoit de luy et de
son sens. Si faisoit nostre roy et aussi le roy de Hongrie ; *et ont
esté les trois plus grans hommes qui ayent regné depuis cent ans »*
(*ibid.*, p. 339. C'est nous qui soulignons). Madame de Savoye
également qui, « très saige », savait « temporiser » — mais n'était-
elle pas « vraye sœur du roy » ? (T. II, liv. V, chap. II, p. 113-114
et chap. IV, p. 127.)

à louer et leurs subjectz bien heureux d'avoir tel prince »
(t. II, liv. VI, chap. III, p. 262).

Car « ce qui [...] faict tant blasmer » les « folz » qui
s'agitent en vain dans une sorte d'enfer d'inefficacité et d'échecs
comme aux façades de certaines cathédrales, les damnés des
tympans, « c'est la grant charge et grand office que Dieu leur
a donné en ce monde » *(ibid.).* Lourde responsabilité en effet
que d'être prince et qui s'ajoute à celle, non moindre aux yeux
du moraliste que devient de plus en plus Commynes, de « bien
faire l'homme ». Aussi ne saurait-il trop s'en prendre aux
défauts et aux vices [79] qui, tout en gênant le prince dans son
rôle, détruisent en même temps chez lui, l'homme : à l'indo-
lence, par exemple, du comte de Montpensier qui « ne se
levoit qu'il ne fust mydi » (t. III, liv. VIII, chap. I, p. 136) —
faut-il alors s'étonner qu'il n'ait pu garder Atella dont la chute
occasionne sa captivité et sa mort (t. III, liv. VIII, chap. XXI,
p. 267-268) ? — ; au manque de jugement du comte de
Saint-Pol, incapable de fuir à temps et qui pourtant joue ses
biens et sa tête (t. II, liv. IV, chap. XI, p. 74) ; à la naïveté
de l'évêque de Liège, « homme de bonne chère et de plaisir,
peu congnoissant ce qui luy estoit bon ou contraire » (t. II,
liv. V, chap. XI, p. 196) qui finit par périr de la main de celui
à qui il avait sottement accordé sa confiance ; à la cruauté
d'Alphonse de Naples puni par des terreurs qui l'amènent à
abdiquer et à se réfugier dans un couvent (t. III, liv. VII,
chap. XIV, p. 84) ; au parjure de Ladislas de Hongrie (t. II,
liv. VI, chap. XII, p. 335-336), cause de sa mort par empoi-
sonnement ; à l'incurie de Sigismond d'Autriche qui devra la
payer « à la vieillesse » (t. II, liv. VI, chap. III, p. 261), aux
excès fatals d'Édouard IV (t. II, liv. VI, chap. XII, p. 334 [80]),

---

79. Pour Commynes, répétons-le, l'individu ne compte qu'à titre d'illustration concrète de telle ou telle faiblesse. Nous l'avons déjà signalé
à propos du Téméraire et de Charles VIII.

80. Dont Commynes impute aussi la mort au chagrin qu'il eut à la
nouvelle du mariage du dauphin avec Marguerite d'Autriche, donc
indirectement à son incapacité (t. II, liv. V, chap. XX, p. 231 et liv.
VI, chap. VIII, p. 304).

à l'avarice stérilisante de Frédéric III (t. II, liv. VI, chap. ii, p. 255), etc. À la méfiance enfin des uns pour les autres [81], cette « maladie cachée qui règne ès maisons des grans princes, dont maint mal advient tant à leurs personnes que à leurs serviteurs et subjectz » (t. III, liv. VIII, chap. xx, p. 259-260). Tous défauts ou vices relevant soit d'un manque de « sens », soit de sa mauvaise utilisation et qui, dans les *Mémoires,* servent d'arrière-plan aux principaux portraits du Triptyque, celui de Louis XI et celui de Commynes lui-même.

81. Des pères envers leur fils entre autres et sur laquelle Commynes insiste tout particulièrement. Ex. : celle de Charles VII envers le dauphin Louis et qui finit par se laisser mourir de faim (t. II, liv. VI, chap. vi, p. 283).

2

Au panneau central :
Louis XI, prince «saige»

— Louis XI et le Téméraire « en tout estoient differentz ». — « Le roy en sens le passoit de trop. » — Le Prince : « Louis XI revu et corrigé. » — *Le Roi se meurt.* — L'homme propose, Dieu dispose.

« ... nostre roy [...] sans nulle doubte, c'estoit ung des plus saiges princes et des plus subtilz qui ayt regné en son temps » (t. II, liv. V, chap. XIII, p. 171), écrit Commynes d'un ton sans réplique, du ton de celui qui a été particulièrement à même d'en juger. Et le compliment n'est pas mince, si l'on songe que le mémorialiste assure avoir

« ... eu autant de congnoissance de grans princes et autant de communication avecques eulx que nul homme qui ait regné en France de [s]on temps, tant de ceulx qui ont regné en ce royaulme que en Bretaigne et en ces parties de Flandres, en Allemaigne, Angleterre, Espaigne, Portugal et Italie, tant seigneurs temporelz que spirituelz... » *(Prologue,* t. I, p. 2).

N'a-t-il pas « veü et congneü la meilleure part de Europe »
(t. II, liv. V, chap. ix, p. 156), « l'espace de dix huit ans ou
plus » (t. I, liv. II, chap. vi, p. 128) ? Aussi est-ce de droit
qu'à ses yeux Louis XI occupe le panneau central du Triptyque.
Mais si la « saigesse » qui lui vaut cet honneur est facile à
démontrer — ses « œuvres » ne la prouvent-elles pas [1] ? Et en
toutes choses, n'est-ce pas justement le résultat qui compte ? —
c'est en la comparant à la « follie » de Charles le Téméraire
qu'elle éclatera avec le plus d'évidence. Il n'y a d'ailleurs
qu'à les mettre en parallèle au fil des événements ! Et lorsqu'au
livre cinquième, le mémorialiste déclarera qu'« en tout » les
deux princes « estoient differentz » (t. II, chap. vii, p. 146),
tout au plus fait-il la synthèse des nombreux et inévitables
rapprochements effectués.

Très tôt en effet, avant même qu'il lui soit donné de le
rencontrer personnellement, Commynes mesurera la supériorité
du roi. Celui-ci s'impose dès Montlhéry où, par personne inter-
posée d'abord, il fait déjà figure de prince « saige » : alors que
du « costé des Bourguygnons » on était « sans ordre et sans
commandement », « [c]eulx de la part du roy [...] tous archiers
d'ordonnance — et l'on sait tout le bien que pense le mémorialiste des archers —, orfaveriséz » avançaient « bien empoint » sous la conduite de Poncet de Rivière (t. I, liv. I,
chap. iii, p. 25 et 26 [2]). Louis XI paraît-il un peu plus tard ?
Sa seule présence réconforte l'armée pourtant moins importante numériquement que la « bende » — notons le mot au
passage (t. I, liv. I, chap. iv, p. 33 [3]) — bourguignonne. Et si

1.   Cf. t. I, liv. III, chap. iii, p. 190 et t. II, liv. IV, chap. vii, p. 41.
2.   Commynes insiste abondamment sur le désordre de l'armée bour-
     guignonne (cf. p. 23-27), désordre qu'il impute implicitement au
     manque d'organisation du comte de Charolais. Comment mieux
     dégager les qualités de chef qu'il découvre chez le roi ?
3.   Bien que le mot « bende » soit quelquefois utilisé dans une accep-
     tion neutre, comme lorsque Commynes (t. I, liv. II, chap. vii,
     p. 127) s'en sert pour parler des princes venus à Péronne alors que
     le roi y entrait, il est souvent associé à l'idée de désordre. Ainsi
     dans la description des Liégeois lors des événements de 1466 :
     « ... se departoyent par bendes et en desordre, comme peuple mal
     conduyt » (t. I, liv. II, chap. i, p. 98). Ce dernier exemple ressemble

Commynes a pu croire un moment que, de tous les princes, le comte de Charolais « fust le plus grant », c'est qu'il était très jeune à l'époque et donc totalement dépourvu d'expérience [4] !

Celle-ci lui vient vite cependant, en grande partie grâce au maître qu'il se choisit graduellement avec toute la disponibilité d'une intelligence ouverte à l'observation et au jugement critique ; véritable maître à vivre et à penser qu'il choisit d'autant mieux que Charles l'y pousse par ses actes de plus en plus inconsidérés. Non sans que le mémorialiste le regrette d'ailleurs ! Une phrase des *Mémoires* — phrase dont la portée, soit dit en passant, semble avoir échappé aux critiques — est révélatrice à ce sujet. Commynes y commente la conduite du duc lors des opérations conjointes d'octobre 1468 contre Liège :

> ... à la verité il ne tint point [...] si bonne contenance que *beaucoup de ses gens eussent voulu* pour ce que le roy y estoit present (t. I, liv. II, chap. XI, p. 152 [5]).

Mais « d'ung fol ne fist jamais homme son proufsit » (t. I, liv. I, chap. IX, p. 66), n'est-ce pas ? Et l'on ne peut blâmer

d'ailleurs à celui qui nous occupe ici en ce sens qu'il s'appuie aussi sur une comparaison, en l'occurrence avec l'armée bourguignonne assemblée, cette fois, en « batailles bien ordonnées ».

4. « ... me trouvay tousjours ce jour avecques luy, ayant moins de crainte que je n'euz jamais en lieu où je me trouvasse depuis, pour la jeunesse en quoy j'estoye et que n'avoye nulle congnoissance du peril ; mais estoye eshabi comme nul se osoit deffendre contre ce prince à qui j'estoye, en estimant que ce fust le plus grant de tous les autres. *Ainsi sont gens qui n'ont point d'experience, dont vient qu'ilz soustiennent assez d'arguz mal fondéz et à peu de raison...* » (t. I, liv. I, chap. III, p. 28). C'est nous qui soulignons.

5. C'est nous qui soulignons. Ajoutons que cette réflexion est d'autant plus intéressante qu'elle est suivie immédiatement du récit de ce que fit alors le roi, puis, selon la technique commynienne, de la digression parallèle d'un nouveau commentaire à l'avantage de ce dernier : « Et print le roy parolles et auctorité de commander, et dist à mons^r le connestable : « Tirez avecques ce que vous avez de gens à tel endroit : car, s'ilz [les Liégeois] doyvent venir, c'est leur chemin. » *Et à oyr sa parolle et veoir sa contenance, sembloit bien roy de grant vertu, et qui autresfois se fust trouvé en telz affaires.* » (C'est nous qui soulignons.)

Commynes d'avoir compris la valeur de Louis XI au détriment
de celui qui involontairement contribuait à la lui faire discerner. Peut-être même faudrait-il l'admirer d'être demeuré si longtemps au service du Téméraire après les négociations de septembre 1465 entre le roi et les princes, négociations au cours
desquelles il avait pu évaluer sa propre cote sur le « marché »
diplomatique... Car ce n'est pas par hasard si le tour proverbial
cité plus haut s'inscrit dans une longue digression sur les dangers de ce genre d' « assemblées et communications », en particulier pour un prince « orguilleux » et surtout s'il a affaire à
un adversaire qui, comme Louis XI, « plus travailloit à gaigner
ung homme qui le povoit servir ou qui luy povoit nuyre »
(t. I, liv. I, chap. x, p. 67).

Pour Commynes, la guerre du Bien public n'oppose vraiment que le Bourguignon et le roi. Aussi est-ce sur eux qu'il
concentre son attention : n'est-ce pas « en eulx » que « la force
gisoit » (t. I, liv. I, chap. xii, p. 74) ? Et que retient-il de leur
rencontre d'alors ? Ce qui l'a frappé — sans doute par contraste
avec la colère irraisonnée et stérile de Charles dont, quelques
mois auparavant, à Lille, il avait été le témoin sévère — soit
l'habileté de Louis XI rappelant, sourire aux lèvres, à son
cousin, ses menaces à l'archevêque de Narbonne et s'appuyant
même sur le fait qu'il lui avait « tenu promesse, et encores
beaucoup plus tost » que promis, « beaucoup plus tost que le
bout de l'an » pour déclarer sa confiance en lui (ibid., p. 76).

Le mémorialiste est d'ailleurs bien préparé à admirer les
efforts du roi en vue d'éviter le « hazart [6] » de la guerre, lui
qui vient tout juste d'en vivre l'absurde ! Tout le récit de la
bataille de Montlhéry, on l'a dit et répété, reflète en effet cette
découverte. Découverte d'importance qui ne pouvait que l'amener à juger sans indulgence le comte de Charolais. Car que
retirait ce dernier de l'expérience ? Rien, sinon un désir accru
de conquêtes ! Et pas le moindre doute quant à l'issue du com-
bat ! Aussi est-ce spontanément que Commynes se rallie à la

---

6. T. I, liv. I, chap. ix, p. 60 et 65. Le thème est cher à Commynes
    qui y revient volontiers. Ainsi, par exemple, t. I, liv. II, chap. ii,
    p. 109 ; chap. iv, p. 121, etc.

politique pacifiste de Louis XI. Celui-ci ne se trouve-t-il pas en outre correspondre à une certaine image du Prince [7] qui s'esquissait déjà dans l'esprit du jeune chambellan ? Et juste au moment où cette image, encore floue — et négative, puisque faite surtout, sur le modèle du duc de Bourgogne, de ce qu'il ne devrait pas être — demandait à être précisée. Juste au moment aussi où, semble-t-il, Commynes a l'intuition d'une France agrandie et puissante [8].

*   *   *

Mais qu'avait donc Louis XI qui manquait à Charles le Téméraire ? Ce sans quoi « tout le demourant n'est riens » comprendra bientôt Commynes, c'est-à-dire « le très grant sens [9] » ; la « malice » également qui, aux yeux du mémorialiste, en fait indissociablement partie. Cette double qualité, que très tôt il juge essentielle au Prince, il la touche du doigt dans

7. Ainsi quand Louis XI arrive à Paris en août 1465, c'est « en l'estat que l'on doit venir pour réconforter peuple... » (t. I, liv. I, chap. VIII, p. 56).

8. Car comment interpréter autrement l'admiration enthousiaste du mémorialiste pour les armées des princes qui passent la Seine, les 4 et 5 août 1465 ? Bien que rebelles à Louis XI, elles paraissent prouver sa grandeur et celle du pays qu'il dirige : « ... se peult dire que toute la puissance du royaulme de France s'estoit veue passer par dessus ce pont, sauf ceulx qui estoient avecques le roy. Et vous asseure que c'estoit une belle et grande compaignye et grant nombre de gens de bien et bien empoint. Et devroit-on vouloir que les amys et bienveillants du royaulme l'eussent veu et qu'ilz en eussent eu l'estimation telle qu'il appartient ; et semblablement les ennemys, car il n'eust esté jamais heure qu'ilz n'en eussent plus crainct le roy et ledict royaulme » (t. I, liv. I, chap. VI, p. 48).

9. « Il [le duc de Bourgogne] avoit assez de hardement pour entreprendre toutes choses ; sa personne povoit assez porter le travail qui lui estoit necessaire ; il estoit assez puissant de gens et d'argent ; *mais il n'avoit point assez de sens ne de malice pour conduire ses entreprises, car, avecques les autres choses propices à faire conqueste, si le très grant sens n'y est, tout le demourant n'est riens [...] sans nulle doubte, le roy en sens le passoit de trop...* » (t. I, liv. III, chap. III, p. 189-190. C'est nous qui soulignons).

presque chacune des actions du roi. N'est-ce pas grâce à elle
que ce dernier l'emporte sur tous ses ennemis ? Elle constitue
sa force suprême, ne serait-ce que parce qu'elle lui permet
d'évaluer ceux-ci.

Qu'importe en effet leurs moyens réels ? La puissante
armée d'Édouard d'Angleterre, par exemple, venue prêter main
forte contre lui au duc de Bourgogne ? C'est sur un terrain
inattendu que Louis XI l'affrontera : celui de l'intelligence, de
l'adresse politique. Un terrain où, étant donné le manque de
finesse et le tempérament épicurien de l'adversaire, l'efficacité
royale est totale et — fait qui en augmente singulièrement la
valeur — sans qu'il en coûte au pays plus qu'un peu d'argent
et quelques promesses à lointaine échéance. Et s'il a pu arriver
à Commynes de mettre en doute la pertinence de certaines décisions du roi [10], comment n'aurait-il pas été conquis devant les
résultats obtenus ? Le récit qu'il donne de la manière dont, en
août 1475, fut célébrée l'entente survenue entre les deux
princes le prouve :

> Le roy envoya au roy d'Angleterre trois cens charriotz
> chargéz de vins des meilleurs que possible fut de trouver.
> *Et sembloit ce charroi presque ung ost aussi grant que*
> *celluy d'Angleterre* (t. II, liv. IV, chap. IX, p. 55).

La comparaison n'est évidemment pas gratuite. Pas davantage
d'ailleurs, la description qui suit des « deux grans tables » dont
Louis XI « a ordonné » l'installation « à l'entrée de la porte

---

10. Le mémorialiste n'avoue-t-il pas avoir été étonné par le choix du
roi d'« ung varlet » qui ne lui « sembloit [pas] de taille ne de façon
propice » à « entreprendre d'aller en l'ost du roy d'Angleterre en
habit de herault » ? (T. II, liv. IV, chap. VII, p. 41.) Et pourquoi
n'aurait-il pas aussi fait partie, ne fût-ce qu'un moment, des « Aucuns » qui, lors des négociations entre les deux rois « furent d'advis »
que l'offre anglaise de paix « n'estoit que une tromperie et une
dissimulation » ? Le commentaire suivant le donne à penser :
« Offroit le roy d'Angleterre, *qui estoit chose bien estrange,* de
nommer aucuns des personnaiges qu'il disoit estre trahistres au roy
et à sa couronne et de le monstrer par escript » (t. II, liv. IV, chap.
VII, p. 47. C'est nous qui soulignons).

de la ville [11] ». Elles révèlent combien le mémorialiste a été saisi [12] par le dérisoire soudain des effectifs militaires anglais, combien d'autant puissant lui est apparu le « sens » de Louis XI. Ne se trouvent-t-elles pas aussi forcer le lecteur à une admiration rétrospective, celle-là même qu'a dû éprouver Commynes, devant les « habiletés » du roi pour en arriver là ?

Car ce dernier n'avait rien épargné ! Ni les efforts afin de prolonger sa trêve avec le Téméraire et l'empêcher ainsi de rejoindre ses alliés [13]. Ni, quand celle-ci vient à « faillir », les « querelles [14] » de toutes sortes qu'il lui cherche : petites guerres « ès marches de Picardie » et « de Bourgongne » (ibid., p. 19 [15]), alliance de dix ans avec « les Suysses et les villes de

11. « ... chargées de toutes bonnes viandes qui font envie de boire, et de toutes sortes, et les vins les meilleurs dont on se povoit adviser, et les gens pour en servir. D'eaue, n'estoit point de nouvelles. A chascune de ces deux tables avoit fait seoir cinq ou six hommes de bonne maison, fort gros et gras, pour myeulx plaire à ceulx qui avoyent envye de boyre » (ibid.).

12. La preuve en est que Commynes prend la peine de répéter les paroles de Monsᵣ de Narbonne à l'un des Anglais qui commençaient à regretter l'entente survenue entre Louis XI et Édouard IV. Et pourquoi, sinon parce qu'elles mettent bien en évidence l'arme ridicule utilisée par le roi : « ... vous avyez si bon vouloir de retourner que six cens pippes de vin et une pension [...] vous ont renvoyés bien tost en Angleterre » (t. II, liv. IV, chap. xi, p. 79).

13. « Et se conduysoient de merveilleux marchéz durant ce siège [il s'agit du siège de Neuss], car le roy travailloit de faire paix avecques le duc de Bourgongne, ou, quoy que ce soit, d'allonger la trève, affin que les Angloys ne vinssent point » (t. II, liv. IV, chap. ii, p. 14). Notons le « quoy que ce soit » qui montre bien la détermination royale.

14. « ... povez entendre les querelles que le roy suscitoit secrettement audict duc de Bourgongne » (t. II, liv. IV, chap. ii, p. 17).

15. Les « querelles » en Picardie, Louis XI les fait par l'entremise du duc de Lorraine et de Georges de La Trémoïlle, sire de Craon (cf. t. II, liv. IV, chap. ii, p. 15-16). Mais c'est personnellement qu'il s'occupe de la Bourgogne où il prend d'assaut le château de Tronquoy, met le siège devant Corbie et obtient, après avoir envoyé parlementer, la reddition de Montdidier, puis celle de Roye, pour ensuite, poussé à continuer sur le conseil d'une amie (Mᵐᵉ de Brézé),

dessus le Ryn » (t. II, liv. IV, chap. II, p. 16 [16]), tentative
d'entente impliquant l'empereur d'Allemagne (t. II, liv. IV,
chap. III, p. 19-22). Et tous les moyens sont bons à Louis XI
qui doit mener son attaque sur plusieurs fronts à la fois : il
achète les lettres bretonnes destinées à l'Angleterre (t. II,
liv. IV, chap. I, p. 11), gagne à sa cause le hérault anglais
Jarretière (t. II, liv. IV, chap. V, p. 31-33), tire un parti en or
du prisonnier que lui retourne le roi Édouard [17], s'offre même
le superbe numéro comique qu'est la scène du « grant ostevent [18] ». C'est que très vite il a joué sur le velours ! N'a-t-il

anéantir « grant quantité » de villes « commençans vers Abbeville
jusques à Arras » (t. II, liv. IV, chap. III, p. 19).

16. « Ceste alliance », pour Commynes, « fut une des plus saiges
choses » que fit le roi, car elle contribua à la défaite du duc de
Bourgogne (t. II, liv. V, chap. I, p. 101).

17. Cf. t. II, liv. IV, chap. VII, p. 39-45.

18. Et si Commynes se donne la peine de la raconter avec force détails,
ce n'est que pour faire voir comment le procédé du roi, bien qu'in-
habituel, a atteint le but visé, soit de prouver hors de tout doute
au duc de Bourgogne par l'entremise du seigneur de Contay, la
duplicité de son soi-disant allié, le connétable de Saint-Pol. Relisons
une partie de cette scène ; le connétable vient de dépêcher à Louis
XI deux hommes, « ung gentilhomme appelé Loys de Civile [...]
et ung sien secretaire nommé Richier » : « Le roy feÿt mectre ledict
de Contay dedans ung grant ostevent et vieil, lequel estoit en sa
chambre, et moy avecques luy, affin qu'il entendist et peust faire
rapport à son maistre des parolles dont ledict connestable et ses
gens usoient dudict duc. Et le roy se vint seoir sur ung escabeau
rasibus dudict ostevent, affin que nous peüssions entendre les parolles que disoit Loys de Civille. Et avecques ledict seigneur n'y
avoit que monsr du Bouchaige. Ledict Loys de Ceville et son
compaignon commancèrent les parolles, disans que leur maistre les
avoit envoyéz devers le duc de Bourgongne et qu'il luy avoit faict
plusieurs remonstrances pour le desmouvoir de l'amytié des Angloys
et qu'ilz l'avoient trouvé en telle collère contre le roy d'Angleterre
que à peu qu'ilz ne l'avoient gaigné, non pas seullement à laisser
lesditz Angloys, mais à ayder à les destrousser en leur en retournant.
En disant ces parolles, pour cuyder complaire au roy, ledict Loys de
Ceville commença à contrefaire le duc de Bourgongne et à frapper
du pied contre terre et jurer sainct George et qu'il appelloit le roy
d'Angleterre Blayborgne, filz d'un archer qui portoit son nom, et
toutes les mocqueries que en ce monde il estoit possible dire

pas en fait désamorcé la « lettre de deffiance » du roi d'Angleterre au moment même où elle lui est remise ? Et avec quelle sagesse ! Aucune panique quand il la reçoit : il la lit, seul, « puis se
retir[e] en une garde robe tout fin seul » (t. II, liv. IV, chap. v,
p. 31). Sa réflexion porte fruit. Au messager d'Édouard, il
rappelle alors les véritables mobiles qui ont poussé ce dernier
à débarquer en France, soit les pressions conjointes des communes et du Téméraire ; il insiste sur la défection de celui-ci
qui ne songe qu'à son intérêt et auquel on ferait bien de ne pas
trop se fier. Les événements lui donnent ensuite raison : les
Anglais s'attendent que le comte de Saint-Pol les mette dans
Saint-Quentin ; ils y sont reçus par l'artillerie. Le duc les quitte
pour retourner à ses affaires et l'hiver qui commence leur fait
bientôt désirer la paix [19]. Aussi les arguments en faveur de
celle-ci seront-ils faciles à reprendre [20], vite convaincants également.

d'homme. Le roy rioit fort et luy disoit qu'il parlast hault et qu'il
commençoit à devenir ung peu sourt et qu'il le deïst encores une
fois. L'autre ne se faignoit pas et recommançoit encores de très
bon cueur. *Monr de Contay, qui estoit avecques moy en cest
ostevent, estoit le plus esbahy du monde, et n'eust jamais creü, pour
chose que on luy eüst sceü dire, ce qu'il oyoit »* (c'est nous qui
soulignons). Commentaire qui donne raison au roi d'avoir agi
comme il l'a fait et que le mémorialiste reprend un peu plus loin
sous une autre forme : « ... ledict de Contay estoit comme homme
sans pascience d'avoir ouy telle sorte de gens ainsi se mocquer de
son maistre et veü encores les traitéz qu'il menoit avecques luy ;
et luy tardoit bien que jà ne feüst à cheval, pour l'aller compter à
sondict maistre le duc de Bourgongne » (t. II, liv. IV, chap. viii,
p. 49-52).

19. « Les Angloys [...] sembloit bien, à les ouyr parler, que le cueur
leur tirast plus à la paix qu'à la guerre » (t. II, liv. IV, chap. vii,
p. 39).

20. Ceux, par exemple, que sert à Édouard IV le serviteur envoyé
comme hérault par Louis XI : « Aussi luy faisoit remonstrer le roy
que le duc de Bourgongne ne l'avoit point appellé, sinon pour en
cuyder faire ung meilleur appoinctement avecques le roy, sur l'occasion de sa venue ; et sy autres en y avoit qui y tinssent la main,
que ce n'estoit seullement que pour en amander leurs affaires et
tascher à leurs fins particulières. Et du fait du roy d'Angleterre ne
leur challoit au demourant comme il en allast, mais qu'ilz en

Et qu'importent ceux à qui « pourroit sembler que », dans toute cette affaire, « le roy se humilioit trop » (t. II, liv. IV, chap. vii, p. 45). « [C]eulx qui gaignent [n'ont-ils pas] tousjours l'honneur » (t. II, liv. V, chap. ix, p. 155) ? Comptent seulement le but atteint et l'efficacité des moyens utilisés. Or c'est d'un « grand dangier » que Louis XI a sauvé le royaulme et, répétons-le, à bien peu de frais.

> Et ne se doibt personne esbahir, à veoir les grans maulx que les Angloys ont faict en ce royaume, et de fresche date, si le roy travailloit et despendoit à les mectre dehors amyablement, affin qu'il les peüst encores tenir amys pour le temps advenir ou au moins qu'ilz ne luy feïssent point de guerre (t. II, liv. IV, chap. x, p. 69).

Il n'a donc que fait preuve de sagesse. Aussi avait-il « veü de leurs œuvres [...] et ne vouloit point qu'ilz retournassent » (t. II, liv. IV, chap. xi, p. 78 [21]).

Le manque d'orgueil de Louis XI attesté souvent par Commynes — « en humilité passoit tous aultres princes du monde » (t. II, liv. VI, chap. vi, p. 292) — n'est-il pas justement à la base même de son « grant sens » ? Ne lui permet-il pas en effet (contrairement au Téméraire qui lui, aurait pu écrire le mémorialiste, « de ce peché » était « entaché », t. I, liv. II, chap. iv, p. 121), de toujours demeurer en possession de ses moyens ? Car comment juger sainement lorsque l'on est

---

feïssent leurs besognes bonnes. Aussi luy faisoit remonstrer le temps et que jà s'approuchoit l'yver ; et qu'il sçavoit bien qu'il avoit fait grant despence et que il avoit plusieurs gens en Angleterre qui desiroient la guerre par deçà, tant nobles que marchans ; etc. » (*ibid.*, p. 43-44). Ceux également qu'utilise le roi pour rassurer les siens qui doutent de la bonne foi anglaise : « ... allegua la disposition du temps et la saison et qu'ilz n'avoient une seulle place qui fust à eulx et aussi les mauvais tours que leur avoit faict le duc de Bourgongne, lequel estoit desjà departy d'avec eulx » (*ibid.*, chap. viii, p. 47).

21. Louis XI « sçavoit bien », insiste Commynes ailleurs, « que, à toute heure, les Anglois, tant nobles que commune et gens d'eglise, sont enclins à la guerre contre ce royaulme... » (t. II, liv. VI, chap. i, p. 240).

gouverné par la passion ? Comment ne pas, comme le duc, de plus en plus « s'embrouill[er] [22] » ? Être « entendu » ne suffit pas, Commynes l'a vite compris. Et quand, au moment des événements d'Allemagne, il [23] donne au roi le conseil de « laisser faire » le Téméraire, que « myeulx ne se pourroit venger de luy », il ne fait qu'aller au bout du raisonnement qui, nous croyons l'avoir démontré, a motivé son passage au camp français : le ressort est remonté à bloc, Charles court droit à sa perte. Mais ne fallait-il pas à Louis XI beaucoup de simplicité pour accepter cet avis ? Pour l'entendre déjà, alors que « aucuns » de ses « serviteurs » — et, précise le mémorialiste, des serviteurs que le « bon sens » (t. II, liv. IV, chap. I, p. 5) poussait — exerçaient sans doute une forte pression sur lui ? Puis garder la tête froide pour en juger [24] ?

22. « ... le duc [...] en cela estoit opposite au roy, car plus estoit embrouillé, plus s'embrouilloit » (t. II, liv. IV, chap. I, p. 5).

23. Qui pourrait douter que parmi ceux des serviteurs du roi « myeulx entendans ce cas » que les autres, il y eût Commynes ? N'explique-t-il pas que leur « plus grand congnoissance » provient du fait qu'ils ont autrefois « esté sur les lieux », soit, évidemment, en Bourgogne, auprès du duc.

24. Mérite que Commynes reconnaît implicitement au roi dans le passage suivant et qui vient au début du livre cinquième : « ... à bien congnoistre la condicion dudit duc, le roy luy faisoit beaucoup plus de guerre *en le laissant faire* et luy sollicitant ennemys à secret que s'il se fust declairé contre luy » (t. II, chap. IV, p. 126. C'est nous qui soulignons). Louis XI n'a-t-il pas d'ailleurs déjà montré qu'il connaissait bien les faiblesses du Téméraire ? (N'oublions pas qu'ils ont vécu l'un près de l'autre.) Ainsi quand, après la prise de Liège, le 30 octobre 1468, il loue ses « œuvres », comment n'aurait-il pas remarqué — Commynes l'a bien fait — que « y prenoit ledict duc plaisir » ? (T. I, liv. II, chap. XIII, p. 163.) Et auparavant, lors de leur rencontre du 9 septembre 1465, c'est « congnoissant la nature de celluy à qui il parloit estre telle qu'il prendroit plaisir ausdictes parolles », qu'il l'interpelle (t. I, liv. I, chap. XII, p. 76). Plus tard enfin, soit au moment des états de Tours où « selon [son] intention », a été décidée la comparution du Téméraire au Parlement : « Bien sçavoit le roy qu'il respondroit orgueilleusement ou feroit quelque chose contre l'auctorité de ladicte cour ; par quoy son occasion de luy faire guerre en seroit tousjours plus grande » (t. I, liv. III, chap. I, p. 175).

Savoir écouter était précisément une des qualités maî-
tresses du roi que ne pouvait évidemment pas posséder le duc
de Bourgogne. « Nul homme », d'ailleurs assure Commynes,
« ne presta jamais tant l'oreille aux gens » et il ajoute :

> ... ny ne s'enquist de tant de choses comme il faisoit [25]...

Cette disponibilité aux conseils et ce besoin de Louis XI d'être
renseigné sur tout [26] — « il aymoit à demander et à entendre
de toutes choses » (t. I, liv. II, chap. vi, p. 130), insiste le
mémorialiste — découlaient en effet de son manque d'orgueil
et allaient de pair avec sa capacité de se méfier et de craindre
au bon moment [27], celle de savoir discerner le bien-fondé de
certaines décisions, fussent-elles, comme dans l'affaire Clairet [28],
contraires à ses propres directives, sa lucidité également qui le
rend apte, par exemple, à mesurer les dangers auxquels l'expose

25. « ... ny ne voulut congnoistre tant de gens » (t. I, liv. I, chap. x,
p. 68).

26. « [P]ar pays », n'entretenait-il pas « maintes espies et messagiers » ?
(T. II, liv. V, chap. i, p. 106.) Ne cherchait-il pas toujours et par
tous les moyens à se rapprocher tant de « ses subjectz » que de
« toutes gens d'auctorité et de valleur » des pays étrangers ? (T. I,
liv. I, chap. x, p. 68.) Et enfin ne savait-il pas à l'occasion se mettre
à l'écoute des livres ? (T. I, liv. II, chap. vi, p. 130.)

27. Commynes le dit et le répète de bien des façons : « ... il estoit assez
craintif de sa propre nature » (t. I, liv. I, chap. x, p. 68). Ailleurs :
« Je faiz mon compte que luy [il s'agit du connétable de Saint-Pol]
et aucuns de ses privez [...] tenoient à louenge de ce que le roy les
craignoit et tenoient le roy pour homme crainctif. *Et estoit vray
qu'il l'estoit, mais il failloit bien qu'il y eust cause [...] il congnoissoit bien s'il estoit temps de craindre ou non* » (t. I, liv. III, chap.
xii, p. 250. C'est nous qui soulignons).

28. Rappelons l'incident : Pierre Clairet avait remis à lord Hastings,
au nom du roi, une certaine somme destinée à acheter sa duplicité
et en avait demandé, selon l'usage en cours, une « quictance ».
Hastings refusa et Clairet prit sur lui de ne pas insister. À cette
nouvelle, Louis XI fut d'abord « bien courroussé », mais il finit
par trouver sage le geste de son serviteur, il « l'en loua » même et,
ce qui prouve sa largeur d'esprit, en « estima » davantage l'Anglais
(t. II, liv. VI, chap. i, p. 243-244).

son incontinence de parole [29] ou encore à reconnaître avant
qu'il ne fût trop tard l'« erreur », « la follie » (t. I, liv. I,
chap. x, p. 69) même qu'il avait commise en « desappoint[ant]
à son advènement à la couronne » ceux qui avaient bien « servy
son père » (t. I, liv. I, chap. xix, p. 85 [30]) et « le royaulme »
(t. I, liv. I, chap. v, p. 40), la force morale enfin de revenir
sur ses actes maladroits (ainsi Péronne) chaque fois qu'il le
fallait.

Si ces qualités chez Louis XI frappent tant Commynes
— autrement pourquoi y reviendrait-il aussi souvent ? — c'est
bien sûr, parce que le Téméraire en est dépourvu, mais surtout
que, facettes du « grant sens » indispensable au Prince, elles
débouchent toutes sur l'*efficacité :* ne juge-t-on pas mieux
lorsque l'on dispose des données d'un problème ? Moins renseigné, le roi aurait-il su, par exemple, s'en prendre d'abord
à la Bretagne comme « plus aysée à conquerir et de moindre
deffence » (t. I, liv. II, chap. ii, p. 101) que la Bourgogne ?
Aurait-il si bien « entend[u...] ce que c'estoit que de Flandres [31] » ? La crainte, à ses yeux, est le commencement de la

---

29. « Il estoit leger à parler de gens, et aussi tost en leur presence que
en leur absence, sauf de ceulx qu'il craignoit [...] *Et quant, pour
parler, il avoit receu quelque dommaige ou en avoit suspicion et il
le vouloit reparer,* il usoit de ceste parolle au personnaige propre :
« Je sçay bien que ma langue m'a porté grant dommaige, aussi
m'a-t-elle faict quelquefois du plaisir beaucoup. Toutesfois c'est
raison que je repare l'amende. » Et ne usoit point de ces privées
parolles qu'il ne feist quelque bien au personnaige à qui il parloit
et n'en faisoit nulz petitz » (t. I, liv. I, chap. x, p. 68-69. C'est nous
qui soulignons). Ainsi, lorsque « quelque mot de risée touchant ces
vins et presens qu'il avoit envoyés à l'ost des Angloys » lui échappe
devant « ung marchand gascon, qui demouroit en Angleterre », il se
punit en comblant ce dernier, « cognoissant », précise Commynes,
« qu'il avoit trop parlé » (t. II, liv. IV, chap. x, p. 71-72).

30. Et Commynes d'insister comme il le fait d'ailleurs presque chaque
fois que les circonstances lui permettent de ramener le sujet :
« ... et *cognoissoit* ledict seigneur son erreur » (c'est nous qui soulignons).

31. « Le roy nostre maistre estoit bien saige et entendoit bien ce que
c'estoit que de Flandres et que ung conte dudict pays, sans avoir
le pays d'Artoys, qui est assis entre le roy de France et eulx, est
comme leur bride, car... » (t. II, liv. VI, chap. viii, p. 302).

sagesse... et du succès : Louis XI « estoit tardif et craintif à entreprendre », Commynes le reconnaît, « mais à ce qu'il entreprenoit il y pourvoyoit si bien que à grant peine eust-il sceü faillir à estre le plus fort et que la maistrise ne luy en fust demourée » (t. I, liv. II, chap. x, p. 146-147). Quant à la lucidité, « veü les ennemys qu'il s'estoit luy mesme acquis » dans le passé, elle est directement responsable de « luy » avoir « saulvé la couronne » (t. I, liv. I, chap. x, p. 68). Sa force morale également.

Tout d'ailleurs ne devient-il pas moyen d'action aux mains du roi ? L'argent dont il n'a pourtant cure, ainsi que le prouve son refus d'accepter celui que lui envoie le duc de Milan en mars 1476 (t. II, liv. IV, chap. II, p. 110), lui sert abondamment à acheter les complaisances, à s'attacher et à retenir les meilleurs serviteurs [32]. Son costume même, ordinairement modeste [33], devient luxueux dès qu'il peut, en cachant sa déchéance physique, lui conserver la puissance aux yeux du monde [34]. Sa passion pour la chasse et pour les animaux se fait alors également utilitaire [35] et si, vers la fin de sa vie, « il passoit temps

32. L'argent ou les biens : « ... nul autre prince n'en departoit si largement à ses serviteurs comme luy » (t. II, liv. VI, chap. II, p. 250). Commynes en sait quelque chose. Aussi le commentaire suivant n'a-t-il rien d'étonnant sous sa plume : « ... sur tout luy a servy sa grant largesse... » (t. I, liv. I, chap. x, p. 68).

33. « ... Loys unziesme, nostre maistre, et le plus humble [...] en habitz... » (t. I, liv. I, chap. x, p. 67).

34. Pour cacher sa maigreur si grande que « jamais homme ne l'eust creü [...i]l se vestoit richement, ce que jamais n'avoit accoustumé paravant, et ne portoit que robbes de satin cramoisy fourrées de bonnes martres... » (t. II, liv. VI, chap. VII, p. 296-297). Et n'y aurait-il pas eu une raison autre que son « plaisir » — raison que pour une fois Commynes n'aurait pas su deviner ou qu'il aurait préféré cacher — dans le désir de Louis XI de voir ce dernier vêtu comme lui, lors de la rencontre de Picquigny ? Celle par exemple de se protéger contre un éventuel assassinat... On ne peut s'empêcher de le penser ! D'autant que la coutume était répandue à l'époque.

35. « De tous costéz faisoit achapter ung bon cheval ou une mulle, quoy qu'il luy coustast ; mais *ce estoit ès pays où il vouloit qu'on le cuydast sain*, car ce n'estoit point en ce royaume. De chiens, on envoyoit querir partout ; en Espagne des allans, en Bretaigne des

à desfaire gens », c'était « pour estre crainct », afin « qu'on ne le tint pour mort » : lui-même l'avoue à Commynes (t. II, liv. VII, chap. VIII, p. 297). Comment un tel sens du geste efficace n'aurait-il pas marqué tout son règne ? Quel autre moteur découvrir en effet au goût de Louis XI pour la « division », « science » dans laquelle, aux dires du mémorialiste, il était passé « maistre » (t. I, liv. I, chap. XV, p. 89 [36]) ? Et la moindre parole, lorsqu'elle ne lui échappe pas par plaisanterie, est pesée sur la balance de l'avenir. Ainsi sa demande au duc de Bourgogne concernant l'apanage de Charles de France. Il en « sortit depuis grant chose », conclut Commynes, d'autant — il vient tout juste de l'indiquer — que le Téméraire, pour sa part, avait répondu « soudainement et sans y penser » (t. I, liv. II, chap. XIV, p. 165). Les silences même sont mesurés : devant les gens du connétable, par exemple, qui lui conseillent de céder aux Anglais « seullement une petite ville ou deux pour les loger l'yver », le roi dissimule sa colère et pourtant comme il lui « greva » (t. II, liv. IV, chap. VIII, p. 50 et 51) de se taire !

Louis XI respecte-t-il sa « foy » ? C'est qu'il est stérile de la transgresser, comme lors de sa rencontre avec le duc devant Paris (t. I, liv. I, chap. XIII, p. 82-84) ou encore, à Amiens, avec Édouard IV [37]. Autrement, il est volontiers moins

petites levrètes, levriers, espaigneulx, et les achaptoit chier ; en Valence, de petiz chiens veluz qu'il faisoit achapter plus cher que les gens ne les vouloyent vendre, etc. » Notons bien l'insistance de Commynes sur le prix excessif payé par le roi, le fait également que ces achats sont effectués où il est utile. Et le mémorialiste de poursuivre : « Quant toutes ces choses luy estoient amenées, il n'en tenoit conte ne la pluspart des foiz ne parloit point à ceulx qui les amenoyent. Et, en effect, il faisoit tant de choses semblables, qu'il estoit plus crainct de ses voysins et de ses subjects qu'il n'avoit jamais esté, *car aussi c'estoit sa fin, et le faisoit pour ceste cause* » (t. II, liv. VI, chap. VIII, p. 297-299. C'est nous qui soulignons).

36. Ailleurs : « ... est à noter que le roy Loys, nostre dit maistre, a myeulx sceü entendre cet art de separer les gens que nul autre prince que jamais je congneü... » (t. I, liv. III, chap. I, p. 96).

37. Les Anglais « venoient tous arméz et en grande compaignie, et quant le roy eust voulu aller à mauvaise foy, jamais si grant compaignie ne fut plus aisée à desconfire » (t. II, liv. IV, chap. IX, p. 55).

scrupuleux. Ne rappelons que ses promesses à l'empereur d'Allemagne : a-t-il jamais eu l'intention de les tenir [38] ? Quand, dans l'affaire du comte de Campobasso, il s'offre la satisfaction d'être sincère, les risques sont à peu près nuls : il sait trop bien que Charles ne le croira pas (t. II, liv. IV, chap. xiii, p. 97 [39]).

Et puis quelle astuce dans les traités [40] ! C'est que, pour le roi, la politique se joue exactement comme les échecs. Il faut savoir calculer à l'avance la portée de ses propres coups, prévoir et déjouer au besoin ceux de l'adversaire, mettre toujours et partout les chances de son côté. N'est-ce pas précisément ce qu'il fit aux États de Tours, en mars 1470 ? « [I]l n'y appella », écrit Commynes, « que gens nomméz et qu'il pensoit qu'ilz ne contrediroient pas à son vouloir » (t. I, liv. III, chap. i, p. 175). Après cela, l'on douterait encore de la responsabilité royale dans la disparition si opportune du duc de Guyenne [41] !

38. On peut en douter en effet, ne serait-ce qu'à cause de la façon dont Commynes présente la chose, comme une tactique pour gagner du temps (cf. t. II, liv. IV, chap. ii, p. 12 et p. 14 ; chap iii, p. 19). Ailleurs, au moment de Péronne, alors qu'il est question d'otages, le mémorialiste ne dit-il pas clairement penser que le roi serait infidèle à la parole donnée ? « ... je croy qu'il les y eust laisséz, qu'il ne fust pas revenu » (t. I, liv. II, chap. ix, p. 143).

39. Ce dernier l'aurait-il cru que Louis XI, d'après Calmette (cf. la n. 2), y gagnait encore ; un point de plus lui permettant d'obtenir livraison du connétable de Saint-Pol.

40. « Le roy [...] estoit plus saiges à conduyre [...] traitéz que nul autre prince qui ait esté de son temps », assure Commynes (t. I, liv. II, chap. xv, p. 170).

41. Loin de nous l'intention de prendre parti dans un débat comme celui auquel a donné lieu cette mort mystérieuse ! Trop d'éléments nous échappent. D'ailleurs, nous intéresse seulement ce que Commynes a pu en penser ou en savoir. Or à scruter sur ce point les *Mémoires*, il y a de quoi rester songeur... Suivons l'événement tel qu'il est appréhendé par le mémorialiste : il est d'abord question de la maladie du duc (t. I, liv. III, chap. viii, p. 225), de sa mort ensuite (*ibid.*, chap. ix, p. 227). Notons pour commencer que cette dernière est annoncée au Téméraire, non pas directement ainsi que la chose aurait pu se produire, mais par son ambassadeur auprès de Louis XI qui lui apprend en même temps « que jà le roy avoit prins une partie » des « places » de son frère. Des bruits

Alors que justement cette mort s'inscrit si bien dans la logique d'efficacité de Louis XI...

*   *   *

Commynes a beau écrire — peut-être même l'a-t-il vraiment pensé ? — que « l'on eust bien fait un prince parfaict » en combinant « partie » des tendances de Charles de Bourgogne et « partie des condicions du roy » (t. I, liv. III, chap. III, p. 189-190), c'est à peu près uniquement à Louis XI qu'il doit le portrait du Prince idéal. À lui-même aussi, bien sûr, car si le Prince idéal est, selon l'heureuse formule de R. de Chantelauze, « Louis XI, revu et corrigé [42] », qui d'autre aurait effectué la correction et à partir de quelle norme ? Au Téméraire en outre, comment le mémorialiste aurait-il pu emprunter ? Les

étranges courent dont Commynes fait écho : « messaiges de divers lieux [...] parloient de ceste mort differamment » (*ibid.*) ; et ailleurs : « Les gens dudict duc (le Téméraire) [...] disoient parolles villaines et increables du roy » (*ibid.*, p. 230). Vilaines et incroyables, peut-être, mais comment Commynes ne les aurait-il pas crues ? Il aurait bien été le seul... Son maître « parloit, auprès autruy, estrangement de ceste mort... » (*ibid.*, p. 228). Quant à « ceulx du roy », eux-mêmes « ne faignoient de guères » (*ibid.*, p. 230). Mais c'est sans doute l'opportunité de la disparition du duc qui emporte l'adhésion du mémorialiste à la thèse de l'assassinat. Relisons-le avec attention : « ... croy bien que, si le duc de Guyenne ne fust mort, que *le roy eust eu beaucoup d'affaires...* » La même idée revient bientôt, d'abord en tant qu'heureux hasard : « La chose [c'est-à-dire les négociations en cours entre le roi et le duc de Bourgogne] se delaya aucuns jours ; et *cependant* survint la mort dessudicte » (*ibid.*, p. 229) ; puis comme une alternative à laquelle Louis XI aurait eu lucidement à faire face : « Et cuyde l'intention du roy telle que, s'il eut achevé son emprinse ou près de là *ou que son frère vint à mourir,* qu'il ne jureroit point ceste paix » (*ibid.*, p. 231). Et comment comprendre le commentaire du mémorialiste à Angelo Cato, autrement que comme la preuve qu'il a finalement été mis au courant de ce qui s'est vraiment passé ? « ... *à nostre roy suys tenu, comme chascun sçait.* Mais, pour continuer ce que vous, mons[r] l'arcevesque de Vienne m'avez requis, est force que je die *partie de ce que je sçay,* en quelque sorte qu'il soist advenu » (*ibid.*, p. 230). C'est nous qui soulignons.

42. *In Portraits historiques*, p. 86.

qualités qu'il lui reconnaît volontiers ont-elles encore cours ?
La bravoure, l'endurance physique, ne sont-elles pas vertus
essentiellement périmées dans un monde qui se fait de plus en
plus complexe, où même les victoires se remportent dans l'ambiguïté ? Un monde que seul le « sens » peut espérer maîtriser.

Le « sens », Louis XI, on l'a vu, le possédait mieux que
quiconque : ce n'est pas lui, certes, qui eût permis Azincourt [43] !
Il commit pourtant bien des maladresses et à l'occasion fit
preuve de graves lacunes. Ne lui arrive-t-il pas même de trouver
son maître dans la personne de l'empereur Frédéric III ? Ce
dernier, « homme de peu de vertu » mais « bien entendu ; et
pour le long temps qu'il avoit vescu » de « beaucoup d'experience » (t. II, liv. IV, chap. III, p. 20), finit par voir clair
dans son jeu et le « paya » d'une fable [44], au grand plaisir [45]
de Commynes toujours prêt à reconnaître l'esprit là où il se
trouve. « Au fort, en nul n'a mesure parfaicte en ce monde »
(t. II, liv. V, chap. XIX, p. 220), n'est-ce pas ! Ce qui n'empêche pas le mémorialiste d'imaginer un Prince ressemblant
comme un frère au roi sans en posséder toutefois les failles.

Un Prince qui, contrairement à Louis XI, entendrait
autant « le fait de la mer » que celui « de la terre » ou qui,
tout au moins, saurait lorsque nécessaire « donn[er] auctorité » aux compétents en la matière [46]. Un Prince prudent
constamment et non uniquement en temps d' « adversité [47] » ;
incapable, dès qu'il se sent « asseur » de mesquinerie envers ses
proches (t. I, liv. I, chap. X, p. 68) ; réfléchi, pondéré dans ses
générosités [48] ; conscient des dangers que comportent les ren-

---

43. Cf. t. II, liv. VI, chap. I, p. 240-241.

44. Celle de l'ours et des trois compagnons (*ibid.*, p. 20-21).

45. Autrement pourquoi se serait-il donné la peine de la reproduire en
    entier ? Le mot « paya » l'indique également.

46. Cf. t. II, liv. IV, chap. V, p. 30.

47. Commynes signale souvent cette faiblesse de son maître. Pourquoi,
    sinon parce qu'il la déplore ? Ex. : t. I, liv. III, chap. XII, p. 250.

48. Comment le mémorialiste n'aurait-il pas été frappé par la dispro-
    portion des offrandes royales au moment même où le peuple est
    écrasé sous les impôts ? Il cite d'abord à ce sujet l'avis de l'arche-

contres entre les Grands de ce monde [49] et donc toujours préparé à les éviter ; sachant par-dessus tout peut-être que sa vraie
force réside dans l'appui qu'il est en mesure de retirer auprès
de son peuple [50]. Un Prince que la passion n'emporte jamais au
point de l'aveugler, comme malheureusement le roi dans le
règlement de la succession bourguignonne qui en oublia jusqu'aux mérites de la diplomatie [51] !

Un Prince qui, sans dédaigner « expediens et habilitéz »
— car est-il possible, en politique, de s'en passer [52] et

vêque de Tours, « homme de saincte et bonne vie » qui écrivit à
Louis XI « qu'il luy vouldroit myeulx hoster l'argent aux chanoynes
des eglises, où il faisoit ses grans dons, et le departir aux povres
laboureurs et aultres qui paient ces grans tailles, que de lever sur
ceulx-là pour le donner aux riches eglises et aux riches chanoynes
où il le donnoit ». Puis, plus loin, son propre avis : « ... il en y avoit
trop » (t. II, liv. VI, chap. VI, p. 293).

49. On sait combien cette question est importante pour Commynes qui
y revient souvent. Ne rappelons que le passage qui suit justement
le récit de la « grant paour » dans laquelle « entra » le roi lorsqu'il
se vit en danger à Péronne ; passage qui déclenche une série
d'exemples d'entrevues malheureuses : « Grant follie est à ung
prince de se soubmettre à la puissance d'un autre, par especial
quant ilz sont en guerre... » (t. I, liv. II, chap. VI, p. 128). Or
Louis XI avait été fort maladroit au tout début de cette affaire.
« [V]enant à Péronne, il « ne s'estoit point advisé qu'il avoit envoyé
deux embassadeurs au Liège pour les solliciter contre ledict duc,
lesquelz embassadeurs avoient jà si bien dilligenté qu'ilz avoient
fait ung grant amaz » (ibid., chap. VII, p. 131). Et Commynes
d'insister : comme le Téméraire d'ailleurs, il avait commis « les
erreurs [...] de non advertir [ses] serviteurs qui estoient loing... »
(ibid., p. 134). Louis XI n'aurait-il pas dû savoir surtout que les
rencontres princières sont pleines d'embûches ?

50. « Et si vous dy que les roys et princes sont beaucoup plus fors
quant ilz entreprennent quelque affaire par le conseil de leurs
subgetz, et aussi plus crainctz de leurs ennemys » (t. II, liv. V,
chap. XIX, p. 217).

51. Ce que Commynes lui pardonna sans doute d'autant moins facilement que les conseils qu'il osa alors donner lui valurent un
éloignement temporaire en Poitou (cf. t. II, liv. V, chap. XII-XIII,
p. 167, 168, 172, 173).

52. Commynes l'a appris très tôt. Ne lui a-t-il pas fallu mentir aux
hommes de Warwick qu'il ne croyait pas trouver dans Calais où,

n'évite-t-on pas, grâce à eux, « de grans perilz et de grans dommaiges et pertes » (t. I, liv. II, chap. III, p. 114) ? — n'irait
pas cependant jusqu'à la totale « desloyaulté » (t. II, liv. V,
chap. VI, p. 140), surtout, *surtout*, si celle-ci est gratuite comme
lors de la prise des villes de Montdidier, Roye et Corbie [53].
Un Prince « ung peu plus pyteux » que le roi « envers le peuple
et moins aspre[s] à pugnir [54] » : qui n'attendrait pas le remords
pour pratiquer la justice [55], mesurer la rigueur de certaines
« tailles », pour « commancer » enfin et assez « tost » à « descharger » ses sujets (t. II, liv. VI, chap. V et VI, p. 278 et 289)
au lieu de les « presser » (t. II, liv. VI, chap. XI, p. 324). Qui,
somme toute, ne compterait pas sur un sursis de « cinq ou six
ans » pour faire « beaucoup de bien à son [...] royaume [56] ».
Pourquoi d'ailleurs risquerait-il que certaines décisions soient
prises à sa place, au moment de sa mort [57] ? Pourquoi également agirait-il souvent de telle sorte qu'il lui devienne nécessaire
par la suite de se méfier sans cesse de tous et de chacun ? Un

en octobre 1475, l'avait envoyé son maître de l'heure, le duc de
Bourgogne ? « Je leur respondoye à tous propoz que le roy Edouard
estoit mort et que j'en estoye bien asseüré, *nonobstant que je
sçavoye bien le contraire...* » (t. I, liv. III, chap. VI, p. 209. C'est
nous qui soulignons).

53. Le mémorialiste insiste sur le fait que contre sa « promesse », ces
    villes furent brûlées. Or sa parole se trouvait celle du roi, puisqu'il
    avait été envoyé par ce dernier pour parlementer.

54. « ... et aussi affin que ceulx qui viendroyent après luy fussent ung
    peu plus pyteux envers le peuple et moins aspres à pugnir qu'il
    n'avoit esté, combien que ne luy vueil donner charge ne dire de
    avoir veü ung meilleur prince » (t. II, liv. VI, chap. XI, p. 324).

55. Comme dans le cas du cardinal Ballue que Louis XI retient prisonnier durant quatorze ans et qu'il libère entre deux crises (cf. t. II,
    liv. VI, chap. VI, p. 284).

56. « Si Dieu luy [à Louis XI] eust donné la grace de vivre encores
    cinq ou six ans, sans estre trop pressé de maladie, il eust faict
    beaucoup de bien à sondict royaume » (t. II, liv. VI, chap. VI,
    p. 278).

57. Ainsi que la chose se passa, lors de la deuxième maladie du roi :
    « ... ceulx qui [...] estoient avecques luy le tindrent pour mort et
    ordonnèrent plusieurs mandemens pour rompre une très excessive
    taille et cruelle... » (*ibid.*, p. 284).

sage prince n'a-t-il pas toujours matière suffisante à « suspeçon-ner [58] » ?

Mais ce prince idéal ne peut exister, Commynes le sait et tout bien considéré, Louis XI demeure à ses yeux le prince « saige » par excellence. D'autant que toutes ses actions, bonnes ou moins bonnes, lui sont dictées par un amour inconditionnel pour la France [59] dont il sait que Paris est le cœur [60]. Amour-passion que le mémorialiste a deviné sans doute [61] — admiré et très tôt partagé également — dès ses premiers contacts avec le roi. La pureté d'un tel aiguillon n'excuse-t-elle pas les pires faiblesses ? Et lorsque doublé d'un « grant sens » comme chez Louis XI, un aiguillon de cette sorte n'est-il pas particulière-ment propice à la « saigesse » du Prince ? Au sens commynien du terme, évidemment.

*   *   *

---

58. « Quant à estre suspicionneux, tous grandz princes le sont, et par especial les saiges et ceulx qui ont eu beaucoup d'ennemys et offensé plusieurs, comme avoit cestuy-cy » (il s'agit de Louis XI, t. II, liv. VI, chap. VI, p. 189).

59. Comme plus tard Louis XI ne voudra « pour riens laisser tomber » la Bourgogne « ès mains des Allemans » (t. II, liv. V, chap. X, p. 160), il est prêt à tout, pour garder la France des Anglais : « Et, oultre, dist le roy qu'il n'estoit chose au monde qu'il ne feïst pour les gecter hors du royaulme, *excepté qu'il ne consentiroit jamais pour riens qu'ilz eussent terre ; mais, avant qu'il le souffrist, mectroit toutes choses en peril et hazard* » (t. II, liv. IV, chap. VIII, p. 48. C'est nous qui soulignons). Rappelons combien Louis XI a du mal à dissimuler sa colère devant les suggestions du connétable de Saint-Pol de « contenter ces Angloys » en leur cédant quelques villes » (*ibid.*, p. 50). Et, s'il « pressoit ses subjectz [...] il n'eust » écrit avec quelque naïveté Commynes, « point souffert que ung autre l'eust faict, ny privé ny estrange » (t. II, liv. VI, chap. XI, p. 324).

60. Cf. t. I, liv. I, chap. VIII, p. 57.

61. Ainsi qu'en fait foi ce passage : « ... mais son [il s'agit de Louis XI] intention, comme bien le monstra, estoit de traicter paix et de departir la compaignye, sans mectre son estat, qui est si grant et si bon que d'estre roy de ce grant et obeissant royaulme de France, en peril de chose si incertaine que une bataille » (t. I, liv. I, chap. IX, p. 65).

Les vraies limites du roi, Commynes a fini par s'en rendre
compte, ce sont celles mêmes de l'homme. S'il arrive et souvent
en effet à Louis XI de surpasser les autres princes — « en luy
avoit trop plus de choses appartenans à office de roy et de
prince que en nul des autres » (t. II, liv. VI, chap. ix, p. 310 [62])
— il est forcé de partager avec eux bien des misères. Les
Grands ne sont-ils pas « hommes comme nous » (*Prologue,*
t. I, p. 1) ? Il ne peut éviter la souffrance qui n'épargne personne [63] ni surtout échapper à l'échec essentiel de la condition
humaine : la mort. « [F]aillut bien qu'il passast par là » (t. II,
liv. VI, chap. i, p. 239 [64]), écrit le mémorialiste du ton de celui
qui, ne fût-ce qu'un moment, aurait cru la chose possible. Ne
serait-ce pas justement que la mort a servi de révélateur impi-
toyable à la faiblesse de Louis XI ? Et que, minute de vérité
pour le roi, elle est ensuite indirectement devenue minute de
vérité pour lui-même ?

Le Roi se meurt pourrait être le titre du livre VI des
Mémoires, des derniers chapitres du moins, ceux qui servent
de touche finale au panneau central du Triptyque. Car ce n'est
pas tant le prince que nous y montre Commynes, que l'homme
démuni devant l'inévitable. D'autant plus démuni que ses armes
habituelles se trouvent soudain réduites à néant, puisque avec la
mort nul ne peut tricher. Et le mémorialiste de découvrir dou-
loureusement, jour après jour, que si le « grant sens » peut à
la rigueur suffire au succès — à la condition que Dieu le
veuille, bien entendu — la « foy » est indispensable à la séré-
nité, principe d'équilibre à toute vie heureuse et à toute fin
calme.

---

62. Et Commynes a des points de comparaison, rappelons-le : « Je les ay
    presque tous veüz et sceü qu'ilz sçavoyent faire : par quoy ne
    devyne point. » Aussi peut-il parler « sans user de nulle flatterie ».

63. « ... il n'est nul homme, de quelque dignité qu'il soit, qui ne
    souffre... » (t. II, liv. VI, chap. xi, p. 322).

64. Notons que Commynes trouve encore moyen ici de signaler la
    supériorité du roi : « ... ses ennemys et voysins, avec ce qu'il les
    passa en toutes choses, *aussi les passa-t-il en longueur de vie,* mais
    ce ne fut de guères... » (c'est nous qui soulignons).

Non pas cette foi qui est calcul et par laquelle Louis XI,
comptant sur quelque miracle (t. II, liv. VI, chap. VI, p.
292), espère avec angoisse retarder l'échéance pourtant clairement
imminente ; ni cette foi qui le pousse, par exemple, à multiplier les dons « aux eglises » *(ibid., p.* 293), à s'entourer de
reliques [65] ou encore à consulter, l'un après l'autre, « aucun[s]
religieux ou homme[s] de bonne vie qui vesqui[ren]t austère-
ment, afin qu'il[z] fus[ren]t moyen[s] entre Dieu et luy de
luy allonger ses jours » (t. II, liv. VI, chap. VI et VII, p. 292
et suiv. [66]). Pas davantage cette foi qui est peur et qui le rend
tout à coup conscient de ses injustices ni même celle dont autrefois il faisait extérieurement la preuve quotidienne [67], mais de
« vraye foy », « ferme foy », foi-règle de vie fondée sur une
salutaire crainte de l'enfer et sur un désir sincère d'« entrer [...]
en paradis » (t. II, liv. V, chap. XIX, p. 224-225). Que de
« maulx » une telle foi ne préviendrait-elle pas « par le
monde [68] », ne peut s'empêcher de s'exclamer Commynes.

Tout compte fait d'ailleurs — « c'est peu de chose que
de l'homme et [...] ceste vie est miserable et brieve et [...] ce

65. Comme « le corporal sur quoy chantoit mons[r] sainct Pierre [...]
    avec plusieurs autres relicques... » dont « la sainte ampolle qui est
    à Reims » (t. II, liv. VI, chap. IX, p. 308).
66. Ainsi François de Paule à qui Commynes consacre quelques pages
    (p. 294-296).
67. La piété de Louis XI est connue. Commynes en signale occasion-
    nellement des manifestations : son habitude, par exemple, de se
    confesser tous les huit jours (t. II, liv. VI, chap. VI, p. 282) ; le fait
    également qu'il ait tenu sa promesse — un vœu à Dieu somme
    toute — de ne pas tromper sa femme (t. II, liv. VI, chap. XII,
    p. 325-326). Cette piété, notons que le « sens » la supplante parfois.
    À la grande satisfaction de Commynes d'ailleurs. Ainsi quand, au
    risque d'être rabroué, il lui fait savoir la présence dans Amiens
    d'un grand nombre d'Anglais, le roi « ne fut point obstiné ; mais
    tost laissa ses heures ». C'était pourtant le jour commémoratif de
    la fête des Saints Innocents qu'il célébrait toujours avec ferveur et
    en s'abstenant de toute affaire.
68. « ... c'est faulte de foy [...] dont il me semble que procèdent tous
    les maulx qui sont par le monde... » Et quelques lignes plus loin :
    « Il fault conclure [...] que tous les maulx viennent de faulte de
    foy » (t. II, liv. V, chap. XIX, p. 224-225).

n'est riens des grandz ny des petitz, dès ce qu'ilz sont mortz »
(t. II, liv. VI, chap. xii, p. 341) — le ciel, n'est-ce pas ce qui
seul importe ? Et ceux qui y tendraient vraiment, en plus de
sauver « leurs ames », ne s'assureraient-ils pas déjà ici-bas un
certain bonheur, une sorte de paix tout au moins surtout s'ils
sont princes et qu'alors « d'eulx depart le bien et le mal de leurs
seigneuries » (t. II, liv. V, chap. xviii, p. 213). Au lieu de
« se soucier et [...] se travailler » pour « se accroistre et [...]
avoir gloire » — en écrasant les autres, trop souvent —, ils
pourraient « prendre des ayses et plaisirs honnestes. Leurs vies
en seroyent plus longues, les malladyes en viendroyent plus tard
et leur mort en seroit [...] de plus de gens [...] moins désirée
et auroyent moins à doubter de la mort » (t. II, liv. VI,
chap. xii, p. 340-341). Peut-être même seraient-ils regrettés ?

Louis XI l'a-t-il seulement été, lui qui pourtant « sembloit
myeulx pour seigneurier ung monde que ung royaulme » *(ibid.,*
p. 328). Et au cours de sa vie, n'a-t-il pas assez « souffert de
passions et de peines » *(ibid.,* p. 340) ? Quelles joies, quels
plaisirs a-t-il vraiment éprouvés ?

> ... depuis son enfance, [...] il n'eut jamais que travail
> jusques à la mort et suys certain que, si tous les bons
> jours qu'il a euz en sa vie, ès quelz il a eu plus de joye
> et de plaisir que d'ennuy et travail, estoient bien nom-
> bréz, qu'il s'en trouveroit bien peu ; et me semble qu'il
> y en auroit bien vingt de peine et de travail contre ung
> de plaisir et d'ayse *(ibid.,* p. 330).

Ne devait-il pas toujours se tenir sur ses gardes, étant donné
les nombreux ennemis qu'il se connaissait pour se les être lui-
même préparés [69] ? Comme eux, n'a-t-il pas finalement connu
« estroicte prison » et cela en sa propre maison [70] ? N'est-on pas

---

69. Louis XI « *sçavoit bien* n'estre point aymé de grandz personnages
    de ce royaume ny de beaucoup de menuz, et si avoit plus chargé
    le peuple que jamais roy ne feït... » (t. II, liv. VI, chap. vi, p. 289.
    C'est nous qui soulignons).

70. Cf. la description du Plessis transformé en véritable château fort.
    Aussi bien, vient d'écrire Commynes, avait-il conçu pour ses enne-
    mis « de rigoureuses prisons, comme caiges de fer et d'autres de

allé jusqu'à le bousculer sur son lit de mort [71] ? Le plus « saige »
de tous les princes, Commynes est bien obligé de le reconnaître,
n'a pas su faire son propre bonheur. Il n'a pas davantage su
mourir [72]. Que vaut alors sa belle supériorité sur le Téméraire
entre autres ? Pour les deux, le bilan terrestre est finalement
identique : « [t]oujours travail, sans nul plaisir, et de la personne et de l'entendement » (t. II, liv. VI, chap. XII, p. 331) ;
et identique la nécessité de compter, pour leur salut éternel, sur
la miséricorde de Dieu :

> De nostre roy, j'ay esperance [...] que Nostre Seigneur
> ayt eu misericorde de luy et aura de tous autres, s'il luy
> plaist » (ibid., p. 340).

*   *   *

Ce que la mort de Louis XI a amené Commynes à découvrir, c'est que tout ici-bas est entre les mains de Dieu.
Il le savait auparavant sans aucun doute, ne serait-ce que
parce qu'il pratiquait volontiers, comme on le faisait d'ailleurs
couramment à l'époque, le proverbe « l'homme propose et

boys, couvertes de plaques de fer par le dehors et par le dedans
avec terribles ferreüres [...] terribles anneaux [...] très pesans et
très terribles, pour mectre ès piedz, etc. » (t. II, liv. VI, chap. XI,
p. 320-323).

71. On lui annonce sans ménagement — « en briefves parolles et
ruddes » — sa mort prochaine ; « tout ainsi », ajoute Commynes,
qu'il en avait ordonné à la mort du duc de Nemours et du comte
de Saint-Pol. Le roi n'avait-il pas travaillé à son propre malheur
(t. II, liv. VI, chap. XII, p. 315) ?

72. Il « craignait [...] la mort » plus que « oncques homme ». Aussi se
laissa-t-il entièrement dominer par son médecin qui l'« espoventoit ».
« Qui luy estoit ung grant purgatoire en ce monde, veü la grant
obeissance qu'il avoit eue de toutes gens et de grans hommes »
(t. II, liv. VI, chap. XI, p. 318-319). Et, par méfiance — il se
rappelait sans doute la Praguerie —, ne s'est-il pas privé du récon-
fort qu'eût pu lui apporter l'affection des siens ? « Or regardez,
s'il avoit faict vivre beaucoup de gens en suspicion et craincte
soubz luy, s'il en estoit bien payé [...] puisque de son filz, fille et
gendre, il avoit suspicion » (ibid.).

Dieu dispose » (t. I, liv. III, chap. ix, p. 233). Mais encore fallait-il, pour que devienne réellement sienne cette évidence de la sagesse populaire, qu'il la vive intensément. Commynes n'est-il pas avant tout « homme d'experience » ? Et comment l'eût-il mieux vécue que dans la personne du maître qu'il avait choisi tout en se choisissant lui-même ?

Aussi ne faut-il pas trop s'étonner que cohabitent dans les premiers livres des *Mémoires* deux idées apparemment contradictoires : la grande force du « sens » d'une part et, d'autre part, la faiblesse de l'homme qui dépend entièrement de Dieu. Si, dans les livres VII et VIII, celle-ci *semble* finir par l'emporter — la plaque tournante, répétons-le, ce sont les derniers moments du roi — c'est qu'a été possible l'invraisemblable réussite d'un incapable tel que Charles VIII. Rien qui puisse surprendre en effet dans l'abandon par Dieu du comte de Saint-Pol [73] : celui-ci n'avait-il pas comme par exprès préparé son malheur [74] ? Rien qui puisse surprendre surtout dans le fait que Dieu ait pris le parti de Louis XI [75] et de la France [76]

73. Cf. t. II, liv. VI, chap. xii, p. 86.

74. À force de duplicité, il s'était attiré la haine de ceux qu'il prétendait tour à tour servir et qui feront sa perte : Louis XI et le Téméraire. « ... l'on murmuroit des deux costéz contre le comte de Sainct Pol, connestable de France ; et l'avoit le roy prins en grant hayne et les plus prochains de luy semblablement. Le duc de Bourgongne le hayoit encores plus ; et avoit myeulx cause... » (t. I, liv. III, chap. xi, p. 243).

75. Au moment de la guerre du Bien public, par exemple, ne lui « donna »-t-Il pas « saige conseil » ? Conseil qu'« il executa bien », notons-le au passage... (t. I, liv. I, chap. viii, p. 56). Et lors du débarquement des Anglais en France, ne lui dispose-t-Il pas « le sens [...] à eslire saige party » (t. II, liv. IV, chap. vii, p. 45) ?

76. Qu'Il aime tout particulièrement, Commynes le signale à plusieurs reprises. Ainsi : « Dieu, qui tousjours ayme ce royaulme », le protège contre les visées anglaises et bourguignonnes en empêchant les deux armées de se rejoindre au bon moment (t. II, liv. IV, chap. i, p. 11). Et ailleurs : « ... croy veritablement, aux choses que j'ay veües en mon temps, que Dieu a ce royaume en especiale recommendation » (t. II, liv. IV, chap. vii, p. 45).

contre le Téméraire [77] et la Bourgogne. N'était-ce pas celui du
« sens [78] » et de la puissance naturelle [79] ? Celui-là même pour
lequel Commynes avait opté ? Mais qu'Il ait aidé l'incapacité
la plus complète échappe totalement à l'entendement ! Et cela
en dépit du fait que la France est toujours en cause.

Puisque « quelque chose que sachent deliberer les hommes
[...] Dieu y conclud à son plaisir » (t. I, liv. III, chap. ii,
p. 182 [80]), une seule morale est possible et elle s'impose certainement très tôt à l'esprit de Commynes. Déjà, au livre troi-

77. Dont il « diminue le sens », comme il le fait lorsqu'il décide de
punir un prince qui l'a offensé (cf. t. II, liv. V, chap. xix, p. 228).
Cette explication est d'ailleurs nécessaire à Commynes qui comprend
difficilement comment un homme, pourtant non dépourvu, ne puisse
pas surmonter ses passions et en arrive à se tromper de façon aussi
flagrante que le Téméraire. Des phrases comme celle-ci le montrent :
« ... si Dieu n'eust voulu troubler le sens au duc de Bourgongne et
preserver ce royaulme, à qui il a faict plus de graces jusques icy
que à nulz autres, *est-il de croire* que ledict duc se fust allé si
obstinéement devant ceste forte place de Nuz... » (t. II, liv. IV,
chap. v, p. 28-29. C'est nous qui soulignons).

78. Car « Dieu donne mutation aux choses selon le merite ou desmerite
des gens » (t. I, liv. II, chap. ii, p. 109). Et il « n'a point estably
l'office de roy ny d'autre prince pour estre exercé par les bestes... »
(t. I, liv. II, chap. vi, p. 130). Pourquoi aurait-il favorisé un
orgueilleux comme Charles le Téméraire ? La preuve en est qu'Il
lui arrive d'abandonner Louis XI. Celui-ci a démérité en effet dans
l'affaire de la succession bourguignonne : il s'est laissé aveugler par
la passion. Aussi « Dieu ne luy permit pas prendre ceste matière,
qui estoit si grande, par le bout qu'il la devoit prendre » (t. II,
liv. V, chap. xii, p. 167). « ... nous n'estions encores [...] dignes »,
précise Commynes qui avait tout tenté pour éviter l'erreur de son
maître, « de recevoir [la] longue paix » qui en eût résulté (*ibid.,*
chap. xiii, p. 172).

79. De la France, le mémorialiste le dit expressément, « en tout le
monde, n'y a region myeulx située... » (t. II, liv. IV, chap. vi, p. 38).

80. « Les batailles sont en sa main et Il dispose de la victoire... » (t. I,
liv. I, chap. iii, p. 26), fait et défait les princes (t. II, liv. VI, chap.
iii, p. 262 et liv. V, chap. xix, p. 228), établit les différences entre
les hommes (*ibid.,* p. 267). Même « le très grant sens », assure
Commynes, « croyez qu'il fault que cela vienne de Dieu » (t. I, liv.
III, chap. iii, p. 189).

sième, il se l'était donnée, sans toutefois en mesurer probablement toute la portée, sans se rendre compte non plus qu'elle ne pouvait qu'être provisoire :

> ...*tout bien regardé,* nostre *seulle* esperance *doit* estre en Dieu, car en cestuy là gist *toute* nostre fermeté et *toute* bonté, qui en nulle chose de ce monde ne se pourroit trouver (t. I, chap. XVI, p. 93 [81]).

Est-il besoin d'analyser ce passage pour en sentir la force exclusive ? L'angoisse également ? Pour deviner aussi combien il doit à l'observation directe et au jugement personnel ? Et quand, dans une première hyperbate, le mémorialiste ajoute :

> ... mais chascun de nous le cognoist tard, et après ce que en avons eu besoing ;

que fait-il, sinon élargir d'avance à l'humanité toute entière — à « chascun de nous », n'est-ce pas ? — l'erreur de Louis XI qui au « grant sens » n'a pas su allier la « vraye foye » ? Ne se trouve-t-il pas alors et presque automatiquement redonner à celui-ci la première place parmi les princes (au Triptyque, le panneau central), place qu'il risquera plus loin de lui faire perdre en signalant ses faiblesses ? D'autant qu'une seconde hyperbate vient immédiatement préciser :

> Toutesfois vault encores myeulx tard que jamais.

et que Louis XI mourant a sans doute compris s'être fourvoyé, comme permettent de le croire ses recommandations à son fils.

---

81. C'est nous qui soulignons.

3
Vu de biais
Commynes
le «donateur»

— Les *Mémoires* : une quête. — À prince
« saige », « saige » conseiller. — L'« homme
d'experience » et le moraliste. — Le politique. — « Quant au monde [...] quant à
la conscience. »

La constatation faite par Commynes que les vraies décisions échappent à l'homme, qu'il soit ou non pourvu de « très
grant sens » — Dieu d'ailleurs ne départ-il pas la « saigesse »
là où il le veut [1] ? — ne le mène pas pour autant à un fatalisme
aveugle et négatif. L'époque, d'une part, ne s'y prêtait pas ; bien
au contraire : elle se trouvait proposer implicitement la solution même qu'il devait éventuellement faire sienne (de façon
temporaire cependant, nous en sommes convaincue et nous
y reviendrons) à l'absurde existentiel auquel se heurtait sa
logique. S'y opposait d'autre part et peut-être surtout, son

---

1. « A cela voyt-on la difference des hommes, qui vient de grace de
    Dieu : car il donne les plus saiges à la part qu'il veust soustenir ou
    le sens de les choysir à celuy qui en a l'auctorité (t. II, liv. IV,
    chap. III, p. 267).

caractère d'homme d'action pour qui il était vital de croire
à une certaine efficacité du geste fait. Ils sont nombreux les
passages des *Mémoires* qui en font foi : « ... ung chascun y
doit faire ce qu'il peult et ce a quoy il est tenu... », écrit le
mémorialiste. Et ce n'est pas naïveté : ne vient-il pas de dire
« que les batailles sont en [la] main » de Dieu qui « dispose
de la victoire à son plaisir » et ne précise-t-il pas que cet
« ung chascun » doit en être conscient (t. I, liv. I, chap. iii,
p. 26 et 27) ? Ce n'est pas non plus vertu. Car alors pourquoi
Commynes trouverait-il « ce mystère si grand » *(ibid.)* ? Pourquoi surtout chercherait-il désespérément à le percer ? Ne lui
suffirait-il pas de l'assumer ?

Pourquoi tenterait-il de mettre au point une éthique du
Prince à qui ne saurait être pardonnée l'incapacité [2] ? Au
Conseiller (il y a dans les *Mémoires,* un Conseiller idéal,
comme un Prince idéal), pourquoi répéterait-il qu'il « ne doit
jamais lasser de bien faire » (t. I, liv. II, chap. iii, p. 116) ?
Et à tous, à quoi bon suggérer d' « eslire le moyen chemin »
(t. II, liv. VI, chap. xii, p. 340) ! N'est-ce pas parce qu'il
« y a bien affaire à vivre en ce monde » (t. I, liv. III, chap. xii,
p. 252) ? « [B]ien affaire », donc bien à lutter ! Pourquoi,
si rien n'en est changé, le mémorialiste juge-t-il qu'il est précieux au prince « saige » de pouvoir compter sur un ou des
« saiges » conseillers [3] ? Et pourquoi enfin, lui qui avait su
prendre en main sa propre destinée en se tournant vers Louis
XI — c'était, rappelons-le au moment où il croyait à peu près

2.   Cf. ce passage où il est question d'Édouard d'Angleterre : « Et quelle
     escuse eust-il sceü trouver d'avoir faict ceste grande perte, et par
     sa faulte, sinon dire : « Je ne pensoys pas que telle chose advint.
     *Bien devroit rougir ung prince (s'il avoit aage) de trouver telle
     escuse, car elle n'a point de lieu »* (t. I, liv. III, chap. v, p. 204.
     C'est nous qui soulignons).

3.   Cf. par exemple : « C'est grant richesse à ung prince d'avoir en sa
     compaignie ung saige homme et bien sür pour luy... » (t. I, liv. III,
     chap. v, p. 205). Ailleurs : « ... me semble que ung des plus grans
     sens que puisse monstrer ung seigneur, c'est de s'accointer et appro-
     cher de luy gens vertueux et honnestes... » (t. I, liv. II, chap. iii,
     p. 116).

exclusivement à la toute puissance du « sens » —, lui qui déclare même qu'il « aymero[it] mieulx tousjours vivre soubz
les saiges que soubz les folz » (t. I, liv. I, chap. XII, p. 93),
continue-t-il de servir et encore au meilleur de sa connaissance
un prince aussi dépourvu que Charles VIII [4] ?

Pourquoi, sinon parce qu'il se devait de mesurer la marge
de jeu laissée à l'homme, le degré d'efficacité minimum et
maximum de ses moyens face aux forces qui lui sont extérieu-
res. Pourquoi, sinon qu'il lui fallait absolument aller au bout
de l'expérience commencée afin de *comprendre*. Comment
continuer à vivre sans comprendre ? Du moins de la vie que
le hasard lui a d'abord imposée et qu'il s'est ensuite choisie,
celle de l'homme public. Dans ce genre de vie, les problèmes
de la condition humaine ne se posent-ils pas avec une particulière acuité ? Ne serait-ce qu'à cause de l'importance soudain
réduite, par rapport à elle, de la vie privée ; à cause surtout
de ce qui en découle nécessairement : la difficulté de faire à la
fois un succès de ses entreprises politiques et son bonheur
individuel. Commynes, on l'a vu, l'a appris dans le destin,
exemplaire à ce point de vue, de son maître Louis XI.

La soif de *comprendre,* voilà ce qui explique l'existence
même des *Mémoires.* Ils en sont en effet — ou ils en sont devenus — et l'instrument et l'aboutissement. Avant celle de
Rabelais, avant les *Essais* de Montaigne, une œuvre, pour la
première fois peut-être dans la littérature française, se faisait
la quête de toute une vie. Aussi cesse-t-elle dès l'instant qu'elle
n'est plus en mesure de fournir de nouveaux matériaux à son
édification, dès l'instant qu'elle n'apporte plus à son auteur
une meilleure connaissance de lui-même [5]. N'avait-elle pas
débuté au moment où la trame événementielle, opacifiée jusqu'à devenir significative, s'était transformée pour Commynes
et son lecteur en une sorte de révélateur ? Le Triptyque ter-

---

4. À cette question nous ne saurions accepter la réponse de l'intérêt,
    c'est-à-dire de l'espoir qu'aurait entretenu Commynes de rentrer en
    grâce auprès du roi Charles VIII : elle se situerait uniquement dans
    la vie du mémorialiste et donc en dehors de l'œuvre.
5. Dès l'instant aussi qu'elle commence à se modifier en « faux ».

miné, elle n'avait plus de raison d'être. D'autant qu'aux portraits que supportait et qu'avait même épuisés l'anecdote —
le prince « saige », les princes « folz » ou « peu entenduz »
— s'était peu à peu superposé celui du « donateur ». Celui,
vraiment, ou ceux ? Car si les portraits du roi, du Téméraire,
d'Édouard IV-Charles VIII, se devaient d'être clairement
dessinés, simplifiés au besoin, s'ils se devaient — puisqu'ils
formaient les matériaux qu'avait isolés pour les utiliser la
réflexion commynienne, qu'ils en constituaient le fondement
et sans doute aussi, une sorte de sécurité — d'offrir au regard
un contour ferme et des lignes nettes, comment le mémorialiste, lui, aurait-il pu présenter un visage unique ? Une seule
réponse était-elle possible à son angoisse ?

S'intéresserait-on encore aux *Mémoires,* d'ailleurs, s'il
en était ainsi ? Qu'y cherche le lecteur moderne, sinon justement
les multiples visages de leur auteur ? Ne représentent-ils pas
autant de voies ouvertes à ses propres investigations ? Déjà
grâce au portrait de Louis XI, le moins simple des portraits
officiels du Triptyque — et pour cause : n'est-ce pas la mort
du roi qui a percé la première brèche importante dans la belle
naïveté, la belle confiance de Commynes ? — il peut partir à
sa propre recherche. Mais c'est pour se frapper aussitôt, ainsi
qu'avant lui le mémorialiste, au mur de l'inexplicable. Et s'il
se cherche dans le destin de Charles VIII, ce n'est que pour
trouver l'Absurde. La solution d'un Dieu vengeur et omni-
potent ne se fait-elle pas alors, à ses yeux comme aux yeux
de Commynes, tout aussi inacceptable dans sa facilité même
que celle de « Fortune [6] » écartée depuis longtemps ?

Que reste-t-il d'autre au lecteur que de revenir aux
Mémoires pour partager avec leur auteur les interrogations
qui depuis longtemps l'assaillent ? Les partager avec le conseiller qu'il a été et avec le Conseiller qu'idéalement il imagine.

6.   « Que dirons-nous icy de Fortune ? » s'exclame le mémorialiste réflé-
      chissant sur les malheurs du comte de Saint-Pol et il poursuit : « ...
      telz grandz mistères ne viennent point de Fortune [...] *Fortune n'est
      riens, fors seullement une fiction poetique...* » (t. II, liv. IV, chap.
      XII, p. 86. C'est nous qui soulignons).

Avec l' « homme d'experience » présent à toutes les pages et
qui ne pouvait que déboucher sur le moraliste. Avec celui qui
voudrait, de toute sa générosité, apprendre, pour son profit
d'abord et afin de l'enseigner aux autres, à concilier le
« [q]ant au monde » et le « quant à la conscience » (t. II,
liv. V, chap. XIII, p. 171), car autrement, est-il possible d'être
heureux ? Et revenir aux *Mémoires,* n'est-ce pas faire la preuve
qu'ils existent en tant qu'œuvre littéraire ?

*   *   *

Comprendre. Comprendre le monde et se comprendre
soi-même, voilà toute la tentative des *Mémoires.* Tentative qui
présuppose évidemment un examen systématique et constant
des faits. Cet examen, Commynes y a procédé d'un poste
d'observation privilégié, qu'il ait été celui de chambellan attaché à la personne de Charles de Bourgogne ou de conseiller,
dans toutes les dimensions qu'impliquait à l'époque cette charge, auprès de Louis XI, auprès également, bien que de manière
intermittente, de Charles VIII et de Louis XII. Il se trouve
donc aux premières loges et rien n'échappe à son regard saga-
ce : les portraits du Triptyque le prouvent qui se trouvent reflé-
ter par le fait même — mais n'est-ce pas toujours le cas ? —
celui qui les a peints. Le conseiller d'abord, différent selon le
prince et que le lecteur est amené à connaître au fil de ses
réactions devant les événements ; dont il peut même suivre et
presque pas à pas, l' « éducation », comme d'ailleurs très vite,
l'élaboration de sa forme sublimée, le Conseiller idéal.

Un premier stade, celui de l'information. Commynes
arrive à la cour de Bourgogne ; il est, écrit-il, « [A]u saillir
de [s]on enfance et en l'aage de povoir monter à cheval »
(t. I, liv. I, chap. I, p. 4). Son seul bagage — la simplicité de
la formule se trouve implicitement l'indiquer — : de bons yeux,
de bonnes oreilles, une intelligence exigeante et perspicace.
Que fallait-il de plus au jeune homme qui commence aussitôt
à « enregistrer ». Le prince est là qui agit. Ceux qui l'entourent
également. Commynes note et réfléchit. Il ne tire aucune con-

clusion toutefois [7] ; à peine se permet-il des jugements provi-
soires destinés à orienter sa réflexion ou plus précisément à
empêcher que celle-ci ne se disperse. Il se rend compte, par
exemple, que c'est « feignant venir veoir son oncle » (t. I,
liv. I, chap. II, p. 10), le duc Philippe, que se présente à Lille
Jean de Bourbon dont le but réel est d'entraîner celui-ci dans
la guerre — et ici encore le mémorialiste n'est pas dupe —
« pour le bien publicque » (ibid., p. 11). Il constate le déplaisir
du duc forcé à y consentir ; le fait également que ce dernier
n'est qu'à moitié au courant de ce qui se trame (ibid., p. 20).
Il mesure surtout, en même temps que le rôle que se prépare
à y jouer son maître le comte de Charolais, les conséquences
de la guerre qui commence : les immédiates d'abord, soit la
mise au ban de la maison de Croy et la fuite devenue nécessaire
du premier chambellan de Philippe, « monsr de Chimay, homme jeune » et pourtant « très bien conditionné » (ibid., p. 11).
Peut-être même en prévoit-il déjà les lointaines répercussions
sur la prospérité bourguignonne, prospérité qu'il ne pouvait
que constater jour après jour [8] ?

Quoi qu'il en soit, l'initiation était bel et bien commencée :
Commynes se trouvait plongé en pleine complexité, mieux
préparé sans doute aussi qu'il ne le pensait lui-même, à recevoir
quelques années plus tard un des chocs essentiels de sa vie,
soit la découverte « que les choses de ce monde sont peu estables » (t. I, liv. III, chap. VI, p. 209 [9]). Et c'est ensuite vraiment la guerre, avec ses divers opportunismes [10], ses « habi-

7.   N'est-ce pas en silence qu'il assiste à la rencontre du Charolais avec
     Morvillier ? (Cf. t. I, liv. I, chap. II, p. 10.) Aurait-il autrement
     rapporté l'incident avec autant de précision ?

8.   La digression qui commence ainsi : « Pour lors estoient les subjectz
     de ceste maison de Bourgongne en grande richesse, à cause de la
     longue paix qu'ilz avoient eu... » et située à ce moment de la
     narration, peut le donner à penser (ibid., p. 13).

9.   À l'appui de ce que nous avançons, notons que quelques pages plus
     haut (p. 207), le mémorialiste avait écrit : « ... jamais je n'avoye
     veü si avant des mutations de ce monde » (c'est nous qui soulignons).

10. Ainsi celui des habitans des villes de la Somme : « ... sembloit bien
     qu'ilz escoutassent qui seroit le plus fort, ou le roy ou les seigneurs »
     (ibid., p. 15).

litéz » inévitables [11], ses misères de toutes sortes [12]. La guerre
dont l'absurdité apparaît vite au jeune chambellan mais qui lui
fournit surtout l'occasion de voir à l'œuvre le comte de Charolais, de constater son manque d'ordre et son incapacité à commander avec un minimum de bon sens. Pis encore : au moment
même où Commynes commence à se faire une idée du rôle
de conseiller, il est témoin du peu de cas fait par ce dernier
d'un conseil, pourtant sage, que lui donne le « vieil homme de
Luxembourg, appellé Anthoine le Breton ». S'il le suit finalement — et le mémorialiste commente qu'autrement « il eust
esté prins » — ce n'est que grâce à mons[r] de Contay qui lui parla

11. Celle par exemple du « vychancellier de Bretaigne nommé Rouville »
     qui, pour éviter « le murmure » de ses gens, utilise à son gré — ne
     faut-il pas leur donner les bonnes nouvelles qu'ils espèrent ? —
     « les blans signéz de son maistre ». Un « très habile homme »,
     commente le mémorialiste.

12. Misères physiques et misères morales, que rend bien le passage
     suivant : Charles « fort sanglant, se retira à eulx comme au milieu
     du camp, et estoit l'enseigne du bastard de Bourgongne toute
     depecée, tellement qu'elle n'avoit pas ung pied de longueur, et
     l'enseigne des archiers dudict conte. Il n'y avoit pas quarante
     hommes en tout ; et nous y joignismes, qui n'estions pas trente, *en
     très grant doubte.* Incontinent, il changea de cheval, et le luy bailla
     ung qui estoit lors son paige, qui avoit nom Symon de Quingy, qui
     depuis a esté congneu. Ledict conte se mist par le champ pour rallier
     gens ; mais je vey telle demye heure que nous, qui estions demouréz
     là, *ne avions l'œil que à fuyr,* s'il fust marché cent hommes. Il
     venoit à nous dix hommes, vingt hommes, que de pied que de
     cheval, les gens de pied lasséz et blesséz, tant de l'outraige que leur
     avions fait le matin, que aussi des ennemys. Peu à peu en venoit.
     *Nostre champ estoit aussi ras, où demye heure devant le ble estoit
     si grant et, à l'heure, la pouldre la plus terrible du monde ; tout le
     champ semé de mors et de chevaulx ; et ne congnoissoit nul homme
     mort, pour la pouldre »* (t. I, liv. I, chap. IV, p. 31-32. C'est nous
     qui soulignons). Cet autre également : « Comme la nuyt fut toute
     close, on ordonna cinquante lances pour veoir où le roy estoit logé.
     Il y en alla par adventure vingt. Il y povoit avoir trois getz d'arc
     de nostre champ jusques où nous cuydions le roy. Cependant mons[r]
     de Charrolois beut et mengea ung peu, et chascun en son endroit,
     et luy fut adoublée sa playe qu'il avoit au col. Au lieu où il mengea,
     fallut oster quatre ou cinq hommes mors pour luy faire place... »
     (*ibid.,* p. 35).

« audacieusement » (t. I, liv. I, chap. IV, p. 29-30 [13]). Et cette
découverte, on l'a vu, le temps ne fera que la confirmer : le
Téméraire fait absolument fi des conseils. À quoi bon dans ces
conditions demeurer auprès de lui ? Commynes ne pourra
jamais remplir à ses côtés les fonctions pour lesquelles il se
sent à la fois attiré et doué. Le tente-t-il, que le climat de
confiance indispensable manque ; son maître se soucie à peine
de ses gens, le jeune homme a pu s'en rendre compte une fois
de plus — une fois de trop ? — lors d'une de ses missions à
Calais [14].

Louis XI par contre, prête l'oreille à ce qu'on lui dit.
Mieux que quiconque, il sait « estimer les gens de bien et de
valleur » (t. I, liv. II, chap. VI, p. 130). Les « honnorer »
également et dans tous les sens du terme. Aussi est-ce très tôt
que s'établissent entre lui et son conseiller des relations fondées
sur un respect mutuel que même les tensions occasionnelles
n'arrivent pas à entamer, comme le prouve, au moment où ils
sont divisés sur la manière de régler la succession bourguignonne, le fait que le roi tient à donner à Commynes les raisons
qui motivent sa politique [15]. C'est que ce respect mutuel repose

13. Ajoutons que Commynes précise que c'est « par deux ou trois fois »
que le Breton répète son conseil au Charolais.
14. Ainsi que le démontre ce passage : (on est en octobre 1470)
« Javoye encores ceste nuyt adverty ledict duc de la craincte que
j'avoye de passer, sans luy mander que j'eusse envoyé querir seüreté,
car je me doubtoye bien de la responce que j'euz. Il m'envoya une
verge qu'il portoit au doy pour enseignes et me manda que je
passasse oultre, et me deüssent-ils prendre, car il me rachetteroit. *Il
ne craignoit point fort à mectre à peril ung sien serviteur pour s'en
ayder, quand il en avoit besoing ;* mais », poursuit Commynes, « je
y avoye pourveü... » (t. I, liv. III, chap. VI, p. 207-208. C'est nous
qui soulignons).
15. « Son plaisir », écrit de Louis XI le mémorialiste, « estoit bien me
dire toutes ces choses, pour ce que autresfois luy avoye parlé et
conseillé l'autre chemin cy-dessus escript, *et vouloit que je entendisse
ses raisons et pourquoy il muoit et que ceste voye estoit plus utile
pour ce royaume,* qui beaucoup avoit souffert à cause de la grandeur
de ceste maison de Bourgongne et des grans seigneuries qu'ilz
possedoient » (t. II, liv. V, chap. XIII, p. 171. C'est nous qui
soulignons).

sur une admiration réciproque de leurs qualités respectives. Si les *Mémoires* ne nous renseignent que de façon allusive sur les sentiments de Louis XI envers son conseiller [16], ils ne laissent planer aucun doute sur ceux de celui-ci envers celui-là. Et pour cause : Commynes ne doit-il pas à son maître l'essentiel de sa formation de conseiller ? C'est à son école également qu'il a élaboré sa conception du Conseiller idéal.

C'est de Louis XI en effet que le mémorialiste a appris les mérites de la diplomatie, dans l'affaire, par exemple, qui confronte le Téméraire et le roi après la bataille de Granson [17], et dans combien d'autres ! C'est par lui ou avec lui qu'il s'instruit des dangers pour les princes de se rencontrer — est-il besoin de rappeler Péronne ? —, qu'il découvre l'importance des ambassades et en mesure les possibilités [18]. C'est de lui qu'il reçoit une précieuse leçon sur la façon de se conduire avec son maître [19], leçon dont il pourra vérifier la véracité,

16. On apprend, par exemple, qu'il lui parle souvent « fort privéement » (cf. t. II, liv. IV, chap. VII, p. 40), que parfois même il ne confie qu'à lui « sa resolution » (cf. t. II, liv. v, chap. x, p. 160), etc. Pourquoi faudrait-il mettre en doute ces confidences ? Le seul fait que Louis XI ait gardé à son service et abondamment récompensé Commynes — et cela est facile à vérifier — en est une caution suffisante, nous semble-t-il.

17. De Louis XI ? Ou *avec* lui ? Un Louis XI bien conseillé, cela est certain, aussi le mémorialiste peut-il écrire : « Or fault maintenant veoir comment changea le monde après ceste bataille et comme leurs parolles furent muées et comme nostre roy conduysit tout saigement. Et sera bel exemple pour ces seigneurs jeunes qui follement entreprennent, sans congnoistre ce qu'il leur en peult advenir ne aussi ne l'ont point veü par experience, et mesprisent le conseil de ceulx qu'ilz deüssent appeler » (t. II, liv. V, chap. II, p. 108).

18. Cf. t. I, liv. III, chap. VIII, p. 219 et suiv.

19. « Encores (et notons au passage cet « encores » !) en ce pas me fault alleguer nostre maistre en deux choses, qui une fois me dist, parlant de ceulx qui font grans services [...] disant avoir trop bien servy pert aucunes fois les gens et que souvent les grandz services sont rescompenséz par grandz ingratitudes, *mais que il peult aussi bien advenir par le deffault de ceulx qui ont faict lesdictz services, qui trop arrogamment veulent user de leur bonne fortune tant envers leurs maistres que leurs compaignons,* comme de la mescongnois-

entre autres dans le destin du comte de Saint-Pol [20] et qu'il
reprendra par la suite à son compte :

> ... je conseilleroye à ung mien amy [...] qu'il meist peine
> que son maistre l'aymast, mais non point qu'il le craignist :
> car je ne veiz oncques homme ayant grant auctorité
> avecques son seigneur par le moyen de le tenir en
> craincte à qui il ne mescheüst, et du consentement de
> son maistre mesmes (t. I, liv. III, chap. xii, p. 249-250).

Leçon qui n'ébrèche toutefois pas l'autonomie de Commynes. À ses yeux « faire en sorte que son maistre l'aymast »
n'implique aucune servilité : ne souhaite-t-il pas que le Conseiller « ayt loy de [...] dire vérité » (t. I, liv. III, chap. v,
p. 205) ? Ne prend-il pas sur lui d'interrompre les méditations
du roi — au risque de lui déplaire — alors qu'il juge à propos
de le faire quand les Anglais sont dans Amiens (t. II, liv. IV,
chap. ix, p. 58) ? Et s'il préfère ne pas « l'arguer » (t. II,
liv. V, chap. xiii, p. 170) au moment des négociations qui
suivirent la mort du duc de Bourgogne, c'est que Louis XI
pourrait bien avoir raison [21]. Ce dernier n'a-t-il pas souvent

> sance du prince. Me deït davantaige que, à son advis, pour avoir
> biens en court, que c'est plus grant heur à ung homme quant le
> prince qu'il sert luy a faict quelque grant bien à peu de desserte,
> pour quoy il luy demeure fort obligé, que ce ne seroit s'il luy avoit
> faict ung si grant service que ledict prince luy en fust très fort
> obligé ; et que les princes ayment plus naturellement ceulx qui leur
> sont tenuz, qu'ils ne font ceulx ausquelz ils sont tenus » (t. I, liv.
> III, chap. xii, p. 251-252).

20. « Je ne congneü oncques bonne yssue d'homme qui ait voulu espou-
venter son maistre et de le tenir en subjettion ou ung grant prince
de qui on a affaire, comme vous entendrez de ce connestable. Etc. »
(t. I, liv. III, chap. ii, p. 181). Entre autres, car : « Il s'en est veü
assez de nostre temps, ou peu devant, en ce royaume : mons^r de la
Trimouille et autres en ce pays ; en Angleterre le conte de Warvic
et toute sa sequelle ; j'en nommeroye en Espaigne et ailleurs » (t. I,
liv. III, chap. xii, p. 251).

21. La preuve en est dans ce commentaire qui suit les arguments
apportés à Commynes par le roi : « ... le sens de nostre maistre
estoit si grand que moy ne autres, qui fussent en la compaignie,
n'eussions sceü veoir cler en ses affaires comme luy-mesmes faisoit... » (t. II, liv. V, chap. xiii, p. 171).

fait la preuve de sa supériorité, même sur son conseiller ?
Rappelons la rencontre des deux hommes avec le « varlet »
qu'il est question d'envoyer en guise de héraut à Édouard IV :
le roi « l'asseüra plus en une parolle que je n'avoye faict en
cent » (t. II, liv. IV, chap. VII, p. 42), est forcé de reconnaître
Commynes.

Si le « saige » conseiller ne peut vraiment exister que
sous le prince « saige » — Contay qui l'est [22] et Humbercourt [23],
ont-ils donné leur pleine mesure auprès du Téméraire ? Et
Commynes lui-même, auprès de Charles VIII [24] ? — il se
heurte, comme le Prince, aux limites de la condition humaine.
Comme lui, il est en butte aux résistances de toutes sortes qui
viennent diminuer son efficacité [25]. Comme lui surtout, il est
susceptible de se tromper [26].

---

22. Commynes le signale plusieurs fois dans les *Mémoires*.

23. « ... ung des plus saiges chevaliers et des plus entenduz que je
congneü jamais ... » (t. I, liv. II, chap. II, p. 104).

24. Ne citons que ces commentaires presque désespérés du mémorialiste,
lors de l'expédition d'Italie : « *Je fus d'oppinion* que le roy le devoit
faire... *Toutesfoiz cela n'eut nul lieu* ... » « *Je diz qu'il me sembloit
que* le roy devoit tirer son chemin et ne se amuser à ces folles
offres... », etc. « Chascun » même, précise-t-il, « fut de cest advis ;
toutesfoiz on fit aultrement. » Le fait qu'il lui « en fut demandé le
premier » ne le console pas. À quoi bon les efforts puisque — il le
dira plus loin — « De moy, il me sembloit qu'il [c'est-à-dire Charles
VIII] ne me croyoit point du tout » (t. III, liv. VII, chap. II et V,
p. 143 et 153. C'est nous qui soulignons).

25. Aussi est-ce « grant folie à ceulx qui se estiment si bons et si saiges
que de penser », par exemple, « que leur presence peut pacifier si
grans princes et si subtilz... » (t. I, liv. I, chap. XVI, p. 92).

26. N'est-ce pas ce qui arriva à Contay qui, en octobre 1467, conseille
au duc de Bourgogne de faire mourir les otages liégeois ? D'où la
nécessité pour le Prince de s'attacher plusieurs conseillers qui « les
ungs radressent les autres » : « Et pour ce est bien necessaire à ung
prince d'avoir plusieurs gens à son conseil, car les plus saiges errent
aucunes fois très souvent ; ou pour estre passionnéz aux matières
de quoi l'on parle ou par amour ou par hayne ou pour vouloir dire
l'opposite d'un autre, et aucunes fois pour la disposition des
personnes » (t. I, liv. II, chap. II, p. 103-104).

« Aucuns pourroient dire que gens faisans aucunes [...]
faultes ne devroient estre au conseil d'ung prince », écrit
Commynes qui prévoit les réactions de ses lecteurs. Objection
simpliste qu'il s'empresse de réduire à néant par une constatation
essentielle :

> A quoy fault respondre que nous sommes tous hommes,
> et qui les vouldroit cercher telz que jamais ne faillissent
> à parler saigement, ne jamais se meüssent plus une fois
> que aultre, il les fauldroit cercher au ciel, car on ne les
> trouveroit pas entre les hommes (t. I, liv. II, chap. II,
> p. 106).

*   *   *

« A quoy fault respondre que nous sommes tous hommes... » : commentaire de moraliste s'il en est un ! Commentaire de moraliste et par l'idée exprimée et par la façon de le
faire. Ajoutons qu'il ne s'appuie que sur l'expérience et c'est
un autre aspect de Commynes que nous découvrons : l' « homme d'experience » justement et le moraliste qui en dépend
étroitement. Un autre aspect vraiment ? N'est-ce pas l' « homme
d'experience » qui chez lui a formé le conseiller ? Et l' « homme
d'experience », quel qu'il soit, n'est-il pas toujours plus ou
moins moraliste ? Comment savoir, et de toutes manières
pourquoi le voudrait-on ? qui de l' « homme d'experience »,
du moraliste ou du conseiller est à l'origine de cette réflexion :

> ... en tel conseil se treuve beaucoup gens (et y en a
> assez) qui ne parlent que après les autres, sans guères
> entendre aux matières, et desirent à complaire à quelcun
> qui aura parlé, qui sera homme estant en auctorité (t. I,
> liv. II, chap. II, p. 104).

Du moraliste, Commynes utilise tous les procédés. Il en
a également les qualités : la psychologie d'abord qui se révèle
de mille manières. Raconte-t-il, par exemple, les escarmouches
à Paris, en août 1465 ? Il explique que la présence des « dames » « donnoit envie » aux soldats « de se monstrer » (t. I,
liv. I, chap. VIII, p. 59). En octobre 1468, devant la conduite
des Écossais de Louis XI, il n'est pas, malgré sa discrétion,

sans deviner leurs intentions : « ... ilz blessèrent plus de Bourguygnons que de Liégeoys » (t. I, liv. II, chap. XII, p. 158).
Il voit clair dans les sentiments d'envie de Briçonnet, entre
autres, à l'égard de Ludovic Sforza [27], mesure rapidement les
réserves d'énergie de Pierre de Médicis chassé par les Floren-
tins [28], la dangereuse légèreté « en parolle » aussi de l' « arcevesque de Duras » que Charles VIII a délégué à Venise (t. III,
liv. VII, chap. XVII, p. 104), tente enfin de deviner ce qui se
passe dans les têtes des convives entourant Louis XI à qui on
vient d'annoncer la mort du Téméraire. Et ici, il s'agit même
de psychologie au second degré, puisque Commynes se rend
compte que « autres » avec lui prennent « garde comme dis-
n[er]oient ne de quel appetit ceulx qui estoient à ceste table [29] ».

Attentif aux êtres, Commynes l'est également aux choses
et aux événements. Tout lui est signe en effet. Cette disponibilité, cette ouverture constante sur l'extérieur, n'est-elle pas
une des caractéristiques de l' « homme d'experience », autodidacte par définition ? Pour ne pas multiplier les exemples,
ne retenons que sa rencontre avec l'ambassadeur de Naples —
on est à Venise et la Ligue contre Charles VIII vient d'être
conclue : le mémorialiste écrit qu'il « avoit une belle robbe

27. « Ainsi se mist le roy à ordonner son affaire selon le vouloir et
conduicte dudit seigneur Ludovic ; dont aulcuns des nostres eurent
envie ; et fut quelque chambelan et quelque autre [...] et surtout ce
general, car jà se estimoit grant et y avoit quelque envie entre le
seneschal et luy... » (t. III, liv. VII, chap. VII, p. 45).

28. « Quand je le veïs, me sembla bien qu'il n'estoit point homme pour
ressourdre » (t. III, liv. VII, chap. X, p. 65).

29. « Dès ce que le roy eut receü ces lettres [...] il envoya querir tous
les cappitaines et plusieurs grans personnaiges [...] et puis feït
mectre la table en sa chambre et les feï tous dîner avecques luy ; et
y estoit son chancellier et aucunes gens de son conseil ; et, en
disnant, parla tousjours de ces matières. Et sçay bien que, moy et
autres, prinsmes garde comme disneroient ne de quel appetit ceulx
qui estoient à ceste table ; mais, à la verité, je ne sçay si c'estoit de
joye ou de tristesse, ung seul, par semblant, ne mangea la moytié
de son saoul. Si n'estoient-ils point honteux de manger avec le roy,
car il n'y avoit celuy de la compaignie qui bien souvent n'y eust
mangé » (t. II, liv. V, chap. X, p. 161).

neufve et faisoit bonne chère [30] » ; sa venue à Calais également, en octobre 1470. S'il remarque alors que « [N]ul ne
vint au devant » de lui « comme ilz souloient faire » (t. I,
liv. III, chap. vi, p. 208), ce n'est pas, ainsi qu'on a voulu
le dire, qu'il se sentait piqué dans son amour-propre, mais
plutôt qu'il y voyait un motif d'être prudent. D'autres signes
lui donnent bientôt raison d'ailleurs :

> Tout homme portoit la livrée de mons^r de Warvic. A la
> porte de mon logeïs et de ma chambre me feïrent plus
> de cent croix blanches et des rymes contenantz que le
> roy de France et le conte de Warvic estoit tout ung *(ibid.)*.

Et que dit-il du portrait qu'on lui montre de Mathias Corvin ?
« ... sembloit bien qu'il fust homme de grant esprit » (t. II,
liv. VI, chap. xii, p. 338). Le psychologue devient physiono-
miste...

Cette psychologie chez Commynes et ce sens aigu de
l'observation sont à la base même de son esprit critique. Esprit
critique que rien n'arrive à diminuer, ni l'admiration qu'il porte
à Louis XI — rappelons qu'il reconnaît volontiers les « erreurs »
de celui-ci [31] — ni sa méfiance grandissante envers le Téméraire de qui pourtant il continue à voir les qualités [32], ni la
sorte de mépris qu'il a pour l'incapacité de Charles VIII —
ne trouve-t-il pas moyen d'excuser ce dernier sur son jeune
« eage [33] » — ni même et ici encore, quoi que l'on ait pu dire

---

30. « ... et avoit cause », précise-t-il, « car c'estoient unes grans nouvelles pour luy » (t. III, liv. VII, chap. xx, p. 129).

31. Que ce soit la maladresse avec laquelle, à son avènement, il mécon-
tente les anciens serviteurs de son père, ses décisions dans le règlement de la succession de Bourgogne ou bien ce « commandement
extraordinaire » que l'entourage du roi décide d'annuler au moment
de sa seconde maladie et, précise le mémorialiste, « qui n'estoit de
tenir » (t. II, liv. VI, chap. x, p. 312).

32. Ses qualités d'endurance, de bravoure et même à l'occasion les
heureuses décisions qu'il prend (cf. t. I, liv. II, chap. ii, p. 106).

33. Cf. t. III, liv. VII, chap. v, p. 33 et liv. VIII, chap. i, p. 134, chap.
xvii, p. 312.

sur cette question, son intérêt [34]. Il tient à garder un esprit indépendant, à ne juger qu'à partir de renseignements de première main, et *de lui-même,* en dehors de ce qu'autour de lui on peut dire ou penser. Les nombreuses formules du type : « ... je ne le sceuz oncques et je ne le croy pas... » (t. I, liv. I, chap. III, p. 20) qui parsèment les *Mémoires* le prouvent suffisamment. Certains blâment Savonarole de ses prophéties ? D'autres « y adjoust[...]ent foy » ? « [D]e ma part », écrit Commynes, je le reppute bon homme » (t. III, liv. VIII, chap. III, p. 145). Il est particulièrement prudent lorsqu'il est question de chiffres : depuis qu'il est « né », n'a-t-il pas « veü en beaucoup de lieux » qu'on les utilise volontiers pour « complaire [35] » ? Et quel sens de la nuance ! Suivons, par exemple, le cours de cette réflexion :

> Et en cela monstra Dieu que les batailles sont en sa main et dispose de la victoire à son plaisir. Et ne m'est pas advis que le sens d'un homme sceust porter ne donner ordre à ung si grand nombre de gens ne que les choses tinssent aux champs comme elles sont ordonnées en chambre et que celluy qui s'estimeroit jusques là mesprendroit envers Dieu, s'il estoit homme qui eust raison naturelle, combien que ung chascun y doit faire ce qu'il peult et ce à quoy il est tenu... (t. I, liv. I, chap. III, p. 26-27).

Psychologie, sens de l'observation et de la nuance, esprit critique, se manifestent partout dans les procédés d'écriture

---

34. Plus de souplesse lui aurait sans doute évité, par exemple, l'éloignement au Poitou de février 1477, car c'était bien d'éloignement qu'il s'agissait.

35. « Bien mourut quelque six mille hommes, qui semble beaucoup à toutes gens qui ne veulent point mentir ; mais, depuis que je suis né, j'ay veü en beaucoup de lieux qu'on disoit, pour ung homme qu'on avoit tué, cent, pour cuyder complaire ; et avecques telz mensonges s'abusent bien aucunes fois les maistres » (t. I, liv. II, chap. II, p. 107). Ailleurs : « A moy me semble ce nombre très grant, combien que beaucoup de gens parlent de milliers et font les armées plus grosses qu'elles ne sont et en parlent légièrement » (t. II, liv. V, chap. III, p. 121).

du mémorialiste. Et ne croirait-on pas déjà lire La Bruyère
ou La Rochefoucauld dans des passages comme ceux-ci ?

> ... mais un homme grand, quant il a tout perdu le sien,
> ennuye le plus souvent à ceulx qui le soubstiennent (t. II,
> liv. V, chap. III, p. 119).

> Tel perdit ses offices et estatz pour s'en estre fuy, et furent
> donnéz à d'autres qui avoyent fuy dix lieues plus loing
> (t. I, liv. I, chap. IV, p. 34).

> ... on ne doit point tenir pour conseil ce qui se fait après
> disner (t. I, liv. II, chap. II, p. 103).

L'habitude même du portrait en est une de moraliste — mais
nous n'avons pas à revenir sur les nombreux qui constituent
le Triptyque — ; le goût de la fable également [36], du récit en
général d'ailleurs [37], dès que celui-ci est susceptible de faire
mieux connaître l'homme ou de porter quelque leçon.

Moraliste avant tout chez Commynes, l'emploi à peu
près exclusivement psychologique qu'il fait du discours direct [38].
Moraliste, l'utilisation presque uniquement significative de la
description [39], mises à part évidemment certaines des livres VII

36. Rappelons comme Commynes se plaît à raconter celle qu'il tient de
l'empereur d'Allemagne.
37. Goût qui se manifeste chez Commynes par ce que nous pourrions
nommer des « tics de conteur », des expressions comme « nostre
homme » (cf. t. II, liv. IV, chap. VII, p. 42-43) « nos bourgeois »
(cf. t. I, liv. II, chap. III, p. 112-113). Nos premiers récits avaient
pour but avoué la leçon ; pensons aux *exempla...*
38. Que ce soit pour recréer une atmosphère, de danger, par exemple,
dans cette apostrophe au comte de Charolais sur le point d'être fait
prisonnier : « Monsr, rendez-vous ! Je vous congnois bien ; ne vous
faictes point tuer ! » (t. I, liv. I, chap. IV, p. 30), ou encore, révéler
un trait de caractère. Ainsi l'arrogance du sénéchal de Normandie
à Montlhéry : « Je les mectray aujourduy si près l'un de l'autre qu'il
sera bien abille qui les pourra desmeller » (t. I, liv. I, chap. III,
p. 21).
39. Contrairement, soit dit en passant, aux autres chroniqueurs de
l'époque dont les descriptions, abondantes, sont plus souvent qu'autrement, peut-on dire « somptuaires » ? Un exemple de description

et VIII qui s'expliquent en partie par ce que nous avons appelé
la « tentation de l'écriture [40] ». Que dire enfin de procédés tels
que l'objection ou la question-réponse [41] — et cette fois c'est à
Pascal que l'on est amené à penser — la répétition volontaire
déjà signalée, l'impératif didactique [42], des expressions conclu-
sives comme « A regarder le tout... » (*Prologue*, t. I, p. 2),
« ... tout bien regardé... » (t. I, liv. I, chap. XVI, p. 93), « Et
qui bien y penseroit... » (t. II, liv. IV, chap. VI, p. 34), etc. [43] ?
Tous ne sont-ils pas l'occasion d'une leçon ? À tout le moins
d'une réflexion. Car le moraliste en Commynes n'est pas de
cette sorte qui apporte à chaque problème une ou *la* solution.
Découvrir la complexité du réel, en démêler les significations,
raconter les uns et les autres dans leurs actes, essayer de prévoir les implications de ceux-ci pour éventuellement apprendre
à éviter le pire et dans toute la mesure du possible faire le
mieux, voilà ce qu'il cherche. D'où l'importance pour lui de
l' « experience » ou à son défaut, mais vraiment à son défaut,
du palliatif qu'est la fréquentation des livres (t. I, liv. II,
chap. VI, p. 129-130).

*   *   *

Si Commynes ne peut se « tenir de blasmer les seigneurs
ignorans » *(ibid.,* p. 129), c'est indiscutablement à ceux « qui

commynienne : celle du butin fait par les Suisses à Granson et qui
sert d'une part à faire voir la rusticité de ceux-ci, d'autre part, la
déchéance du Téméraire (t. II, liv. V, chap. II, p. 115).

40.   « En partie », car il y a toujours chez Commynes le besoin de
découvrir le réel dans toutes ses dimensions.

41.   « *On pourra dire* que vostre ennemy en sera plus orgueilleux. *Il ne
me chault.* Aussi sçauray-je plus de ses nouvelles. Car, à la fin du
compte, qui en aura le prouffit en aura l'honneur » (t. I, liv. III,
chap. VIII, p. 220). « *Quelcun pourra demander* cy après si le roy
ne l'eust sceü faire seul : *à quoy je respondz que non* » (t. I, liv. III,
chap. XI, p. 244). C'est nous qui soulignons.

42.   Que Commynes utilise le « vous » ou le « nous » ; ce « voyons »,
par exemple, analysé à la page 48 de la présente étude.

43.   Nous pensons à des formules du type « Pour ce qu'il est besoing
d'estre informé... » (t. I, liv. III, chap. IV, p. 195).

autresfois se fus[ren]t trouvé[s] en telz affaires » que va sa préférence. N'est-ce pas ainsi que lui est apparu le roi Louis XI[44] qui à la « grant vertu » et au « grant sens » ajoutait — le fait qu'il était « assez lettré » (t. I, liv. II, chap. VI, p. 130) faisant tout juste ne rien gâter — ce mérite de l'expérience ? Aussi est-ce l'un des premiers principes de sa conception du Politique. Celui qui veut gouverner ou qui est appelé à le faire, doit, soit pouvoir s'appuyer sur une vaste expérience, soit savoir s'entourer de gens qui n'en manquent pas, savoir les utiliser aussi, bien entendu : l'un et l'autre même, autant que possible, et le prince sensé agit ainsi qui n'ignore pas que plusieurs « saiges » points de vue valent mieux qu'un seul, si « saige » soit-il (t. II, liv. VI, chap. VIII, p. 304).

C'est tout au long des *Mémoires* que se révèle l'importance qu'attache le mémorialiste à l'expérience : il n'y a, pour s'en rendre compte, qu'à relever tous les « Je veïz... » (t. I, liv. II, chap. VIII, p. 139), les « Je ne congneü oncques... » (t. I, liv. III, chap. II, p. 181) qui, avec les « Je m'esbahys... » (t. II, liv. IV, chap. XI, p. 73) et les « Tout cecy m'estoit bien nouveau... » (t. I, liv. III, chap. VI, p. 207), truffent littéralement ces derniers et que leur pertinence ne permet pas de porter au compte de la maladresse d'écriture[45]. Les appels aussi, nombreux, qu'il fait à l'attention de son lecteur[46].

---

44. On est au moment des opérations conjointes contre Liège, les 27 et 28 octobre 1468. Le duc de Bourgogne vient de faire preuve d'incapacité. « ... print le roy parolles et auctorité de commander, et dist à mons[r] le connestable : « Tirez avecques ce que vous avez de gens à tel endroit : car, s'ilz doyvent venir, c'est leur chemin. » Et à oyr sa parolle et veoir sa contenance, sembloit bien roy de grant vertu et de grant sens, et qui autresfois se fust trouvé en telz affaires » (t. I, liv. II, chap. XI, p. 152-153).

45. Comment se contenter en effet d'une explication aussi simpliste quand ils contribuent ou bien à prouver la véracité d'un fait — et cette véracité est nécessaire pour qu'il y ait expérience — ou bien encore à révéler les étapes de la formation du mémorialiste.

46. La plupart des « ... povez voir » (t. I, liv. I, chap. V, p. 41), des « Vous avez ouy... » (t. II, liv. IV, chap. X, p. 76) et leurs diverses variantes, destinés peut-être autant à lui-même d'ailleurs, du moins à partir d'un certain moment, ainsi que nous l'avons suggéré au chapitre intitulé : Les trois moments des Mémoires.

Cette notion de l'expérience essentielle se greffe sur une autre découverte primordiale pour Commynes, celle à la fois de la diversité des choses et de leur similitude. Si, en effet, et bien que « les ennemys ny les princes soyent point tousjours semblables », les événements se répètent, l'expérience n'est pas un vain mot. À la condition cependant que l'on ne se contente pas de connaître les « choses passées » (t. I, liv. III, chap. IX, p. 230) mais que l'on s'en serve pour expliquer le présent et préparer l'avenir.

Expliquer le présent et préparer l'avenir — car Commynes qui a le sens de l'histoire [47] a depuis longtemps compris que celui-ci se trouve en germe dans celui-là, comme celui-là, dans le passé [48] —, cette double préoccupation est sensible partout dans les *Mémoires*. Elle se situe tantôt sur le plan du fait, petit ou grand, dont quelquefois il recherche *la* quand ce n'est pas *les* causes [49] (parfaitement conscient que la plus

47. Ainsi que le montre, entre autres, le passage suivant : « Et telles et semblables œuvres a fait Nostre Seigneur *avant que fussions néz et fera encores après que nous serons mortz* » (t. II, liv. V, chap. IX, p. 158. C'est nous qui soulignons).

48. Cf. cet extrait (Commynes vient de consacrer quelques pages à certains mariages princiers) : « Je diz toutes ces choses pour monstrer *ce qui s'en est ensuy* de la mutation de ces mariages et ne sçay *qu'il pourra encores advenir* » (t. III, liv. VII, chap. IV, p. 28. C'est nous qui soulignons).

49. On pourrait multiplier les exemples ! Ne retenons que les suivants : C'est « pour estre mal armé » que meurt à Montlhéry le « vaillant et jeune chevalier messire Philippes de Lalain » (t. I, liv. I, chap. III, p. 24). Le pays que doit traverser l'armée française pour atteindre Novarre est « mol comme Flandres » : c'est « à cause des fousséz qui sont au fond des chemins, de l'ung costé et de l'autre, fort parfons et beaucoup plus que ceulx de Flandres... » (t. III, liv. VII, chap. XVI, p. 227). Et il y a trois causes au fait que la ville de Londres demeure fidèle à Édouard IV, en avril 1471 : « ... trois choses furent cause que la ville se tourna d'essiens. La première, les gens qu'il avoit ès franchises et la royne sa femme, qui avoit eu ung filz ; la seconde, les grans debtes qu'il devoit en la ville, par quoy les marchans à qui il devoit tindrent pour luy ; la tierce, plusieurs femmes d'estat et riches bourgeoyses de la ville, dont autresfois il avoit eu grant privaulté et grande accointance, luy

insignifiante en apparence peut modifier le cours des événements [50]) et qu'il met souvent en question [51] pour en mesurer
aussitôt, tel qu'il a eu lieu [52] ou tel qu'il aurait pu être [53], les
conséquences immédiates, les lointaines répercussions mêmes
à l'occasion ; tantôt, c'est sur le plan de l'individu, Louis XI,
par exemple, qui doit son comportement en grande partie à
une éducation sévère [54] assez voisine de l'« adversité » ; tantôt
encore de tout un peuple, ainsi ceux de Gand et Liège dont

gaingnèrent de leur marys et de leurs parentz » (t. I, liv. III, chap.
vii, p. 213).

50. Une simple « charrète », par exemple, lors de la traversée des
Appenins (t. III, liv. VIII, chap. v, p. 152).

51. Ainsi la conduite du duc de Bourgogne à Guinegatte, le 7 août
1478 : «... croy bien que, s'il eust eu conseil de retourner devant
Therouane » — Commynes veut-il rappeler qu'il n'est plus aux côtés
du Téméraire ? Mais alors il oublie que ce dernier n'écoutait guère
les conseils... — « qu'il n'eust trouvé ame dedans, et autant à Arras.
Il ne l'osa entreprendre : qui fut à son dommaige. » Notons au
passage comment le mémorialiste élargit en leçon sa réflexion :
« ... mais en tel cas on n'est pas tousjours adverty du plus necessaire »
(t. II, liv. V, chap. v, p. 276).

52. Les menées du comte de Campobasso en novembre 1475 étaient
« comme une appreste des maulx qui puis advindrent au duc de
Bourgongne » (t. II, liv. IV, chap. xii, p. 89).

53. Si, par exemple, en août 1465, les « pratiques » entre les seigneurs
et l'évêque de Paris avaient pu se poursuivre, « n'eust point seulement esté ville gaignée, mais toute l'emprise » (t. I, liv. I, chap. viii,
p. 56). Et Louis XI eût-il, poursuivant sa politique habituelle, conclu
le mariage bourguignon ? Il « eust bien enforcy son royaume et
enrichy par la longue paix, en quoy il l'eust peü maintenir et l'eust
peü soulager en plusieurs façons, et par especial du passaige des
gens d'armes, qui incessamment, le temps passé et le temps présent,
chevauchent d'ung des boutz du royaume en l'autre, et bien souvent
sans grand besoing qu'il en soit » (t. II, liv. V, chap. xii, p. 168).

54. Contrairement à celle que reçoivent la plupart des princes : « ... mon
advis que le travail qu'il eust en sa jeunesse, quant il fut fugitif
de son père et fuyt soubz le duc Philippes de Bourgongne, où il
fut six ans, lui vallut beaucoup, car il fut contrainct de complaire
à ceulx dont il avoit besoing. *Et ce bien luy aprint l'adversité, qui
n'est pas petit.* [...] Et s'il n'eust eu la nourriture autre que les
seigneurs que j'ay veu nourrir en ce royaulme, je ne crois point
que jamais se fust ressours [c'est-à-dire relevé de sa conduite mala-

l'inconstance dangereuse apparaît tout particulièrement au mémorialiste [55] ; d'une ville, telle Milan et sa valeur straté-gique [56] ; d'une nation enfin, comme l'anglaise, brave certes, mais peu apte aux négociations subtiles [57] ; d'un royaume encore comme la Bourgogne qui tient de ses princes sa splendeur et sa décadence [58].

> droite envers les serviteurs de son père ; c'est nous qui soulignons] : car ilz ne les nourrissent seullement que à faire les folz en habille-mens et en parolles ; de nulle lectre ilz n'ont congnoissance ; ung seul saige homme on ne leur mect à l'entour ; ilz ont des gouver-neurs à qui on parle de leurs affaires, à eulx, riens ; et ceulx-là disposent de leurs affaires... » (t. I, liv. I, chap. x, p. 69).

55. « ... à dire la verité, après le peuple de Liège, il n'en est nul [autre que celui de Gand] plus inconstant » (t. I, liv. II, chap. IV, p. 120).

56. « ... qui a Milan à son commendement a toute la seigneurie : car les principaulx de toute ladite seigneurie y demeurent, et ceulx qui ont la garde et gouvernement des aultres en sont » (t. III, liv. VII, chap. III, p. 17).

57. « Jamais ne se mena traicté entre les François et Angloys, que le sens des François et leur habilité ne se monstrast par dessus celle des Angloys. Et ont les Angloys un mot commun, que autresfois m'ont dit, traictant avecques eulx, c'est que aux batailles qu'ilz ont eu avec les François, tousjours ou le plus souvent y ont eu gaing, mais en tous traictéz qu'ilz ont eu à conduyre avec eulx, qu'ilz y ont perte et dommaige » (t. I, liv. III, chap. VIII, p. 221). Ailleurs : « ... les Angloys ne sont point si subtilz en traictéz et en appoincte-mens comme sont les François... » (t. II, liv. IV, chap. IX, p. 60).

58. « Pour lors estoient les subjectz de ceste maison de Bourgongne en grande richesse, à cause de la longue paix qu'ilz avoient eu et pour la bonté du prince soubz qui ilz vivoyent, lequel tailloit peu ses subjectz. Et me semble que pour lors ses terres se povoient myeulx dire terres de promission que nulles autres seigneuries qui fussent sur la terre. Ilz estoient combles de richesses et en grand repoz, ce qu'ilz ne furent oncques puis, et y peult bien avoit vingt et troys ans que cecy commença. Les despenses et habillemens et d'hommes et de femmes grans et superfluz, les convyz et les banquetz plus grans et plus prodigues que en nul autre lieu dont j'aye eu congnoissance, les baigneries et aultres festoyemens avecques femmes grans et desordonnéz à peu de honte : je parle de femmes de basse condicion. En somme, ne sembloit pour lors aux subjectz de ceste maison que nul prince fust suffisant pour eulx, au moins qui les sceust con-fondre. Et en ce monde n'en congnois aujourduy une si desolée... » (t. I, liv. I, chap. II, p. 13-14).

Un souci aussi constant de comprendre le monde qui était
le sien [59], devait nécessairement amener Commynes à élaborer
certaines grandes lois de philosophie politique. Aurait-il vraiment pu exister d'ailleurs, ce souci, sans tendre, ne serait-ce
que de manière implicite, vers ce but ? Rien d'organisé toutefois dans les *Mémoires*. Le mémorialiste n'y était pas encore
prêt. Son enquête terminée — l'aurait-elle jamais été seulement ? N'était-elle pas essentiellement continue, donc « ouverte » ? —, il aurait sans doute eu la capacité [60] de présenter
une œuvre à caractère officiellement didactique. Mais voilà :
il lui eût fallu, aux questions qui se faisaient de plus en plus
nombreuses à son esprit, des réponses satisfaisantes et nous
sommes convaincue que Commynes n'en avait pas. Ou n'en
avait *plus*. En dépit de toutes celles qu'il s'était déjà apportées
en effet — la « saigesse » du Prince gage du bonheur d'un
peuple, l'utilité de conseillers avisés, etc. — il finissait toujours
par se heurter au double problème qui, au fur et à mesure
qu'il se précisait, devenait à ses yeux le seul important :
l'homme est-il maître de son destin ? et de façon plus immédiatement pratique : Peut-il être heureux et jouer en même
temps un rôle politique efficace ?

*   *   *

59. Aussi étendu également. Rien ne laisse Commynes indifférent en
    effet. Il peut tout aussi bien s'intéresser au ravitaillement de Paris
    dont il admire l'excellence (t. I, liv. I, chap. vii, p. 58) qu'au
    commerce des lainiers de Calais (t. I, liv. III, chap. vi, p. 210) ;
    aux bateaux hollandais appelés *scutes* (t. II, liv. IV, chap. v, p. 30)
    comme au pont de Pise (t. III, liv. VII, chap. ix, p. 59), aux
    stradiotz (t. III, liv. VIII, chap. vii, p. 163), même au sens des
    mots, ainsi «Forenoue (qui vault à dire ung trou nouveau) ... »
    (*ibid.*, p. 162).
60. L'objection trop souvent faite de son « ignorance » nous semblerait
    inacceptable : on se trouverait alors à s'appuyer sur celle-ci pour
    aborder les *Mémoires* selon une norme qui leur est forcément exté-
    rieure, en l'occurrence ici, « ce que devrait être un ouvrage de
    philosophie politique ». Inacceptable aussi, l'objection tout à fait
    gratuite, nous l'avons vu, de son manque d'esprit de synthèse.

Quelles sont donc ces lois de philosophie politique élaborées par Commynes ? Elles ont été signalées maintes fois par les critiques qui trop souvent s'en contentent comme épuisant la signification des *Mémoires*. Rappelons-les brièvement, car ce qui compte pour nous, ce n'est pas tant leur contenu que leur existence même : le fait qu'elles se trouvent révéler par delà ce dernier la profonde angoisse du mémorialiste. Il y a d'abord la constatation capitale que si l'homme occupe une place temporaire dans l'histoire, il en est de même pour les « royaulmes » et les « empires ». De même également pour les « lignées [61] ». Que Commynes la tienne en partie de ses lectures — nous sommes au livre VII [62] — importe peu : elle est avant tout, ainsi que nous avons pu le voir, enracinée solidement dans son expérience personnelle. Cette autre ensuite, dont on a beaucoup parlé et qui semble en effet « comme un pressentiment de la théorie des climats [63] » : chaque nation a ses caractéristiques propres qu'elle tient de sa situation géographique [64]. Cette autre encore, la plus originale peut-être, certainement la plus actuelle, qu'aucun royaume ne peut prétendre exister sans avoir à tenir compte de ceux qui l'entourent. Aucun homme non plus, car *tout* a son « contraire [65] » — et ici le

---

61. Ainsi celle des Médicis (t. III, liv. VII, chap. VI, p. 42).

62. Et rappelons notre hypothèse quant à l'influence livresque qu'aurait subie le mémorialiste entre le livre sixième et les deux derniers (cf. la présente étude, p. 54-59).

63. Gustave Charlier, *Commynes*, p. 107.

64. Sont « fort collericques », déclare Commynes, « toutes les nations de pays froids ». Les « Angloys » en font la preuve, surtout lorsqu'ils « ne sont jamais partyz d'Angleterre ». Si les Français, pour leur part, sont « gens de deux complexions », c'est dû au fait que la France « est située entre les ungs et les autres et environnée [de] l'Italie et l'Espaigne et Castelloigne du costé de levant, et Angleterre et ces parties de Flandres et de Hollande vers le ponant, et encores [...] vient joindre Allemaigne partout vers la Champaigne ». Aussi tiennent-ils « de la region chaude et [...] de la froide » (t. II, liv. IV, chap. VI, p. 38).

65. « Au fort, il me semble que Dieu n'a créé en ce monde ny homme ny beste à qui il n'ayt fait quelque chose son contraire pour le tenir en humilité et en craincte. Et ainsi ceste ville de Gand est bien seante là où elle est, car ce sont les pays de la crestienté plus

politique est rejoint par le moraliste —, tout se jouant en
ce monde comme dans une balance, tout dépendant d'un
équilibre dont la stabilité, difficile à atteindre, demeure alors
même extraordinairement précaire.

Équilibre vers lequel doivent tendre — et c'est là que se
situe chez Commynes la faille existentielle de sa vision du
monde, puisque cet équilibre, le mémorialiste, rappelons-le, y
insiste plusieurs fois, dépend avant tout de Dieu qui le crée ou
le renverse à son gré ! — les nations, dans le règlement de
leurs affaires internes comme externes, les princes, entre eux
et avec leurs sujets respectifs, ceux-ci et ceux-là, chaque individu enfin « en tous estatz » (t. I, liv. III, chap. XII, p. 252),
dans ses contacts avec les autres, dans sa vie personnelle également, c'est-à-dire entre les actes qu'il pose, donc qui lui appar-
tiennent, et sa conscience.

Certaines leçons visant à cet équilibre naissent facilement
sous la plume du mémorialiste. N'a-t-il pas souvent vécu la
guerre ? Comment ne pas la déconseiller aux princes ? Comment ne pas leur faire comprendre — ne pas essayer du moins
— qu'elle est aléatoire et gagnée ou perdue, toujours déce-

adonnéz à tous les plaisirs à quoy l'homme est enclin et aux plus
grans pompes et despenses. Ilz sont bons crestiens et y est Dieu
bien servy et honoré. Et n'est pas ceste nation seulle à qui Dieu a
donné quelque aguillon. Car au royaume de France a donné pour
opposite les Angloys ; aux Angloys a donné les Escossoys ; au
royaume d'Espaigne Portugal. Je ne veulx point dire Grenade, car
ceulx-là sont ennemys de la foi. Toutesfois, jusques cy, ledit pays
de Grenade a donné plus de troubles au pays de Castille. Aux
princes d'Ytalie (dont la pluspart possèdent leurs terres sans tiltres,
s'il ne leur est donné au ciel ; et de cela ne povons que deviner),
lesquelz dominent assez cruellement et violentement sur leurs peuples quant à leurs deniers, Dieu leur a donné pour opposite les
villes de communauté qui sont audict pays d'Italye, comme Venise,
Florence, Gennes, quelquefois Boullongne, Sene, Pise, Lucques et
autres, lesquelles, en plusieurs cas, sont opposites aux seigneurs et
les seigneurs à eulx, et chascun a l'œil que son compagnon ne
s'accroisse. Et, pour en parler en particulier, à la maison d'Arragon a
donné la maison d'Anjou pour opposite... » (t. II, liv. V, chap. XVIII,
p. 207-208).

vante [66], « mal aisée à rapaisée » (t. I, liv. II, chap. VI, p. 126)
aussi, que seule la « défensive [67] » a sa raison d'être, mais en
dernière extrémité, lorsque tout a été vraiment tenté pour
l'empêcher ? Et si elle doit avoir lieu, comment les laisser
ignorer qu'il y a une manière de la faire [68] ? Une manière
ensuite de rétablir la paix par des traités habilement négociés [69],
de la maintenir surtout grâce aux mécanismes de la diplomatie [70]

66. « ... à qui ce soit, est bien de craindre de mectre son estat *en hazard
d'une bataille,* qui s'en peult passer ; car pour petit de nombre de
gens que l'on y pert, si mue-elle les couraiges des gens de celuy qui
pert plus qu'il n'est à croire, tant en espoventement de leurs ennemys que en mespris de leur maistre et de ses privéz serviteurs ; et
entrent en murmures et machinations, demandans plus hardiement
qu'ilz ne soulayent et se courroussent quant on leur reffuse. [...]
*En toutes façons, une bataille perdue a tousjours grand queue et
mauvaise pour le perdant.* [...] Au contraire, celuy qui gaigne »,
poursuit Commynes, « devient en reputation et estime de ses gens
plus grande que devant ; on luy accorde en ceste estime ce qu'il
demande ; ses gens sont plus courageux et plus hardiz. » Mais c'est
alors pour se détruire lui-même, car « *lesdictz princes s'en mectent
aucunes fois en si grant gloire qu'il leur meschet par après* » (t. I,
liv. II, chap. II, p. 108-109. C'est nous qui soulignons).

67. « ... qui s'en peult passer... » écrit bien le mémorialiste. Cf. le passage
cité plus haut à la n. 59.

68. Les *Mémoires* abondent en réflexions de toutes sortes sur l'art mili-
taire : ainsi, sur la valeur des archers (t. I, liv. I, chap. III, p. 26),
la façon dont « se commencent les escarmouches » (*ibid.,* p. 25), le
danger des « saillies » (t. I, liv. II, chap. XI, p. 149-150), l'utilité
relative des « gens de soulde » (t. I, liv. III, chap. III, p. 180), le fait
qu'il « n'appartient point aux chefz de l'avant-garde de chasser »
(t. II, liv. V, chap. VI, p. 137), etc. De quoi former un véritable
petit manuel de la guerre bien conduite !

69. « ... quant on vient à telz marchéz que de traicter paix, il se doibt
faire par les plus feables serviteurs que les princes ont et gens
d'aage moyen, affin que leur foiblesse ne les conduysist à faire
quelque marché deshonneste [...] Et se doyvent plustost conduyre
ses traictiez loing que près, et quant lesdictz embassadeurs retournent, les ouyr seulz, ou à peu de compaignye... » (t. I, liv. I, chap.
IX, p. 66).

70. Qui ne devraient d'ailleurs jamais cesser de fonctionner même en
temps de guerre : « Encores me semble que, quant la guerre seroit
jà commancée, si ne doit-l'on rompre nulle praticque ne ouverture
que on face de paix, car on ne scet l'heure que on a affaire, mais

et sans que les princes, eux, ne se voient [71]. Comment ne pas souhaiter que, sur le modèle de l'Angleterre [72] dont le système parlementaire paraît idéal à Commynes [73], ils partagent avec leurs sujets des décisions aussi importantes que celle justement de faire ou non la guerre [74] ou encore cette autre, si arbitrairement prise la plupart du temps, des impôts à lever [75] ?

les entretenir toutes et ouyr tous messaiges faisans les choses dessusdictez et faire faire bon guet quelz gens yroient parler à eulx, qui seroient envoyéz tant de jour que de nuyct, mais le plus secrettenent que l'on peült. Et pour ung messaige ou embassadeur qu'ilz m'envoyeroient, je leur envoyeroie deux... » (t. I, liv. III, chap. VIII, p. 219 et suiv.).

71. « ... il est presque impossible que deux grans seigneurs se puissent accorder, pour les rapportz et suspicions qu'ils ont à chascune heure. *Et deux grans princes qui se vouldroient bien entre-aymer ne se devroyent jamais veoir, mais envoyer bonnes gens et sages les ungs vers les autres, et ceulx-là les entretiendroient ou amanderoient les faultes* » (t. I, liv. I, chap. XIV, p. 87. C'est nous qui soulignons).

72. « en Angleterre [...] les choses y [quand il s'agit de préparer la guerre] sont longues, car le roy ne peult entreprendre une telle œuvre sans assembler son parlement, qui vault autant comme les troys estatz, qui est chose très juste et saincte, et en sont les roys plus fortz et myeulx serviz quant ainsi le font en semblables matières. Quant ces estatz sont assembléz, il déclaire son intention et demande ayde sur ses subgectz, [...] et très voluntiers et liberallement ilz les accordent » (t. II, liv. IV, chap. I, p. 8).

73. « ... selon mon advis, entre toutes les seigneuries du monde dont j'ay congnoissance, où la chose publicque est myeulx traictéz et règne moins de violence sur le peuple et où il n'y a nulz edifices abbatuz ny desmoliz pour guerre, c'est Angleterre » (t. II, liv. V, chap. XIX, p. 219). Notons bien au passage le ton enthousiaste du mémorialiste.

74. « Aux nobles [les princes] donneront travail sans cesser et despence, soubz coulleur de leurs guerres, *prinses à voulenté, sans advis ne sans considerer ceulx que ilz deüssent appeler avant les commancer* : car ce sont ceulx qui y ont à employer leurs vies et personnes et pareillement leurs biens : *par quoy ils en deussent bien savoir avant que on les commence* » (t. II, liv. V, chap. XVIII, p. 215-216. C'est nous qui soulignons).

75. Pour Commynes, tout impôt non librement consenti est « tyrannie et violence » : « ... y a-il roy ne seigneur sur terre qui ayt povoir, oultre son dommaine, de mectre ung denier sur ses subgectz sans octroy et consentement de ceulx qui le doyvent payer, si non par tyrannie et violence ? L'on pourroit responde qu'il y a des saisons

N'y gagneraient-ils pas en puissance d'ailleurs ? Et leurs sujets ne leur seraient-ils pas mieux « tenus » ? À la condition, bien entendu que cette procédure ne soit pas transformée en simple astuce, ainsi que l'ont souvent fait les princes anglais [76].

Sur toutes ces affaires politiques, Commynes, on l'a vu, se prononce clairement. Il a beaucoup regardé ce qui se passait autour de lui, beaucoup comparé, beaucoup réfléchi. Il est satisfait des conclusions qu'il a tirées. Aussi est-ce avec un sentiment de relative sécurité — relative, puisque, encore une fois, Dieu décide de tout — qu'il donne son avis. Il en va bien autrement cependant dès qu'il aborde le délicat problème de la conduite individuelle : les leçons, rares, se « brouillent » à l'arrivée — ne serait-ce pas qu'à l'émission, elles manquaient de netteté ? — le vocabulaire se nuance, comme dans cet exemple, fort connu pour avoir servi d'argument au soi-disant « machiavélisme » commynien,

> ... veulx declairer *une tromperie ou habilité,* ainsi que on la vouldra nommer... (t. I, liv. III, chap. IV, p. 195 [77]).

ou il se fait, dans une polyvalence qui n'a pas fini de se chercher, de plus en plus ambigu ; le reste de la citation commencée en fournit la preuve : « ... car elle fut *saigement* conduicte... » C'est le cas également du mot « saige » et de son autre dérivé « saigesse » ; des mots « bien » et « mal » aussi qui hésitent le plus souvent entre morale individuelle et morale sociale, quand ce n'est pas entre morale et efficacité.

qu'il ne fault pas actendre l'assemblée et que la chose seroit trop longue à commencer la guerre et à l'entreprendre. Je respondz à cela qu'il ne se fault point tant haster et a-l'on assez temps. Et si vous dy que les roys et princes sont beaucoup plus fors quant ilz entreprennent quelque affaire par le conseil de leurs subgectz, et aussi plus craintz de leurs ennemys » (t. II, liv. V, chap. XIX, p. 217).

76. « ... est bien une practique que ces roys d'Angleterre font quant, ilz veullent amasser argent, que faire semblant d'aller en Ecosse et faire armées. Et pour lever grant argent, ils font ung payement de trois moys, et puis rompent leur armée et s'en retournent à l'hostel, et ilz ont receü l'argent pour ung an... » (t. II, liv. IV, chap. I, p. 8-9).

77. C'est nous qui soulignons ainsi que dans le reste de la citation. Notons que cette paire antithétique « tromperie/habilité » se trouve plus d'une fois dans les *Mémoires,* cf. t. I, liv. III, chap. V, p. 199.

Pourquoi ce phénomène sinon, comme l'explique fort
bien Paul Archambault, pour ce qui est du mot « saige » :

> ... *the word* saige *offers a key illustration of the ambi-*
> *guity of Commynes' moral Thought, which can be both*
> *« moral » and admirative of the « succesfully immo-*
> *ral* [78] ».

que le mémorialiste n'a pas encore réglé pour lui-même la
question de la difficile relation entre ce que nous appellerions
volontiers, pour utiliser en les sollicitant légèrement ses propres
termes, le « [q]uant au monde » et le « quant à la conscience »
(t. II, liv. V, chap. XIII, p. 171). Ce qu'il sait toutefois depuis
la mort de Louis XI, c'est que l'homme ne peut favoriser im-
punément le « [q]uant au monde » au détriment du « quant à
la conscience ». Ce qu'il sait également et d'une conviction non
moins profonde bien que plus tardive — n'en a-t-il pas fait
la quotidienne et cumulative expérience ? — c'est que « le
monde n'[étant] qu'abus [79] », ces deux parts de lui-même et
de tout homme sont irréconciliables. Mais n'est-ce pas là le
vieux conflit du moine et du soldat ?

---

78. Cf. l'article déjà signalé et intitulé « Commynes' Saigesse and the
    Renaissance Idea of Wisdom », p. 624.

79. Rappelons que cette phrase est de Commynes lui-même et que nous
    en avons fait l'exergue de la présente étude.

Conclusion

> « ... le monde n'a pas été créé une fois, mais
> aussi souvent qu'un artiste est survenu... »
>
> PROUST
> *À la recherche du temps perdu*

« Le monde n'est qu'abus. » C'est sur ces derniers mots
qu'a souhaité, comme en une sorte d'hyperbate aux *Mémoires,*
disparaître l'homme Philippe de Commynes. Pouvons-nous,
sous prétexte qu'ils se situent en dehors de l'œuvre, les ignorer
complètement ? N'en sont-ils pas le « point de fuite » ? Ne
forment-ils pas, avec cette autre phrase que prête au mémorialiste son premier biographe Jean Sleidan — « Je suis venu
à la grande mer, & la tempeste m'a noyé [1] » — tout ce que
nous saurons sans doute jamais [2] de l'aventure intérieure dans

---

1. Cf. *la Vie de L'autheur Receueillie par Jean Sleidan,* p. 11 de la
    présente étude.

2. Que nous révèlent en effet les quelques lettres écrites par Commy-
    nes après les *Mémoires ?* Tout au plus qu'il se débat pour des
    questions d'argent. Une preuve de plus de son matérialisme, comme

laquelle l'écrivain avait peut-être plus plongé l'homme que celui-ci, celui-là. Mieux qu'un long discours, ne fournissent-ils pas une explication supplémentaire — il y a celle, rappelons-le, de la tentation de l'écriture — à l'arrêt des *Mémoires* ? Ne soulèvent-ils pas en effet, « en creux » pour ainsi dire, la question de Dieu ? « Le monde n'est qu'abus. » Bien. L'œuvre nous l'avait déjà appris. Mais où est ce Dieu qui semblait en fournir la clef et jusqu'au désespoir, par moments ? Ce Dieu-juge des mauvais princes, ce Dieu vengeur qui punit les orgueilleux et se range volontiers du côté du « sens » ? Ce Dieu-explication d'un monde en continuel changement et sur lequel l'homme a si peu de prise ? Ne restait-il vraiment à Commynes, pour poursuivre sa vie, qu'un Dieu-refuge ? Et pour mourir tranquille, lui a-t-il suffi de savoir que, pour l'éternité, il serait étendu là, dans sa maison ?

Mais lui restait-il même, ce Dieu-refuge ? Son silence à ce sujet permet d'en douter. D'autant que ce silence, il y était presque arrivé à la fin des *Mémoires*. Relisons bien les deux derniers livres. Dieu est partout. Trop présent justement pour ne pas révéler l'énorme distance que prenait peu à peu vis-à-vis de lui le mémorialiste. Comment aurait-il pu en être autrement ? Si jusque là Dieu « disposait » de tout, c'était avec une certaine logique, dans la ligne d'un bon sens que reconnaissait avec plaisir et qu'approuvait Commynes : Dieu servait même de preuve privilégiée à cette logique et à ce bon sens. Or voilà que soudain Il appuyait la sottise et l'imprudence. Et tout basculait aux yeux de Commynes. Plus rien ne tenait du bel ordre rassurant qu'il avait établi. L'organisation du monde dont il avait pourtant senti la pressante nécessité s'écroulait : il venait de rencontrer l'Absurde dans toutes ses dimensions. Cette découverte, il lui fallait la nommer à tout prix ou renoncer à *comprendre*. Mais la nommer n'était-ce pas une option presque impossible à l'époque ? Aussi le mot de Dieu continuera-t-il à se trouver sous la plume du mémorialiste. Il ne s'agira plus toutefois d'un Dieu-solution vers lequel peut se

on l'a prétendu ? Pourquoi pas plutôt — ou au moins aussi ? — le signe d'un esprit qu'irrite toujours le gâchis, où qu'il se trouve ?

tourner l'homme qui cherche la paix. Le Dieu qu'a rejoint
Commynes dans la dernière partie des *Mémoires* se révèle ambigu à l'extrême et par là essentiellement moderne. Dépouillé
de toutes considérations d'école — nous avons déjà signalé
l'heureuse « ignorance » du mémorialiste et ne vient-il pas de
tuer en lui ce qui demeurait du Dieu des Juifs [3] ? — il est
une sorte de Godot avant la lettre dont la seule existence, dans
sa problématique même, place l'homme devant une angoisse
sans issue qu'il doit coûte que coûte assumer. Et cela pouvait-il
s'écrire au XVᵉ siècle ?

*   *   *

    Ce Dieu-absurde sur lequel se clôt l'œuvre commynienne,
si peu chrétien au sens restrictif du terme, donc si peu conforme
à celui du temps et par conséquent si inattendu, comment
avons-nous réussi à le cerner sinon une fois de plus grâce à la
digression ? N'est-ce pas l'étude systématique et dynamique
de celle-ci — dynamique peut-être surtout — qui nous en a
révélé les diverses étapes comme elle nous avait déjà démontré
la vanité d'une lecture linéaire ou exclusivement historique des
Mémoires, en élevant, volet après volet, le Triptyque de portraits qui sont leur raison d'être. Volet après volet, c'est-à-dire,
dans une première partie, le portrait du Téméraire que la passion voue, comme d'ailleurs tous ceux qui lui ressemblent, à
l'échec total et tout compte fait, bien mérité. N'est-ce pas la digression qui, le mettant constamment en parallèle avec le roi

3.   Déjà, à la fin du cinquième livre, un passage fait rêver. Au moment
précis où il élabore sa théorie des contraires, le mémorialiste écrit
— et on ne peut que le citer en entier — : « Il pourroit doncques
sembler que ces divisions fussent necessaires par le monde et que ces
esguillons et choses opposites que Dieu a données et ordonnées à
chascun Estat et presque à chascune personne que j'ay parlé dessus
quelles sont aussi necessaire. *Et, de prime face, en parlant comme
homme non litteré, qui ne veult tenir oppinion que celle que nous
devons tenir, le me semble ainsi,* et principalement pour la bestialité
de plusieurs princes et aussi pour la mauvaistié d'autres qui ont sens
assez et experience, mais ilz en veulent mal user » (t. II, chap. XVIII,
p. 21. C'est nous qui soulignons).

Louis XI, prépare ainsi le portrait de ce dernier : un « très
grant sens », une « vertu » ou efficacité presque sans failles,
somme toute, à peu de choses près, le Prince idéal. Mais pourquoi n'a-t-il pas su assurer son bonheur personnel ? Et c'est
la deuxième partie de l'œuvre commynienne, le panneau central du Triptyque où peu de princes méritent une place, où, par
contre, tous les hommes peuvent mesurer leurs chances — leur
peu de chances ? — d'être heureux. Le volet droit enfin —
la troisième et dernière partie des *Mémoires* —, rendu nécessaire puisqu'il complétait la vision du monde de Commynes et
réservé aux princes « poy entendu[z] », ainsi Charles VIII,
évidemment au premier plan, préfiguré dans son incompétence
par le roi Édouard d'Angleterre.

N'est-ce pas l'examen de la digression qui nous a permis
également de percer la pseudo-discrétion du mémorialiste [4],
nous découvrant, quelquefois sous les « on [5] » ou les « aucuns [6] » le conseiller dans ses relations avec ses différents

4. Discrétion signalée par la plupart des critiques de Commynes qui
    au lieu de lire attentivement les *Mémoires* cherchent ailleurs, dans
    les « documents », ce que dans bien des cas ils y auraient bien plus
    sûrement trouvé. Gustave Charlier, entre autres, qui commence ainsi
    son *Commynes* : « Au saillir de mon enfance et en l'âge de pouvoir
    monter à cheval, fus amené à Lille, devers le duc Charles de
    Bourgogne. » C'est tout ce que Commynes nous dit de ses origines
    et de sa formation. Fâcheuse discrétion, peu commune aux mémo-
    rialistes. Elle nous prive de détails qui nous seraient précieux sur
    les circonstances qui ont conditionné son caractère et sa pensée. Les
    documents pourtant laissent filtrer quelques lueurs, qui raient la
    pénombre » (p. 7).
5. Ex. : « Combien que ceste offre [celle faite à Louis XI d'attirer à
    Paris le roi Édouard] ne luy plaisoit guères, si en fist-il très bon
    visaige, et se print à lauer sans trop respondre à propos ; mais
    me dist en l'oreille que ce qu'il avoit pensé luy estoit advenu :
    c'estoit ceste offre. Encores en parlèrent-ilz après soupper, mais
    le plus saigement que l'*on* peüt *on* rompit ceste entreprise, di-
    sant qu'il falloit que le roy partist à grant diligence pour
    aller contre le duc de Bourgongne » (t. II, liv. IV, chap. x, p. 69.
    C'est nous qui soulignons).
6. Ex. : « Le roy luy manda [c'est-à-dire au chancellier de Bourgogne
    qui avait sollicité une rencontre] qu'il se y trouveroit luy mesmes,
    combien que *aucuns,* à qui il en demanda, ne furent point de

maîtres, l'autodidacte ouvert à toutes les expériences, le poli-
tique-moraliste — car est-il possible de dissocier chez l'auteur
des *Mémoires* deux aspects aussi intimement liés ? — cherchant à comprendre autant l'animal social que l'individu forcé
de vivre avec sa « conscience » ; l'homme-Commynes même,
à l'occasion, que ce soit le tendre, soucieux du bien-être de son
cheval [7], attentif au plaisir qu'éprouve l'armée à laquelle on
vient de vendre quelques vivres [8], ému par l'« ung de ces
pouvres gens nudz » laissé pour mort sur le champ de Montlhéry et qui demande à boire alors qu'on le déplace pour que puisse
s'asseoir et manger le comte de Charolais [9], l'indulgent devant
l'« erreur » de la « jeune damoyselle » de Bourgogne qui lui
valut la « honte » d'être démentie publiquement [10], devant le
manque de reconnaissance du nouveau Louis XII [11] ou les

ceste oppinion. » Comment douter, ainsi que le note Calmette,
que Commynes ait fait partie de ces « aucuns », lui qui, on le
sait, était fermement opposé aux entrevues princières (t. II, liv. IV,
chap. XI, p. 78-79. C'est nous qui soulignons).

7. « J'avoye ung cheval extrêmement las, vieil cheval. Il beut ung sceau
plain de vin. Par aucun cas d'aventure, il y mist le museau. Je le
laissay achever : jamais ne l'avoye trouvé si bon ne si fraiz » (t. I,
liv. I, chap. IV, p. 37).

8. « Le peuple nous faisoit partout bonne chère [...] et apportoient des
vivres, comme pain, petit et bien noir — et le vendoient cher et au
vin les trois pars d'eaue — et quelque poy de fruict, et firent plaisir
à l'armée » (t. III, liv. VIII, chap. IX, p. 169).

9. « Au lieu où il mengea, fallut oster quatre ou cinq hommes mors
pour luy faire place, et y eut l'on deux boteaux de paille. En
remuant, ung de ces pouvres gens nudz commença à demander à
boire... » (t. I, liv. I, chap. IV, p. 37.)

10. « ... celuy qui parloit [...] monstra qu'il estoit homme très mauvais
et de peu d'honneur de faire ceste honte à ceste jeune damoyselle,
à qui ung si villain tour n'appartenoit pas estre faict ; car, si elle
avoit fait quelque erreur, le chastoy ne luy en appartenoit point en
publicque. Il ne fault pas demander si elle eut grant honte : car à
chascun avoit dit le contraire » (t. II, liv. V, chap. XVII, p. 198).

11. « Quant j'euz couché une nuyt à Amboyse, allay devers ce roy nouveau, de qui j'avoye aussi esté privé que nulle aultre personne, et
pour luy avoye esté en tous mes troubles et pertes ; toutesfoiz, pour
l'heure, ne luy en souvint point fort. Mais saigement entra en
possession du royaulme... » (t. III, liv. VIII, chap. XXVII, p. 314).

rebuffades que lui inflige Charles VIII [12], le vulnérable surtout, si proche alors de chacun d'entre nous : le vulnérable à la
peur, au moment de Fornoue [13], et qui a « le cueur serré [14] »
en apprenant la conclusion de la Ligue, celui qui se trouve
reconnaître sa faiblesse dans l'aveu qu'il fait de sa prudence lors
du conseil de guerre tenu par Charles VIII, le 6 juillet 1485 [15],
celui qu'éblouissent si facilement les richesses, que ce soit la
belle maison du « citadyn [...] marchant » Pierre de Médicis [16] ou les immenses trésors des doges [17], celui même qui
confesse se plaindre quand il souffre [18], celui enfin dont le

12. Rebuffades qu'il impute volontiers — nous l'avons déjà signalé —
    à la jeunesse de ce dernier, également à ceux qui l'entourent : « Et
    croy que j'ay esté l'homme du monde à qui il a faict plus de
    rudesse, mais congnoissant que ce fut en sa jeunesse et qu'il ne
    venoit point de luy, ne luy en sceüz jamais mauvais gré » (*ibid.*).
13. « ... si estoit-ce chose espouventable à estre en ce peril et veoir tant
    de gens au devant et n'y avoir nul remède de passer que par
    combattre et se veoir si petite compaignée... » (t. III, liv. VIII,
    chap. IX, p. 174).
14. « J'avoys le cueur serré et estoie en grand doubte de la personne du
    roy et de toute sa compaignée... » (t. III, liv. VII, chap. XX, p. 127).
15. « Et me depleüt bien qu'il failloit prendre ce train ; mais mes affaires
    avoient esté telz, au commencement du règne de ce roy, que je
    n'ouzois fort m'entremettre pour ne me faire point ennemy de ceulx
    à qui il donnoit auctorité, qui estoit si grande, quant il s'y mectoit,
    que beaucoup trop » (t. III, liv. VIII, chap. IX, p. 174).
16. « ... fit Pierre habiller le logis du roy en sa maison, qui est la plus
    belle maison de citadyn ou marchant que j'aye jamais veü, et la
    myeulx pourveüe que de nul homme qui fust au monde de son
    estat » (t. III, liv. VII, chap. IX, p. 56).
17. « En ceste chappelle est leur trésor [...] Il y a douze ou quatorze
    gros balaiz [il s'agit de diamants ; c'est nous qui expliquons après
    Calmette, n° 4] : je n'en ay veü nulz si gros. Il y en a deux, l'ung
    poise sept cens, et l'autre huyt cens caratz, mais ilz ne sont point
    netz. Il y a douze haulx de pièces de cuirasse d'or, le devant et
    les borts bien garniz de pierreries très bonnes, et douze couronnes
    d'or... » (t. III, liv. VII, chap. XVIII, p. 111-112).
18. Commynes parle de Louis XI : « Jamais en toute sa maladie ne se
    plaignit, comme font toutes sortes de gens quant ilz sentent mal. Au
    moins suys-je de ceste nature, et en veü plusieurs autres, et aussi
    l'on dit que le plaindre allège la douleur » (t. II, liv. VI, chap. X,
    p. 313).

lecteur voudrait, par delà les siècles, avoir mérité de devenir cet « especial amy » (t. II, liv. V, chap. v, p. 130), qu'il souhaitait sans toutefois le posséder [19].

N'est-ce pas par le biais de la digression qu'il nous a été donné de pénétrer quelque peu l'ambiguïté des *Mémoires,* tout au moins de la constater ? Ambiguïté essentielle et sur tous les plans en effet. Sur le plan des lecteurs d'abord, comme nous avons pu nous en rendre compte : Angelo Cato ou les Princes ? Commynes lui-même ? L'homme quel qu'il soit ? Ambiguïté qui révèle automatiquement celle des intentions de l'écrivain. Simple narrateur des faits vécus ? Moraliste qui s'accepte comme tel pour, à un certain moment, se refuser, tenté par le désir de la chronique officielle ? Et alors peut-être plus que jamais moraliste ? Ambiguïté formelle d'un récit sans cesse remis en question, d'un vocabulaire qui se cherche parce que se cherche celui qui l'emploie. Ambiguïté sur le plan des idées donc et c'est l'ambiguïté même de l'univers commynien. Univers de contradiction s'il en est un, dont le Dieu constitue à la fois le soutien et l'élément de destruction et qui pose à l'homme, placé dans un monde où l'efficacité n'est le plus souvent possible qu'au mépris de toute éthique, le difficile problème de concilier morale individuelle et morale sociale ou alors d'oublier à jamais son besoin de bonheur.

*   *   *

Il est devenu si courant de tirer vers le XXe siècle les auteurs du passé en insistant sur leur « modernité », qu'on hésite maintenant de plus en plus à le faire. Et pourtant, lorsqu'il s'agit qu'un écrivain comme Commynes, peut-on l'éviter ? D'autant moins sans doute qu'il est doublement moderne. Moderne dans le sens large du mot, c'est-à-dire situé par ses préoccupations et son esprit critique à l'orée de l'époque inaugurée en Europe par la Renaissance. Rien — ou si peu ! — de médiéval chez lui en effet. Les *Mémoires,* Jean Dufournet

---

19. « ... je conseilleroye à ung mien amy, *si je l'avoye...* » (t. I, liv. III, chap. XII, p. 250. C'est nous qui soulignons).

l'a démontré, sont une « destruction des mythes » : mythe, par exemple, du chevalier et de ses prouesses spontanées, détruit en faveur du stratège réfléchi, bien en possession de ses moyens et qui, au besoin, ne recule pas devant la ruse ; mythe rejeté de la bataille glorieuse et gratuite dont le mémorialiste sait qu'elle coûte cher [20], qu'elle s'achète même [21], dont il a également mesuré les misères comme l'inanité ; mythe aboli des fastueuses rencontres princières qui tournent toujours au désavantage de leurs participants ; mythe de l'Église qu'il faudrait réformer [22], mythe enfin, et nous croyons l'avoir démontré, du Dieu en majesté des frontons de cathédrales.

Découverte, par contre, du « sens » et de ses possibilités, de l'*efficacité* essentielle en tout, mais en même temps de la conscience individuelle qui ne peut toujours s'y résigner, des limites de l'homme aussi, dont le mémorialiste aurait presque pu écrire, avant Montaigne, que « [l]es dieux s'esbattent [...] à la pelote [23] ». Découverte également de la diversité des choses et de leur paradoxale unité sans laquelle certaines lois qui les ouvrent à la compréhension ne sauraient exister. Découverte, somme toute, d'un humanisme résolument moderne, empêché cependant jusqu'à un certain point dans son expression : Commynes ne se refusait-il pas à « tenir oppinion [autre] que celle que nous devons tenir [24] » ?

Mais n'est-ce pas justement cet « empêchement » qui rapproche le mémorialiste du lecteur actuel ? Quoi de plus moderne en effet — et cette fois dans l'acception courante du terme — que la difficulté d'être qu'il révèle ! Et comment aurait-il été facile au mémorialiste de vivre l'expérience de

---

20. Cf. t. III, liv. V, chap. xix, p. 218.
21. Ainsi, par exemple, la « grant guerre » du roi Édouard « en son royaulme d'Angleterre », payée grâce au prêt accordé par Gérard Canisiani, un serviteur des Médicis (t. III, liv. VII, chap. vi, p. 41).
22. Ce qu'avait entrepris Charles VIII. Et Commynes de commenter, qu'il « eust eu bien à faire... » (t. III, liv. VIII, chap. xxv, p. 304-305).
23. *Essais,* liv. III, chap. ix, p. 937.
24. Cf. la n. 3 de la présente conclusion.

l'Absurde alors qu'il croyait probablement encore que le Grand
Turc ne pouvait espérer faire son salut (t. II, liv. V, chap. XVIII,
p. 208) ni d'ailleurs les autres « ennemys de la foi [25] » ? Comment lui aurait-il été simple de se trouver dans l'action jusqu'à
s'en salir les mains et de chercher en même temps, pour lui et
pour chacun, le chemin du bonheur ; d'éprouver le besoin
d'adhérer au réel de toute son attention et de désirer avec une
égale ardeur en nommer les différents dénominateurs communs ;
de raconter, afin de *comprendre* un jour, hommes et événements.

Quoi de plus moderne surtout que cette quête continue
du monde et de soi qui constitue l'essentiel de l'œuvre commynienne ! Quête de l'œuvre par l'œuvre au fur et à mesure
qu'elle se fait et, à travers elle, de son auteur par lui-même.
Et si Commynes est encore susceptible de rejoindre un certain
public, ce n'est pas tant, nous semble-t-il, à cause des leçons
et des portraits que contiennent les *Mémoires,* que par ce
« devenir » constant. Les leçons ont été, pour la plupart, dé-
passées. Quant aux portraits, leur intérêt ne serait qu'historique,
si le lecteur ne sentait pas qu'ils sont à la base même d'une
très belle aventure spirituelle.

Montréal, mai 1971

---

25. Comme ceux de Grenade. Cf. t. II, liv. VI, chap. XII, p. 340.

Annexe

TABLEAU 1
LIGNES DIGRESSIVES : RELEVÉ

Livre (pages)	Nombre total de lignes par livre	Nombre total de lignes digressives	Lignes digressives au delà du niveau B	Lignes digressives au delà du niveau B +
I 90	2 122	1 212	783	397
II 78	1 986	1 108	764	496
III 81	2 020	1 159	864	307
IV 97	2 001	1 011	716	305
V 140	2 902	2 011	1 540	970
VI 104	2 245	1 859	1 159	669
VII 133	2 364	1 355	748	190
VIII 184	3 467	2 074	1 054	298

N. B. Chaque ligne où le récit est entamé, ne fût-ce que par un mot, a été comptée.

TABLEAU 2
LIGNES DIGRESSIVES : RAPPORTS

Livre (pages)	Nombre total de lignes digressives / nombre total de lignes par livre	Lignes digressives de niveau B $\longrightarrow$ / nombre total de lignes digressives	Lignes digressives de niveau B+ $\longrightarrow$ / nombre total de lignes digressives	Lignes digressives de niveau B+ $\longrightarrow$ / nombre total de lignes par livre
I 90	0,570	0,645	0,327	0,186
II 78	0,558	0,688	0,448	0,250
III 81	0,574	0,745	0,265	0,152
IV 97	0,506	0,710	0,301	0,152
V 140	0,694	0,766	0,482	0,334
VI 106	0,827	0,623	0,359	0,297
VII 133	0,572	0,551	0,140	0,080
VIII 184	0,596	0,510	0,144	0,086

TABLEAU 3
LIGNES DIGRESSIVES :
RAPPORTS PAR ORDRE DE GRANDEUR

Rang	Nombre total de lignes digressives / nombre total de lignes par livre	Lignes digressives de niveau B ⟶ / nombre total de lignes digressives	Lignes digressives de niveau B + ⟶ / nombre total de lignes digressives	Lignes digressives de niveau B + ⟶ / nombre total de lignes par livre
1er	liv. VI 0,827	liv. V 0,766	liv. V 0,482	liv. V 0,334
2e	liv. V 0,694	liv. III 0,745	liv. II 0,448	liv. VI 0,297
3e	liv. VIII 0,596	liv. IV 0,710	liv. VI 0,359	liv. II 0,250
4e	liv. III 0,574	liv. II 0,688	liv. I 0,327	liv. I 0,186
5e	liv. VII 0,572	liv. I 0,645	liv. IV 0,301	liv. III 0,152
6e	liv. I 0,570	liv. VI 0,623	liv. III 0,265	liv. IV 0,152
7e	liv. II 0,558	liv. VII 0,551	liv. VII 0,144	liv. VIII 0,086
8e	liv. IV 0,506	liv. VIII 0,510	liv. VIII 0,140	liv. VII 0,080

TABLEAU 4

Tours proverbiaux	Livre (pages)	I 90	II 78	III 81	IV 97	V 140	VI 104	VII 133	VIII 184	
Isolés		1	1	2	2	1	-	1	1	9
Faisant partie d'une digression complexe		5	4	4	1	5	1	2	2	24
		6	5	6	3	6	1	3	3	33

Plus 1 dans le *Prologue* 34

TABLEAU 5
LIGNES DIGRESSIVES :
COMPARAISON ENTRE LES SIX PREMIERS
LIVRES ET LES DEUX DERNIERS

Livres	Nombre total de lignes digressives / nombre total de lignes	Lignes digressives de niveau B ⟶ / nombre total de lignes digressives	Lignes digressives de niveau B⁺ ⟶ / nombre total de lignes digressives	Lignes digressives de niveau B⁺ ⟶ / nombre total de lignes
I à VI	0,621	0,696	0,530	0,228
VII à VIII	0,584	0,530	0,142	0,083

TABLEAU 6
SCHÉMA DES RAPPORTS
LIGNES DIGRESSIVES DE NIVEAU B + ⟶ /
NOMBRE TOTAL DE LIGNES

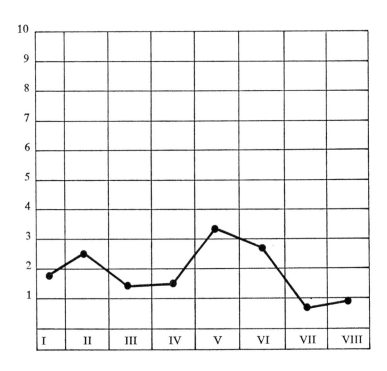

Bibliographie

I. Les *Mémoires*

1. manuscrits :

i. Le Dobrée (Bibliothèque du musée Thomas Dobrée, Nantes), 1 vol. (375 sur 0.270 mil.) de 219 ff. chiffrés au bas ; écriture du début XVIe siècle en forme sur deux colonnes ; tranches dorées et ciselées ; comporte quatorze miniatures. Titre : *Les coroniquez de Montlehery du tens du roy Louis unsieme.*

Le Dobrée ne contient que les six premiers livres des *Mémoires.* Il nous a été communiqué sous forme de microfilm.

ii. Le Polignac (ms 20960, nouvelles acquisitions françaises, Bibliothèque nationale, Paris), 1 vol. (300 sur 0,250 mil.) de 211 ff ; écriture soignée à longues lignes ; reliure gaufrée du XVIe ; orné de deux miniatures.

Le Polignac contient les huit livres des *Mémoires.*

iii. Le Manuscrit français 10156 (Bibliothèque nationale, Paris), 1 vol., *in* 4°, écrit à longues lignes sur papier, d'une écriture courante. Datant de François 1er, une mention indique qu'il a d'abord appartenu au maître de la garde-robe de ce prince, Jean d'Escoubleau, puis au roi Henri III.

iv. Le Manuscrit français 3879 (Bibliothèque nationale, Paris), 1 vol.,
in-folio moyen, du second quart du xvie siècle, écrit en lettres de
forme et à longues lignes sur parchemin. Les dix dernières lignes
manquent. Au dos de la reliure d'époque en maroquin rouge, on
lit le titre suivant en lettres dorées : *HIST. DU ROY LOYS XI
PAR DE COM.*

2. Imprimés (par ordre chronologique) * :

i. Édition princeps Galliot du Pré, *Cronique & hystoire//Faicte
et composee par feu messire Phelippe de Cōmines || Chevalier |
seigneur Dargenton | contenant les choses ad = || uenues durant
le regne du Roy Loys, XIe tant en France / || Bourgongne Flandres
Arthois Angleterre q̃ Espaigne et lieux circonuoisins* Nouuellement
imprime a Paris. || Galliot Dv Pre, 26 avril 1524 *in-folio,* sign. A.
ii-viii [v.iiii], 166 ff. sans chiffr. car. goth.

ii. Édition Sauvage, *Les Memoires de Messi || re Philippe De Commi-
nes, || Cheualier, Seigneur d'Argenton : sur les prin || cipaux faicts,
& gestes de Louis onziè- || me & de Charles huictieme, son || fils,
Roys de France, ||* Reuus & corrigez par Denis Sauuage de
Fontenailles en || Brie, sur un Exemplaire pris à l'original de
l'Auteur. & || suyant les bons Historiographes & Croniqueurs : ||
Auec distinction de liures, selon les matières, estans aussi les cha ||
pitres autrement distinguez que par cy de vant. &. brief. le tout ||
mieux ordonné : ainsi que les lecteurs pourront voir par l'auer ||
tissement à eux addrecé, après l'Epistre au Roy. || Auec priuilege
du Roy. || On les vend à Paris par Galiot du Pré, || Libraire juré
de l'Uniuersité. || 1552 || Galliot dv Pre. || *In-fol.,* 6 ff. lim.,
clxix ff chiffr. et 5 ff. non chiffr. Annotat. marginales.

iii. Édition Godefroy, Denys, *MEMOIRES/DE MESSIRE/PHILIPPE
DE COMINES,/SEIGNEUR D'ARGENTON,/Contenans l'His-
toire des Rois Louis XI, & Charles VIII. depuis l'an 1464. jusqu'en
1498.,* A Brusselle, Chez François Foppens, au St-Esprit., M
DCCXIV, 4 vol. (200 sur 0.130 mil.) dont 2 de « preuves », 528,
397, 565 et 544 pages.

iv. Édition Lenglet-Dufresnoy, *Mémoires de messire Philippe de Comines,* nlle éd., Londres ; et Paris, Rollin fils, 1747, 4 vol., *in* 4°
reliés en 2 tomes. T. I, cxviij-632 p. ; t. II, x-660 p.

* N'ont été retenues que les éditions citées.

v. Édition Petitot, *Mémoires de Messire Philippe de Commines, seigneur d'Argenton où l'on trouve l'histoire des rois de France, Louis XI et Charles VIII*, Paris, Foucault, Coll. complète des Mémoires relatifs à l'Histoire de France, 1820, 1ère série, v. II, notice, introduction et pièces justificatives, p. 125-328.

vi. Édition Dupont, Émilie(Mlle), *Mémoires de Commynes,* nouvelle édition revue sur les mss de la Bibliothèque royale, Paris, 1840-1847, (Soc. Hist. de Fr.), 3 vol.

vii. Édition Chantelauze, R., *Mémoires de Philippe de Commynes,* Paris, Firmin Didot, 1881, gr. in-8° illustré, xv-789 p., fig. pl. en couleur.

viii. Édition Mandrot, Bernard de, *Mémoires de Philippe de Commynes,* nlle éd. publiée avec introduction et notes d'après un ms inédit et complet ayant appartenu à Anne de Polignac, Paris, Picard, 1901-1903, 2 vol., in-8°, cxl-475 p. et 483 p., carte.

ix. Édition Calmette, Joseph (et Durville, chanoine G.), *Philippe de Commynes/Mémoires,* Paris, librairie ancienne Honoré Champion, 1924-1925 (Cl. de l'Hist. de France au moyen-âge, n°s 3, 5 et 6), 3 vol., xxxv-257, 351 et 442. Le 2e tirage, également en 3 vol. est de 1965.

x. Édition Pauphilet, Albert et Pognon, Edmond, *Historiens et chroniqueurs du Moyen-âge/Robert de Clari, Villehardouin, Joinville, Froissart, Commynes,* Paris, Pléiade, 1952, 1 vol., les *Mémoires,* p. 499-1050 ; notice bibliographique, p. 1452.

xi. Édition Coulet, Noël, *Commynes : Louis XI et Charles le Téméraire,* Paris, « le monde en 10/18 », 1963. Ne comporte que les livres I à VI, 181 p.

II. Livres et articles cités

Archambault, Paul, « Commynes' Saigesse and the Renaissance Idea of Wisdom », *in Bibliothèque d'Humanisme et Renaissance,* travaux et documents, t. XXIX, Genève, Droz, 1967, p. 613-632.

Aubertin, Charles, « Philippe de Comines », *in Histoire de la langue et de la littérature française au moyen âge, d'après les travaux les plus récents,* Paris, t. II, 1883, p. 281-297.

Barthes, Roland, *le Degré zéro de l'écriture et Éléments de sémiologie,* Paris, Gonthier, coll. Médiations, 1965, 182 p.

Barthes, Roland, « Le discours de l'histoire », in *Information sur les sciences sociales,* VI-4, août 1967, p. 65-75.

Bastin, Julia, *Philippe de Commynes,* Bruxelles, Coll. nationale, 1945, l'Introduction, p. 5-33.

Baude, Henri, *Dictz moraulx pour faire tapisseries* (vers 1470), publié par Annette Scoumanne, Genève, Droz, (Minard), Textes littéraires français (83), 140 p.

Beaucaire de Péguillon, François, *Rerum Gallicarum commentarii ab anno Christi 1461 and annum 1580,* éd. de Lyon, 1625, *in-fol.,* p. 188 et suiv.

Benoist E., *les Lettres de Ph. de Commynes aux Archives de Florence,* Lyon, Louis Perrin, 1863, *in-8°,* 30 p. Le supplément, même imprimeur, même date, 12 p.

Benveniste, Émile, « Les relations de temps dans le verbe français », in *Problèmes de linguistique générale,* Paris, Gallimard, Bibliothèque des sciences humaines, 1959, p. 237-250.

Bittmann, K., *Contribution à l'histoire de Louis XI. Un document inédit,* Paris, éd. Henri Perrier, 1945, 31 p.

Borges, Jorge-Luis, *Enquêtes (1937-1952),* traduit de l'espagnol, Paris, Gallimard, 1957, 312 p.

Bouchet, Jean, *le Panegyric du chevallier sans reproche ou Mémoires de la Tremoille,* Paris, Petitot, Coll. compl. des Mémoires relatifs à l'Histoire de France, 1820, t. XIV, p. 523-562.

Bruneau, Charles, « La stylistique », in *Romance Philology,* V, 1951-1952, p. 1-14.

Brunet, Gustave, *la France littéraire au XVe siècle/catalogue raisonné des ouvrages imprimés en langue française jusqu'en 1500,* Paris, 1865, Genève, Slatkine Reprints, 1967, VIII-256 p.

Bueil, Jean de, *le Jouvencel,* Paris, éd. C. Fabre et L. Lecestre, Renouard, 1887-1889, 2 vol., CCCXXXII-225 p. et 497 p.

Chantelauze, R., « Philippe de Commynes », in *Portraits historiques,* Paris, Perrin et cie, 1887, 2e éd., p. 47-133. (Étude d'abord parue dans *le Correspondant,* t. LXXXV et LXXXVI, 1880-1881.)

Charlier, Gustave, *Commynes,* Bruxelles, La renaissance du livre, 1945, 132 p.

Claudel, *Œuvre poétique,* Paris, Pléiade, 1962, 1026 p.

Cohen, Gustave, « Emblèmes moraux inédits du XVe d'après un manuscrit des Archives départementales de Gap », in *Mélanges de littérature, d'histoire et de philologie offerts à Paul Laumonier,* Paris, Droz, 1935, XIX-633 p.

Curtius, Ernst Robert, *European Literature and the Latin Middle Ages,* traduit de l'allemand par Willard R. Trask, Pantheon Books, Bollingen series, XXX VI, 662 p.

Delbouille, Paul, « Réflexions sur l'état présent de la stylistique littéraire », *in Cahiers d'analyse textuelle,* VI, 1964, p. 7-23.

Doubrowsky, Serge, *Pourquoi la nouvelle critique ?,* Paris, Mercure de France, 1966, 262 p.

Doutrepont, Georges, *la Littérature française à la cour de Bourgogne,* Paris, Champion, 1909, xviii-544 p.

Doutrepont, Georges, « L'extension de la prose au XVᵉ siècle », *in Mélanges de littérature, d'histoire et de philologie offerts à Paul Laumonier,* Paris, Droz, 1935, p. 97-107.

Doutrepont, Georges, *les Mises en prose des épopées et des romans chevaleresques du XIVᵉ au XVIᵉ siècle,* Bruxelles, 1939, 732 p.

Dreyer, Kenneth, « Commynes and Machiavelli. A Study in Parallelism », *in Symposium,* t. V, 1951, p. 38-61.

Dufournet, Jean, *la Destruction des mythes dans les Mémoires de Ph. de Commynes,* Genève, Droz, Publications romanes et françaises, t. LXXXIX, 1966, 710 p.

Dufournet, Jean, « Trahison et destruction des mythes dans les *Mémoires* de Philippe de Commynes », *in Information littéraire,* n° 5, 1967, p. 189-193.

Dufournet, Jean, « Art et déformation historique dans les *Mémoires* de Philippe de Commynes », *in Romania,* n° 358, t. 90, 1969, p. 145-173.

Dufournet, Jean, « Quand les *Mémoires* de Commynes ont-ils été composés ? », *in Mélanges de langue et de littérature du Moyen Age et de la Renaissance offerts à Jean Frappier,* Genève, Droz, 1970, p. 267-282.

Dulong Gustave, *L'abbé de Saint Réal. Étude sur les rapports de l'histoire et du roman au XVIIᵉ siècle,* Paris, Librairie ancienne Honoré Champion, Édouard Champion éd., 1921, vol. I, 372 p.

Duméril, A., « Comines et ses *Mémoires* », *in Annales de la Faculté des lettres de Bordeaux,* t. VI, 1885, p. 93-146.

Durville, abbé G., « Notice sur le manuscrit de Philippe de Commynes du Musée Dobrée », *in Catalogue de la bibliothèque du musée Thomas Dobrée,* Nantes, 1904, in-8°, p. 455-583 et 649-658.

Eco, Umberto, *l'Œuvre ouverte,* Paris, Seuil, 1965, 316 p.

Escouchy, Mathieu d', *Chronique,* nlle éd. revue sur les manuscrits et publiée avec notes et éclaircissements pour la Société de l'Histoire de France par G. du Fresne de Beaucourt, Mᵐᵉ Vve Renouard, Paris, M. DCCC. LXIII, 3 vol.

Exempla or Illustrative Stories from the Sermones Vulgares of Jacques de Vitry, édité avec introduction, analyses et notes par Thomas Frederick Crane, Nendeln/Liechtenstein, Kraus Reprint Limited, 1967, cxvi-303 p.

Faguet, Émile, « Commynes », *in XVIᵉ siècle, études littéraires,* Paris, 1893, p. 1-34.

Fierville, Ch., *Documents inédits sur Ph. de Commynes,* Paris, H. Champion, 1881, *in-8°,* 200 p.

Frye, Northrop, *Anatomie de la critique,* traduit de l'anglais par Guy Durand, Paris, Gallimard, coll. Bibliothèque des sciences humaines, 1969, 454 p.

Genette, Gérald, « Frontières du récit », *in Communications,* n° 8, Seuil, 1966, p. 152-163.

Greimas, A. J., « La linguistique statistique et la linguistique structurale/ À propos du livre de Pierre Guiraud : *Problèmes et méthodes de la statistique linguistique* », *in Français moderne,* oct. 1962, p. 241-254 et janv. 1963, p. 55-68.

Grevisse, Maurice, *le Bon usage,* J. Duculot-Gembloux, Paris, 7ᵉ éd., 1961, 1156 p.

Hatzfeld, H. A., *Literature Through Art / A New Approach to French Literature,* New-York, Oxford University Press, 1952, 248 p.

Heidel, Gerhard, *la Langue et le style de Philippe de Commynes,* Leipzig, Leipziger Romanistiche Studien, 1934, viii-182 p.

Houdebine, Jean, « L'analyse structurale et la notion de texte comme « espace », *in la Nouvelle critique,* n° spécial de *Linguistique et littérature* (Colloque de Cluny, 16-17 septembre 1968), p. 35-41.

Huizinga, J., *le Déclin du Moyen Âge,* traduit du hollandais par J. Bastin, Paris, Petite bibliothèque Payot, 1967, 345 p.

Ionesco, Eugène, *Notes et contre-notes,* Paris, Gallimard, coll. Idées, 378 p.

Joly, Claude, *RECUEIL DE MAXIMES VÉRITABLES ET IMPOR-TANTES POUR L'INSTITUTION DU ROY,* À Paris, M.DC.LII, 20 p. non numérotées-508 p.-4 p. non numérotées.

Journal d'un bourgeois de Paris à la fin de la guerre de Cent ans (1405-1449), Paris, éd. A Tuétey, Champion, 1881, 415 p.

Kinser, Samuel, *The Memoirs of Philippe de Commynes,* Columbia, South Carolina, University of South Carolina Press, 1969, 2 vol., l'Introduction, vol. I, p. 1-85.

La Farce du pauvre Jouhan, pièce comique du xvᵉ siècle, publiée par Eugénie Droz et Mario Roques, avec notes, glossaire et index, Genève, Droz (Minard), Textes littéraires français (84), 1959, 64 p.

La Mare, Philibert de, *Mémoire inédit,* Bibliothèque de la faculté de médecine de Montpellier, catalogue général des manuscrits des bibl. publiques des départements, I, 436, p. 42-45.

Lannoy, Chillebert de, « Instruction d'un jeune prince » et « Les Enseignements paternels », *in Œuvres,* publiées par Ch. Potvin, Louvain, imprimerie de P. et J. Lefever, 1878, *in*-8°, XCI-551 p., p. 289-439.

Lecoy de la Marche, Richard Albert, *la Chaire française au moyen âge,* Paris, Renouard, 1886.

Le Lyon coronné, texte bourguignon inédit publié par Kenneth Urwin, Genève, Droz (Minard), Textes littéraires français (81), 1958, 96 p.

Le Roman du comte d'Artois, édité par Charles Seigneuret, Genève, Droz, Textes littéraires français (124), 1966, 210 p.

Les Cent Nouvelles Nouvelles, éd. critique par F. P. Sweetser, Genève, Droz (Minard), Textes littéraires français (127), 1967, xv-650 p.

Lettenhove, Kervyn de, « Études sur les historiens du XVᵉ siècle, Philippe de Commynes », *in Bulletin de l'Académie royale de Belgique,* 2ᵉ série, t. VII, 1859, p. 256-292.

Lettenhove, Kervyn de, *Lettres et négociations de Philippe de Commines,* Bruxelles, Victor Devaux et cie, 1867-1874, 3 vol., 342, 312 et 110 p.

Lettres de Madame de Sévigné, de sa famille et de ses amis, recueillies et annotées par M. Monmerqué, Paris, Hachette, nouv. éd., coll. Les grands écrivains de la France, 1863, t. V, 572 p.

Lévi-Strauss, « La structure et la forme », *in Cahiers de l'Institut de Science économique appliquée,* n° 99, mars 1960, série M, n° 7, p. 3-36.

Liniger, Jean, *le Monde et Dieu selon Commynes,* thèse présentée à la Faculté des lettres de l'Université de Neuchâtel pour obtenir le grade de docteur ès lettres, Neuchâtel, 1943, XXIII-97 p.

Li proverbes au vilain, Heidelberg, 1966, 144 p.

Mandrot, Bernard de, « L'autorité historique de Ph. de Commynes », *in Revue historique,* t. LXXIII, 1900, p. 241-257 et t. LXXIV, p. 1-38.

Matthieu, Pierre, *Histoire//de//Louys XI.//Roy de France//et//Des choses memorables adveniies en l'Europe durant vingt & deux années de son Regne Enrichie de plusieurs observations qui tiennent lieu de commentaires.//Divisée en unze livres,//A* Paris chez P. Mettayer, Imprimeur et libraire ordinaire du Roy,//et La veufve M. Guillemot, Libraire, M DCX. Avec Privilege du roy. 48 f. partiellement chiffrées-603 p.-1 p. non chiffrée ; *Maximes, Jugements et observations politiques de Philippes de//Commines// seigneur d'Argenton//sur la vie, le regne, les actions de Louis XI. & autres diverses occurences,* p. 573-603-1 p. non chiffrée.

Meschinot, Jean, *les Lunettes des Princes,* publié avec préface, notes et glossaire par Olivier Gourcuff, Paris, librairie des bibliophiles, M D CCC XC, *in*-8°, xi-156 p.

Molinet, Jean, *Chroniques,* Bruxelles, éd. Georges Doutrepont et Omer Jodogne, coll. des Anciens auteurs belges, 1935, 3 vol.

Molinier, Auguste, *les Sources de l'histoire de France,* Paris, 1904, t. V, *in*-8°, p. 5-22.

Montaigne, Michel de, *Essais, in Œuvres complètes,* Pléiade, 1962, p. 9-1097.

Morawski, Joseph, *Proverbes français antérieurs au XV*ᵉ *siècle,* Paris, Champion, Classique français du Moyen-Âge, 1925, *in*-16, xxiv-147 p.

Morier, Henri, *la Psychologie des styles,* Genève, Georg, 1959, 375 p.

Morier, Henri, *Dictionnaire de poétique et de rhétorique,* Paris, P.U.F., 1961, 491 p.

Neff, W. B., *The moral Language of Philippe de Commynes,* New-York, Columbia, 1937, 206 p.

Nisard, D., « Commynes », *in Précis de l'histoire de la littérature française/depuis ses premiers monuments jusqu'à nos jours,* 6ᵉ éd., Paris, Firmin Didot, 1877, t. I, p. 117-135.

Nisin, Arthur, *la Littérature et le lecteur,* Paris, Éditions universitaires, 1960, 181 p.

Petit de Julleville, L., *Extraits des Chroniqueurs français,* Paris, Armand Colin, 6ᵉ éd., 1930, la Notice sur Commynes, p. 275-314.

Picon, Gaétan, *l'Écrivain et son ombre,* Paris, Gallimard, 1953, 316 p.

Pierre de Provence et la belle Maguelonne, Paris, éd. par Adolphe Bidermann, Honoré Champion, 1913, 124 p.

Pisan, Christine de, *Livre des fais et bonnes meurs du sage roy Charles V,* Paris, chez l'éditeur du « Commentaire analytique du code civil », 1836, 2 vol., gr. *in*-8°, t. I, p. 581-637, t. II, p. 1-145.

Potvin, Ch., « Une page de l'Histoire morale des lettres », *in Nos premiers siècles littéraires,* Bruxelles, Lacroix, Verboeckhoven et cie, 1870, t. II, p. 1-32.

Poulet, Georges, *Études sur le temps humain,* Paris, Plon, 1950, l'Introduction, p. i-xlvii.

Proust, Marcel, *À la recherche du temps perdu,* Paris, Pléiade, 1954, t. II, 1222 p.

Quicherat, J., « Article à propos de l'édition des *Mémoires* par Mlle Dupont », *in Bibliothèque de l'École des chartes,* série C, t. I, 1849, p. 70-74.

Rasmussen, Jens, *la Prose narrative française du XVᵉ siècle,* Copenhague, Ejnar Munksgaard, 1958, 198 p.

Riffaterre, Michaël, « Criteria for Style Analysis », *in Word,* XV, 1959, p. 154-174.

Riffaterre, Michaël, « Stylistic Context », *in Word,* XVI, 1960, p. 207-218.

Roye, Jean de, *Journal dit Chronique scandaleuse,* Paris, éd. Bernard de Mandrot, Société de l'histoire de France (270, 279), 1894-1896, 2 vol.

Sainte-Beuve, *Causeries du lundi,* Paris, Garnier, 1851, 5ᵉ éd., t. I, p. 241-259.

Saint-Réal, abbé de, *De l'usage de l'histoire,* Paris, C. Barbin, 1671, *in*-12, pièce lim., 248 p.

Sartre, Jean-Paul, *Qu'est-ce que la littérature ?* Paris, Gallimard, coll. Idées, 1948, 476 p.

Sozzi, Lionello, « Lettere inedite di Philippe de Commynes a Francesco Gaddi », *in Studi in Honore di Tammaro di Marini,* Verone, 1964, t. IV, p. 205-265.

Taylor, Archer, *The Proverb,* Cambridge, Harvard University Press, 1931, xɪ-223 p.

Todorov, Tzvetan, « Les catégories du récit littéraire », *in Communications,* n° 8, Seuil, 1966, p. 125-151.

Toennies, Paul, *la Syntaxe de Commines,* Berlin, G. Langenscheidt, 1876, 90 p.

Ullmann, Stephen, *Principles of Semantics,* Oxford, 2ᵉ éd., 1957, 346 p.

Valéry, Paul, *Œuvres,* Paris, Pléiade, 1957, t. I, 1807 p.

Varenberch, Emile-Ch., « Mémoire sur Philippe de Commynes comme écrivain et comme homme d'État », *in Mémoires couronnés par l'Académie royale de Belgique,* Bruxelles, 1864, t. XVI, p. 1-92.

Welter, J. Th., *l'Exemplum dans la littérature religieuse et didactique du moyen âge,* Paris-Toulouse, 1927, 564 p.

Table des matières

*Achevé d'imprimer le 8 avril 1975
par l'Imprimerie Jacques-Cartier Inc.*